D1539379

FOLIO POLICIER

Matthew Stokoe

La belle vie

*Traduit de l'anglais
par Antoine Chainas*

Gallimard

Titre original :

HIGH LIFE

© 2002, 2008 by Matthew Stokoe.
© *Éditions Gallimard, 2012, pour la traduction française.*

Matthew Stokoe est né en Angleterre et semble tenir à ce qu'on ne sache rien de lui. Il a publié *La belle vie* et *Empty Mile* dans la Série Noire.

À Richard
Puisse ceci être ton cri face au monde

Chapitre 1

Une pluie chaude arriva par la mer. Lorsque les éclaboussures poisseuses frappèrent Ocean Avenue, les lumières colorées des hôtels et des magasins furent aussitôt emportées dans les égouts, avec les déchets. Sur Palisades Park, un gros clodo fixait quelque chose à ses pieds. À la manière dont il penchait la tête, on aurait dit un pendu. Il vacillait un peu et je songeai à une corde tendue entre son cou et le ciel. Je me garai afin de voir s'il avait trouvé ce que je cherchais.

C'était difficile de bien voir. Les éclats de sodium de l'éclairage public ne portaient pas très loin et les détails de sa silhouette étaient cachés par les ombres mouvantes des hibiscus. Je plissai les paupières pour dégager la pluie de mes yeux, et le vis taper du pied. Une explosion de gouttelettes dorées jaillit du sol. Je me détendis — cet abruti se tenait dans une flaque d'eau et faisait exploser son reflet. Chaque fois que la surface redevenait claire, il recommençait, comme s'il refusait de voir ce qu'il y avait dedans. Peut-être s'agissait-il là d'une autodestruction symbolique. Peut-être qu'il trouvait ça joli. Pour moi, en tout cas, c'était tout simplement triste. Pas parce que sa conduite était particulièrement aberrante, mais parce que je m'imaginais avec trop de facilité faire le grand saut hors de la normalité et entrer dans un monde où les flaques auraient le pouvoir de me faire rester debout sous la pluie.

Je regardai plus loin derrière le vagabond, dans la pénombre, et aperçus des corps. Ils étaient vivants — ou supposés tels dans ce recoin obscur de la Californie. Ils étaient allongés, à l'abri des arbres ou sous les bancs, enveloppés dans des cartons et des feuilles plastique, à la recherche d'une heure d'oubli dans le sommeil. Plus j'observais, plus j'en voyais — taches d'ombre diluées en formes humaines maudissant leur sort, soumises à une lutte âpre pour trouver une position confortable. De temps en temps, la teinte orangée d'une cigarette brillait sur le verre d'une bouteille de vin.

Ces SDF, ces poivrots et ces camés, ces prostitués déglingués et adolescents fugueurs, ces ex-arnaqueurs ou arnaqueurs en devenir — chacun d'eux façonné par la violence de son désespoir — passaient toute leur vie sur ce morceau de pelouse où les clébards venaient chier. Ils y vivaient, y buvaient, s'y shootaient, y baisaient, se demandaient ce qu'ils auraient pu être si les choses avaient été différentes.

Ouais, putain.

Il n'y a qu'un pas.

Il suffit de presque rien.

Je repartis en douceur, direction sud. Essuie-glaces par intermittence, rideau de pluie qui étouffe les sons. La voiture avait quelque chose de rassurant, une cage d'acier rembourrée qui me préservait du reste de la mégapole.

Sur ma droite, une dizaine de mètres en contrebas de la bordure du parc, la jetée de Santa Monica plongeait dans l'océan tel un pieu. Ses échoppes à burgers étaient fermées, le manège ne fonctionnait plus, mais les éclairages continuaient de brûler le long de la promenade, diffusant un halo sale de bas voltage dans l'atmosphère humide de la nuit.

Aucune trace d'elle.

Je fis demi-tour et coupai par Santa Monica Boulevard. De toute façon, c'était stupide de penser qu'elle aurait pu être ici par une nuit pareille.

Trois heures du matin environ : suffisamment tard pour que la circulation soit fluide. Je fumais, une main sur le volant, loin derrière les feux arrière qui me précédaient. De chaque côté, des établissements faisaient leur propre pub : restaurants gourmets, motels, bureaux, des immeubles bas du style Art déco au tout-verre. Ramassés près du rivage, ils s'espaçaient après Lincoln et rapetissaient à mesure que le prix de l'immobilier chutait.

Santa Monica. SaMo, pour les intimes. Supermarchés clinquants, cafés bobos, la Promenade de la Troisième Rue, avec ses plantes taillées en forme de dinosaures et ses restaurants haut de gamme. Le tout agencé pour que ceux qui avaient assez d'argent pussent être au bon endroit.

Mes yeux me brûlaient. Même topo que la nuit dernière : écumer les rues, crevé mais incapable de dormir, maudissant Karen, me maudissant moi-même, et maudissant notre putain de vie commune. Elle avait déjà disparu à plusieurs reprises avant, mais j'avais cette fois-ci un mauvais pressentiment.

Ça faisait huit jours. Et je ne savais pas quoi penser.

Mais j'avais un pressentiment...

Santa Monica se fond dans l'ouest de L.A. — pas de séparation, une seule identité. Trop tard pour le tapin. Le business, dans ce coin, atteignait un tel degré

13

d'urgence que tout était plié aux alentours de deux heures. Cependant, il restait une chance pour qu'elle ait pris une cuite dehors, près d'un des clubs du Strip.

Hollywood, me voilà.

Les points de lumière luisaient d'une teinte orangée et apaisante. Je voulais croire ce qu'ils disaient. Que tout allait rentrer dans l'ordre et redevenir serein. Je le voulais, mais c'était impossible. Elle était partie depuis trop longtemps.

Je me concentrai sur ma conduite pour arrêter de gamberger.

La pluie cessa.

Century City avait l'air aussi stérile de nuit que de jour — des tours de bureaux, un centre commercial. Rien d'humain. Vingt étages plus haut, derrière les vitres sans tain, de gigantesques sommes d'argent dormaient dans l'attente que les employés de Warner, Fox et Sony reprennent leur service pour en faire des films sur l'existence des autres. C'était là qu'on donnait naissance aux rêves du monde — pas dans l'esprit des scénaristes ni dans les studios de Burbank ou les bureaux d'Amblin sur Universal Plaza, mais à l'intérieur de la grosse machine qui rendait les billets verts disponibles.

Les rêves. L'usine à rêves. La majorité des gens voyait ses produits comme un simple divertissement : peut-être une référence en termes de mode ou de train de vie. La plupart d'entre eux revenaient du cinéma et s'exclamaient : « Ouah, c'était génial. Ce type est trop cool, cette gonzesse est si sexy, cette baraque est tellement grande. T'as vu cette putain de bagnole ? Bon, merde, ce n'est qu'un film… Pas la vraie vie. »

Mais moi, je savais. Je savais que ça l'était. Que les films constituaient des fenêtres ouvertes sur la réalité. Pas une vision déformée mais un aperçu d'une vie meilleure. Tout le reste n'était qu'un gros tas de conneries.

Les stars vous toisaient du haut de leur palmarès, dix fois plus grandes, dix fois plus réelles que n'importe qui. Les seules à valoir quelque chose. Si Dieu existait, elles seraient ses enfants préférés.

Je traversai Beverly Hills. Les rues étaient larges, calmes et luisantes de la pluie récente. D'immenses palmiers étaient agrandis par leurs reflets le long des courbes parfaites des allées. Dans les jardins des hôtels particuliers, la lumière douce donnait à la végétation des accents paisibles. Ici, on ne connaissait pas la merde, ces gens vivaient dans un film.

Un véhicule doubla par l'intérieur en quatrième vitesse — long, raffiné, une des vitres sans tain baissée. Son conducteur, un homme parfait, brun, parlait dans un portable, deux blondes refaites collées à lui. Les mecs de l'industrie — avec leurs vêtements colorés et leur corps plus ferme que le mien, leur allure plus élancée — défilaient dans la lumière dorée des habitacles. Contrairement au ramassis de déchets blancs, de nègres pouilleux et de Latinos qui grouillaient à L.A., ils signifiaient quelque chose pour les autres.

L'argent façonne l'architecture de la ville et, la plupart du temps, on apprend à vivre avec, à se blinder contre la réalité de cette beauté. Seulement, parfois, il est impossible de passer outre. Quand ça vous saute à la gueule, comme pour s'assurer que vous n'avez pas oublié que tout est calme ici : un passeport, un visa dont juste quelques personnes peuvent s'emparer en tendant simplement la main.

Et tandis que je fixais la limousine et regardais ses feux arrière disparaître au loin dans la nuit pleine de mystères et de possibilités, la seule chose que je désirais au monde était de me trouver à l'intérieur, avec ces gens, et de glisser vers un palace orné de marbre sur le front de mer. Être leur égal, posséder autant voire plus qu'eux.

Vivre sa vie comme il se doit.

Mais j'étais à des années-lumière de tout ça.

Alors…

Direction nord sur Fairfax, à droite sur Sunset et tout droit sur le boulevard.

On raconte que c'était mieux dans les années 1970. J'avais cinq ans à l'époque et je n'étais pas là.

Enseignes clinquantes, des noms célèbres dans des bulles de lumière : Roxy, Viper Room, Whisky A-Go-Go. La boîte où Johnny Depp, Dan Aykroyd et beaucoup d'autres passaient leur temps à recevoir une petite communauté d'amis. Là où River Phoenix était mort et où les congressistes pleins aux as avaient le loisir de se faire dépouiller ou de choper une pute. Karen en avait essoré quelques-uns en son temps. Faire le tapin devant les attractions touristiques était un bon plan. Les clients avaient du fric et une excuse rêvée pour être loin de chez eux.

Devant l'entrée des clubs, des groupes disparates de Californiens d'un soir essayaient de passer la porte pour un dernier verre ou bien poireautaient dans l'attente d'un taxi, l'esprit tourné vers leur foyer. L'averse avait eu raison de l'activité nocturne de ce milieu de semaine et les rues étaient plutôt désertes. Si le sexe s'achetait, c'était désormais par l'intermédiaire des agences : appels téléphoniques et taxis jusqu'aux chambres d'hôtel ou domiciles privés.

Je continuai, pris Fairfax vers le nord et la plus célèbre rue à l'est : Hollywood Boulevard.

À l'époque du noir et blanc, l'endroit avait dû être

propre, tranquille et fier de ses charmes. Coleman, Flynn, Crawford et tous les autres avaient rendu l'Amérique célèbre partout sur le globe. Les foules se pressaient devant le Chinese Theater pour prendre part au succès par procuration. En ce temps-là, le pays était un lieu où tout ce qui n'était pas américain ne valait rien et où l'accomplissement individuel rejaillissait sur chacun.

Au crépuscule des années 1990, le boulevard était devenu un véritable enfer commercial. Les restaurants, qui avaient jadis modelé l'imaginaire populaire grâce aux histoires de cœur des célébrités, avaient depuis longtemps cédé la place à des boutiques de T-shirts et de lunettes de soleil. Les empreintes palmaires étaient constellées de crachats et les étoiles de bronze disparaissaient sous les chewing-gums. Et si d'aventure le succès se risquait au bas des collines, l'industrie veillait à ce qu'il soit trop bien protégé pour s'étendre.

Néanmoins, ça restait Hollywood Boulevard. Toujours cette attraction, la partie émergée du mythe californien qui resplendissait jusque dans les petites villes et ruinait tous leurs faits de gloire en instillant l'idée qu'il y aurait toujours, sans nul doute, un endroit plus excitant où vivre.

Karen venait ici pour trouver de la drogue, traîner. Ou bien dénicher des provinciaux à bichonner durant quelques jours. Seulement, maintenant, c'était trop tard et trop dangereux. J'aurais dû commencer mes recherches des heures avant, mais la plage m'avait retardé. J'avais cru la trouver dans une des gargotes sur Venice Beach, en train de fumer un joint et de boire avec n'importe qui pour avoir de la compagnie. À présent, je me sentais stupide d'avoir perdu mon temps.

Le tapin n'était pas loin du boulevard. J'aurais pu tenter ma chance et aller vérifier, mais j'en avais marre.

Karen devrait ramener son cul à la maison toute seule, où qu'elle soit.

Le retour vers Santa Monica fut obscur. Mes yeux étaient carbonisés et les cigarettes m'avaient dévoré la gorge. Je pris un Coca frais dans un distributeur près d'un motel et déglutis jusqu'à avoir les larmes aux yeux. Un Coca, une brise nocturne et la pulsation lente de la ville autour de moi. Pendant cet instant suspendu, pendant cet infime laps de temps, je fus libéré du passé et même du présent. Ne subsistaient que la légère brûlure dans ma bouche et la satisfaction d'être debout et seul à l'heure où la plupart des gens dormaient.

Cinq minutes plus tard, de retour sur la route, le sucre et la caféine commencèrent à agir et me secouèrent un peu. Il n'y avait rien à regarder, alors je fis passer les pubs pour le parfum Calvin Klein dans ma tête.

À proximité de Franklin, je repris conscience des choses. Le boulevard de Santa Monica était dégagé jusqu'à sa dernière grande courbe avant l'océan et je fus heureux de ne pas avoir à m'emmerder avec d'autres conducteurs.

Mon dos était douloureux. Je m'appuyai contre le siège. Le rembourrage me fit du bien au niveau des épaules. Le volant était agréable entre mes mains. Honda Prelude, cinq ans d'âge, faible kilométrage, aucune rayure. Pas une Porsche, mais je ne me plaignais pas. J'avais de la chance d'avoir au moins une voiture.

Un mois plus tôt, après que ma Ford sans assurance eut été volée, mon unique possibilité de me déplacer avait été le bus, deux changements et l'espoir de mettre assez de blé de côté avant les dernières heures ou qu'un taré assis sur le siège arrière ne me tue. Karen aurait pu m'aider, mais je ne le lui avais pas demandé.

À cette époque, nous avions dépassé depuis longtemps le stade où elle contribuait aux dépenses communes. Tout ce qu'elle ramenait des passes allait dans la came et la fête. En plus, une voiture ne signifiait pas grand-chose pour elle qui n'avait pas le permis.

Il s'avéra, cependant, que je l'avais sous-estimée. Et qu'elle ressentit le besoin de se livrer à un acte de générosité unique, inexplicable.

Ocean Avenue, une heure avant l'aube. À l'intérieur des terres, une faible lueur commençait à suinter dans le ciel où se découpaient les quelques nuages responsables de la dernière averse. Trop tard pour dormir, désormais. J'envisageai de vérifier une nouvelle fois le parc et peut-être la plage en contrebas, puis de regagner Venice pour prendre une douche et un remontant chimique avant d'aller à Donut Haven.

Mais ça ne se déroula pas ainsi.

Alors que je traversais un coin sombre, j'entendis une sirène. Une ou deux secondes plus tard, une ambulance déboula par la droite dans un maelström de lumières et de sons. Elle resta à ma hauteur sur quelques mètres puis se rabattit et accéléra.

Il n'y avait aucune raison pour que cette ambulance ait une signification différente des centaines d'autres que j'avais croisées depuis mon installation, mais, cinq cents mètres plus loin, je vis où elle allait. J'eus un mauvais pressentiment que j'aurais été incapable d'écarter en considérant que cette ambulance était là pour quelqu'un d'autre.

Agitation en bordure du parc. À l'opposé de San Vicente, à l'endroit où la route s'enfonce dans les terres. Deux voitures de police étaient déjà sur les lieux et transformaient la rue en scène de film avec leurs gyros. Des silhouettes sombres bougeaient tout autour, profilées par les lueurs rouges et bleues. Les feuillages ondulaient sous les couleurs changeantes, comme malmenés par un vent violent.

Les ambulanciers ralentirent, tournèrent dans la voie d'accès et se garèrent près des flics, ajoutant leurs lumières aux autres.

Je ressentis le besoin urgent de faire demi-tour, de rentrer chez moi et de fuir cette impression de savoir ce qui avait amené les forces d'intervention à se rassembler sur cette aire de stationnement, à la pointe ouest d'un pays de trois cent cinquante millions d'habitants. Seulement, je ne le fis pas. Il fallait que je sache s'ils avaient trouvé ce que j'avais cherché toute la nuit.

Je laissai la Prelude un peu au nord et revins à pied.

C'était le secteur le plus merdique du parc, là où les clodos venaient se soulager et baiser. Un passage accidenté truffé de détritus, sans trottoir, qui conduisait, à travers ravins et dépressions, aux collines. Les arbres étaient rares, mais d'épais buissons proliféraient dans cette zone, sur les restes de junk food et les déjections de colons desséchés.

Un petit groupe, composé des paumés du parc et de coureurs matinaux, s'était rassemblé le long de la route. Ils se tordaient le cou pour essayer de voir ce qui se tramait au fond du ravin qui serpentait entre le haut de la route et l'intérieur du parc, deux mètres plus bas. Les policiers avaient sécurisé la scène. Ils avaient déroulé un ruban jaune le long du ravin et tendu des bâches en plastique bleu entre deux buissons, afin d'empêcher la vue depuis la rue. Tenter d'apercevoir quelque chose en remontant ou en descendant Ocean Avenue ne servirait à rien. La profondeur du ravin associée aux buissons de chaque côté rendait toute observation impossible.

Des faisceaux de lumière parcouraient les bâches et projetaient les ombres des policiers dessus : des épaules voûtées, des mains avec des cigarettes qui se levaient et s'abaissaient. Quelle que soit la raison de leur présence à cette heure, elle était sans doute étendue à leurs pieds. Et, tandis que les infirmiers étaient assis sur le marche-pied de leur véhicule à siroter le café d'une thermos, elle était tout aussi probablement morte.

Je restai un moment avec les autres badauds pour écouter les conversations à la recherche d'informations. Personne ne savait ce qui s'était passé, mais tous connaissaient la signification du ruban jaune. Et tous savaient que s'ils patientaient suffisamment longtemps, ce qui se trouvait là ressortirait dans un sac. Cela ne m'était d'aucune utilité. Je ne pourrais pas voir le visage.

Le choix était simple. Les flics avaient dépêché deux hommes chargés de prévenir toute indiscrétion, mais ils ne se préoccupaient que de la rue. Alors… une marche rapide vers le sud sur une quinzaine de mètres, puis un passage à travers les buissons, et enfin une large boucle dans le parc pour arriver au ravin, derrière les bâches. Cela me prit du temps car je dus ramper en plusieurs endroits pour rester caché et veiller à éviter les étrons. Je parvins néanmoins juste au-dessus du cordon de police, après avoir parcouru les derniers mètres à plat ventre. Et je dénichai un bon point d'observation dans un espace entre deux buissons.

Le ravin était en partie bétonné pour évacuer la pluie en cas d'orage. Un petit filet d'eau s'écoulait d'une grosse conduite et ruisselait autour des chaussures des quatre policiers regroupés là et occupés à débiter des plaisanteries. Ils portaient tous l'uniforme et ne sem-blaient pas incommodés par la chose étendue sur le sol.

Ils devaient tout simplement tuer le temps jusqu'à l'arrivée des enquêteurs.

La chose étendue sur le sol…

C'était encore pire que ce à quoi je m'attendais.

Je restai allongé et regardai l'eau buter contre elle un moment. Enfin, je commençai à reculer.

À m'éloigner de ma femme morte.

Jusqu'à la rue. Les feuilles du parc devinrent rouge cuivré lorsque le soleil se leva. Et le ciel se mit à évoluer du pastel au bleu clair. Les policiers se racontaient encore des blagues et leurs rires résonnaient dans l'air chaud. Ils me parvenaient sous la forme de reniflements, comme des grognements d'animaux.

Je rentrai à Venice alors que le monde s'éveillait.

L'image dans ma tête était pornographique dans le moindre détail.

Chapitre 2

La voie rapide longe la promenade d'Ocean Front Walk, séparée de la mer par des blocs d'immeubles de sept étages. Aussi, on ne peut apercevoir le rivage qu'aux intersections. Loin des commerces, les maisons et les appartements le long de la plage sont érodés par le soleil et le sel. Ce n'est pas un ghetto mais il est rare d'en voir des photos dans l'*Architectural Digest*.

Venice a la réputation d'être amusant, farfelu et plein de fondus de la contre-culture. Mais à l'instar de Sunset Strip ou de Hollywood Boulevard, ce n'est rien de plus qu'un argument publicitaire pour touristes. Venice est en réalité composé d'une multitude d'endroits différents. Quartiers bohèmes pour artistes, terres d'élection pour les dingues de la rénovation qu'on appelle yuppies, lieux pétrifiés, propriétés de vieux de la vieille habitant là depuis toujours, appart' pas trop moches destinés à des apprenties célébrités. Et c'est plutôt sympa de regarder les nanas faire du roller le week-end.

En ce qui me concerne, lorsque j'ai emménagé, j'ai flairé le potentiel, les possibilités. Des couleurs : le bleu de l'océan, la blancheur des murs, le carmin des tuiles. La douceur du climat, la luxuriance inhabituelle de la végétation, cet espace, l'immense étendue face à l'océan, jusqu'en Chine, pile à ma porte. Tous les ingrédients représentatifs de mon futur : optimisme, lumière aveuglante, mouvement, succès.

J'y ai vécu deux ans. Et durant tout ce temps, j'ai été malheureux.

Je me garai entre deux bennes à ordures et restai assis. Fenêtres fermées, moteur éteint. Je me sentais bizarre, coupé de toute activité humaine. Une émeute aurait pu éclater, je ne l'aurais même pas remarquée. Tout ce que je voyais, c'était ce qu'il y avait eu dans le parc.

Bien qu'elle eût beaucoup changé, j'avais tout de suite reconnu Karen.

Dos au sol, étendue avec aussi peu de grâce que n'importe quel macchabée à la télé. J'avais toujours cru qu'un vrai cadavre aurait plus d'impact que ces acteurs disloqués et couverts d'éclaboussures dans les séries policières. Comparée à ces fictions de fin de soirée, Karen avait l'air d'avoir été dépouillée de ses couleurs et même d'une certaine substance.

Elle était nue, la chatte exposée. Jambes écartées, un bras croisé sur sa poitrine, sous ses seins, l'autre rejeté sur le côté. Ses yeux étaient fermés, mais son ventre ouvert — tailladé du sternum jusqu'aux poils pubiens, en passant par le nombril. On l'avait ensuite coupée à l'horizontale pour écarter la paroi abdominale. On aurait dit qu'il manquait un morceau sur la partie droite.

Je demeurai longtemps dans la voiture, à essayer d'analyser mes sentiments. Je finis par abandonner. Ils étaient trop ambivalents. Je songeai plutôt à combien il avait dû être facile de la décharger. Un arrêt, la portière ouverte, une poussée, et elle avait disparu. Je pensai à son allure, tandis qu'elle tombait, les jambes rejetées de part et d'autre.

Après ça, je croyais pouvoir garder l'image de son visage dans ma tête. C'est ce que semblaient faire les personnages de séries télé, lorsqu'ils perdaient un être cher. Mais la seule vision qui persistait était celle de l'eau courant entre ses cuisses sur le béton humide de la canalisation.

L'appartement ne payait pas de mine. Second étage d'un immeuble en stuc défraîchi datant des années 1950. Une chambre meublée d'un lit et d'un canapé, plus cuisine et salle de bains.

L'endroit sentait la moisissure. J'aurais pu aérer, mais ça aurait impliqué de laisser entrer le monde extérieur. C'était un de ces matins où j'avais besoin de le tenir à l'écart.

J'allumai le magnétoscope et visionnai la dernière édition de *28 FPS*, une émission nocturne sur les potins mondains, diffusée sur une petite chaîne du câble. La présentatrice était une blondasse nommée Lorn. Elle se foutait des films présentés et se focalisait sur les personnalités : acteurs, directeurs, producteurs, n'importe qui d'assez riche et introduit dans le milieu de l'industrie. Fréquentations, argent, maisons, voitures, pratiques et orientations, addictions et désintoxications. Elle était branchée là-dessus. Je ne manquais jamais un numéro.

Robert Downey Jr. avait des problèmes de came et de port d'arme, Don Johnson s'était cassé la cheville. Dans un registre plus léger, Ray Liotta et Michelle Grace s'étaient fiancés. Mickey Rourke et Carre Otis avaient été vus à New York, très décontracts. Goldie Hawn était à Londres pour la première du *Club des Ex*. À l'aéroport d'Heathrow, elle portait une jolie robe transparente noire qui offrait un aperçu délicieux de ses nibards. De retour à L.A., Noah Wyle et Anthony Edwards étaient de sortie pour une soirée MTV au House of Blues. Anna Nicole Smith écrivait sa bio et George Clooney s'était énervé après un paparazzi.

La cassette arriva en bout de bande. Je voulais en passer une autre, mais impossible de me concentrer. De drôles de pensées émergeaient.

Ma femme depuis un an était morte et je n'avais rien dit aux flics. N'importe qui aurait franchi le cordon de police en hurlant des propos incohérents, invoquant une épouse, une liaison et oh, mon Dieu…

Pas moi.

Et ça n'avait rien à voir avec la perspective soudaine de les voir débarquer à l'appartement. Car ce ne serait pas le cas.

Elle n'avait pas utilisé son nom marital depuis les premières semaines de notre mariage et elle n'avait jamais fait changer ses papiers d'identité à mes nom et adresse. Trouver des renseignements sur elle aux alentours de l'endroit où on l'avait découverte était peu probable. Elle traînait exclusivement du côté de West L.A. et de Hollywood en général. Même s'ils arrivaient à mettre la main sur quelqu'un qui la reconnaîtrait, les chances qu'on remontât jusqu'à moi étaient quasi nulles. Nous vivions deux vies séparées. Elle n'amenait aucun ami à la maison. Il y avait aussi peu de connexion que possible entre nous. Et puis, de toute façon, que signifiait une pute morte de plus à Los Angeles ?

Nous nous étions rencontrés dans un bar. J'étais à L.A. depuis un an et je n'avais, jusque-là, pas obtenu le succès escompté. En dehors des cours du soir de télé-présentation, donnés par une petite boîte privée dont c'était la seule activité, je n'étais pas parvenu à m'insé-rer. Je savais comment tenir ma tête de manière à ce que l'ombre n'accentue pas les cernes, j'arrivais à lire un prompteur et je pouvais me composer un sourire. J'étais en mesure de communiquer aux spectateurs cette per-fection, cette vitalité inébranlable garantes de fidélisa-tion. Mais je n'avais pas réussi à me mettre dans le bain. Mon intégration à la population locale se résumait peu ou prou à m'asseoir à un comptoir, une bière devant moi.

J'étais arrivé de l'ouest, cramponné aux rêves habi-tuels : me faire un max de blé puis passer le reste de ma vie au soleil. Ça ne s'était pas produit. Un type de trente ans, sans talent particulier, qui ne faisait pas partie des légendaires-inconnus-au-succès-fulgurant dénichés par les médias, était destiné à rester dans l'ombre et net-toyer la merde. Personne ne m'avait découvert.

Alors, j'avais pris ce job, à Donut Haven. Il me per-mettait de subsister. Mais même après un an à jouer les fantassins, à l'époque où j'avais rencontré Karen, c'était toujours la misère. Mon seul fait de gloire consistait à avoir évité East L.A.

Elle travaillait, cette nuit-là. Je n'avais jamais été avec une pute, mais je m'étais dit « ouais » lorsqu'elle m'avait fait du rentre-dedans et avait marmonné indis-tinctement les choses que je pourrais lui faire si j'avais assez. Pourquoi pas ? Passé un certain stade, le climat dépressif de la ville rendait toute possibilité de contact physique attrayante. Nous nous rendîmes chez moi et, quand ce fut fini, elle resta pour la nuit. Elle n'avait nulle part où aller.

Karen était une petite blonde maigrichonne qui vi-vait dans la rue, une gonzesse de vingt-deux ans qui se traînait un sacré paquet d'addictions névrotiques.

Lorsqu'elle n'avait aucun plan, elle dormait dans un cinéma ou sur un banc dans le parc. Elle puait tellement que la première fois je l'obligeai à prendre une douche. Il était évident qu'elle était sur la pente descendante.

J'avais besoin de quelqu'un. Karen devait trouver un endroit pour souffler et se remettre les idées en place si elle voulait fêter son prochain anniversaire. Je suppose que j'ai saisi ma chance. Et elle aussi. Je l'ai payée encore quelques fois avant de lui suggérer d'emménager. Elle avait tout de suite accepté.

Les six premières semaines, tout se passa bien. Elle avait arrêté le tapin, on allait à droite à gauche, il y avait une certaine connivence. L.A. se mua d'un désert de frustration en une sorte de foyer. Karen contrôlait sa conso et recouvrait la santé. Chacun retira beaucoup de l'autre. Nous nous mentions en appelant ça de l'amour. Et, cerise sur le gâteau, lors d'un week-end empli d'illusions, nous nous mariâmes. Karen eut l'air embarrassée le lendemain même. Dès lors, elle fit la plupart du temps comme si ça n'avait jamais eu lieu.

Elle mit un point d'honneur à ne pas évoquer le présent. Son passé était encore plus mystérieux. Les seuls éléments personnels que j'appris d'elle en un an de vie commune étaient que son père avait été flic et qu'elle était partie de chez elle sans se retourner à l'âge de quinze ans.

Peut-être y avait-il un truc dans son passé pourri, un besoin d'attention, qui la poussa à retourner faire le trottoir. Plus vraisemblablement, je n'étais pas assez riche.

Ce fut une période difficile. Le début de la dégringolade. Elle avait commencé dès notre mariage et ne s'était plus arrêtée. Si Karen avait été plus franche dans la poursuite de son ancienne vie, j'aurais pu faire une croix sur elle et poursuivre ma route. Mais, en dépit de ses absences et de ses infidélités, elle parlait encore d'amour. Elle continuait à prétendre vouloir rester avec moi. D'un côté, je savais qu'elle voulait juste le beurre et l'argent du beurre : prendre le fric, se défoncer, traîner et, à la fin, revenir à la maison où un pauvre con l'aiderait à recharger les accus. Et d'un autre côté, une partie de moi voulait plus que tout croire en l'idée du couple. Avec la certitude qu'à la fin, tout s'arrangerait.

Pourtant, c'était dur de s'accrocher. Quand elle revenait du tapin les premières fois, je l'attendais, espérant comme un idiot qu'elle tombe dans mes bras et me dise combien c'était bon d'être de retour à la maison. C'était tout ce que je pouvais faire pour éviter de la frapper. Au lieu de ça, elle rentrait, se rendait directement à la salle de bains et se douchait. Alors je la suivais, la regardais se déshabiller, observais les traînées de sperme séché sur son ventre, semblables à des cicatrices écaillées, persuadé que j'allais vomir.

Je parvins cependant à me blinder petit à petit. Je construisis une carapace autour de mon accablement et arrêtai de veiller. La douleur était toujours aussi vive, mais je n'avais plus l'énergie nécessaire pour m'y confronter autant. Pendant un moment, je me fourvoyais en essayant de faire la part des choses : établir une séparation entre la Karen qui sortait sucer des bites, et la femme qui déclarait encore éprouver des sentiments pour moi.

Ma complaisance dans cet état de stupidité ne dura pas. Elle se serait peut-être prolongée si les choses étaient restées telles quelles. Mais Karen aggrava la situation : d'une soirée de temps en temps, le tapin passa aux week-ends systématiques, jusqu'à découcher. Elle évoquait un docteur, un policier… Sur la fin, elle disparaissait une, voire deux semaines, sans prévenir. Et moi, bien entendu, j'étais dévoré par une rage allant au-delà de la jalousie, jusqu'aux limites de la haine et du dégoût de soi. Malgré tout, elle continuait à affirmer qu'elle tenait à moi, qu'elle me devait la vie, que je l'avais sortie du caniveau. J'étais déjà trop meurtri pour y croire.

Lorsqu'elle avait disparu la semaine dernière, j'avais eu l'intuition qu'il ne s'agissait pas que d'une nuit blanche, mais de quelque chose de beaucoup plus illégal et dangereux. Je n'avais pas contacté la police. J'étais pourtant parti à sa recherche. Par culpabilité, non par amour.

Maintenant que je l'avais retrouvée morte — éclaircissement final —, j'étais toujours dans les mêmes dispositions. Son corps aurait pu être un tas de chiffons, pour ce que ça me faisait.

Le spectacle de notre misérable, notre désastreuse vie commune m'avait dissuadé de révéler notre relation. Karen n'avait plus assez d'importance pour en valoir la peine.

Huit jours plus tôt.

Elle était rentrée tard, après deux semaines sans donner signe de vie. Elle n'avait pas l'air bien. Sa peau était encore plus pâle que d'habitude, elle avait perdu du poids, ses cheveux étaient ternes. Cependant, elle semblait euphorique, comme un enfant lors d'une fête, au moment de donner le meilleur cadeau, mais à quelqu'un qu'il apprécie peu. Et c'est ce qu'elle fit. Elle m'emmena dehors et m'offrit la Prelude.

Je savais, rien qu'à son regard, qu'elle voulait que je sois content. Merde, j'allais pas me rouler par terre pour une bagnole, mais ce présent me déstabilisa. Je dis ce qu'il fallait ; ce qu'elle voulait entendre, et nous partîmes faire un essai sur Santa Monica. Pendant tout le trajet, je ne pus m'empêcher d'imaginer à quel genre de prestation sexuelle elle avait dû se soumettre pour réunir l'argent nécessaire en deux semaines.

De retour à la maison, elle s'allongea, jambes écartées, minijupe en cuir relevée. Je la questionnai, mais elle m'attira à elle. Je voulus me dégager, la moucher ou au moins blesser son amour-propre en sortant un truc du style : « Ce serait un crime de salir ta chatte pleine de foutre avec ma queue. » Seulement, je n'avais pas baisé depuis deux semaines : son contact, son odeur, c'était trop. J'embrassai ses seins à travers l'étoffe du maillot et glissai ma main entre ses cuisses. En temps normal, elle gémissait quand je faisais ça, mais là, rien. Comme si elle attendait quelque chose. Alors quoi ? Je continuai. Enlevai son slip, soulevai son T-shirt, m'enfonçai en elle. J'essayai de passer outre son indifférence. Après tout, je n'espérais pas une osmose parfaite. Je désirais juste tirer mon coup. Le vide qui lui succéderait, j'avais l'habitude.

Soudain, à la recherche d'une meilleure prise sous le T-shirt, ma paume effleura quelque chose qui n'aurait pas dû se trouver là. Un sillon boursouflé, piquant sur le sommet. Stoppé net, je bondis et me penchai. Karen me fixait avec intensité.

« Qu'est-ce qui t'est arrivé ?

— C'est de là que vient la voiture. »

Une cicatrice horizontale d'une trentaine de centimètres, incurvée de la droite de son ventre jusqu'au dos, entre les hanches et les côtes. Elle était suintante, toute violette et recousue avec du fil chirurgical noir. Je songeai à *La Mouche*, le remake avec Jeff Goldblum, quand ces espèces de poils obscènes commencent à pousser dans son dos.

Mais on n'était pas dans un film. On n'était même pas à Beverly Hills. Cette mutilation n'avait rien d'esthétique. C'était cru, violent, et elle voulait que je la voie.

« Qu'est-ce que tu veux dire ?

— J'ai vendu mon rein.

— Hein ?

— J'ai vendu un de mes reins. Ne me regarde pas comme ça. En Inde, c'est courant.

— Je ne comprends pas. Comment tu peux vendre un rein ?

— On en a deux.

— Je veux dire… Qui l'achète ?

— Un médecin.

— *Le* médecin.

— Ouais, *le* médecin. »

Le dernier client qui avait eu droit à la totale. Quelqu'un qu'elle devait voir de plus en plus ces derniers mois.

« Tu as vendu ton rein en guise de passe ? C'est une sorte de pratique SM extrême, ou quoi ?

— Je savais que tu serais chiant avec ça.

— Ouais ? Ben putain, t'as aucun amour-propre ?

— Ferme-la, d'accord ? C'est mon corps, mon rein. Et c'est mon con. Pour trente mille, j'allais pas dire non. »

Je fus pétrifié. Pendant un instant, je ne trouvai rien à répondre. D'un côté, vendre un organe était une idée plutôt bizarre, mais de l'autre, pas tant que ça. Pas à L.A. Pas pour une personne telle que Karen. Trente mille dollars constituent, après tout, un sacré paquet d'oseille.

« Il le voulait pourquoi ? Je veux dire, qu'est-ce que tu peux bien foutre avec un rein ?

— Je ne sais pas. Le donner à un hôpital. On s'en moque. Tu veux un fix ? »

Tandis qu'elle cherchait dans la poche de sa veste, je remarquai qu'elle portait un bracelet en or que je n'avais jamais vu. Il était incrusté de fins ornements. Il semblait très ancien.

« Tiens donc, c'est joli.

— Un cadeau du toubib. »

Elle soupira d'un air las.

« Tu veux un fix ou pas ? »

Karen n'utilisait pas le traditionnel tube de verre avec le tampon au milieu. On prenait trop vite l'habitude de le trimbaler et, tout comme la carte d'identité, c'était un véritable cadeau si par malheur on se faisait prendre en flag de racolage. Elle préférait s'en fabriquer un.

Du papier alu enroulé et fixé avec un élastique sur un verre d'eau aux trois quarts plein, des petits trous d'aiguille sur un côté, et une entaille de un centimètre sur l'autre. Posez de la cendre de cigarette et un morceau de crack. Puis allumez ce joli petit volcan avec un briquet, pompez et envoyez cette pure fumée blanche directement dans votre crâne.

Lorsqu'elle eut son compte, elle me le passa. Je remis de la cendre et rechargeai. Douce fumée, bouche morte, poumons sur le point d'exploser. Exhalez un petit peu puis pompez encore plus. Humidifiez la cendre avec un filet de salive. Et tenez, tenez… Enfin, expirez. Avec tranquillité. En délicatesse. Recroquevillé, paupières closes. Plus rien n'existe. Juste vous, en train de flotter dans un vide totalement indolore. Mieux qu'une gifle, mieux que l'amour. Une nausée diffuse et agréable. À choisir, cette sensation remportait tous les suffrages.

Une dizaine de minutes tout au plus : c'était le temps qu'il restait avant de revenir sur terre pour tout retrouver intact. Tripes nouées, mâchoires serrées, l'angoisse tel du plomb dans l'estomac. Pas les conditions idéales pour digérer des histoires d'ablation rénale.

Nous n'en avions pas reparlé tout de suite. Nous savions que nous étions trop flippés pour le faire sans risque. Nous tournions comme des lions en cage. Debout, assis, debout. Télé allumée, éteinte. Frigo. Alcool. Bavardages futiles.

Puis il y eut un déferlement de sexe : quelques minutes de répit au milieu de la descente. Moi, penché sur la table, qui la pilonnait par-derrière. Nous deux, en train de grogner de concert comme des animaux. L'arôme subtil de son cul et de sa merde. Nous n'étions pas plus proches qu'avant une fois que ce fut terminé.

Elle était allongée sur le lit, le bas du corps à nu. Il y avait quelque chose dans sa posture nonchalante qui ne cessait de me ramener au peu d'attachement qu'elle éprouvait pour moi. Comme si elle criait qu'elle se foutait désormais de ma manière de la considérer, que ça ne valait plus le coup de rester digne en ma présence.

Les nerfs à fleur de peau, j'entamai le dialogue mais ma colère ne fit qu'augmenter.

« Cette voiture est la première chose que tu me donnes.

— Je sais.

— Une manière de rattraper le temps perdu ? »

Elle roula hors du lit et remit son maillot.

« C'est un remerciement, Jack. Et un cadeau d'adieu. Je m'en vais.

— Quoi ?

— On est quitte. J'ai de l'argent, maintenant. Je peux partir. Vivre de cette façon, c'est bon pour personne.

— C'est pas vrai.

— J'aime sortir, traîner, me défoncer. J'aime baiser pour du fric. C'est la réalité. Toi, tu vis dans ce putain de rêve éveillé en forme de film à gros budget. On n'a rien en commun. »

Autour de moi, tout s'écroula. Chaque objet de la pièce me sembla soudain plat et incroyablement net, comme des clichés haute résolution qu'on ne reconnaît plus à force de les scruter. J'étais sonné, abasourdi par ma propre imbécillité.

Je l'avais extirpée des méandres destructeurs de la came, je lui avais offert un endroit où vivre, je l'avais nourrie, habillée. Et pendant tout le temps où elle avait tapiné, une année de nuits blanches durant lesquelles j'imaginais toutes sortes d'intromissions, les douches à venir, j'étais resté planté là, à espérer qu'un jour ça s'arrêterait. Et que ce jour-là, notre relation en ressortirait renforcée pour la vie.

D'une certaine manière, je savais que mon raisonnement était foireux. Quiconque aurait assisté à cette existence m'aurait confirmé que j'allais m'écrouler bien avant le retour sur investissement. Mais quand vous vivez avec le besoin que les choses soient désastreuses, l'espoir qu'elles s'améliorent est un mensonge très facile à porter.

Peut-être était-ce parce qu'elle faisait ça maintenant qu'elle avait de l'argent, ou alors à cause de la coke dans mon sang. Je l'ignore. Peut-être était-ce uniquement la peur de me retrouver seul. Quoi qu'il en soit, alors que je revenais à la réalité, je perdis mon sang-froid et la frappai.

Elle me hurla après. Je hurlai en retour. Nous nous empoignâmes et titubâmes à travers la pièce. Hors de moi, désespéré, je la cognai à nouveau. C'était une scène vraiment horrible, très moche, et cela prit fin lorsqu'elle se précipita dehors, la bouche en sang. Je n'essayai pas de la retenir.

« Tu peux garder cette saloperie de bagnole. »

Ce furent ses derniers mots.

Je restai au milieu de la chambre, tout à coup vide et silencieuse, sous une ampoule qui brillait trop. La brise nocturne s'engouffra par la porte ouverte et quelque chose bougea à mes pieds. Un morceau de papier froissé avec mon nom dessus. Je le ramassai. Le reçu de la voiture. Je me sentis encore plus mal.

Chapitre 3

Je vérifiai l'heure. Trop tard pour aller au travail. Dur. J'aurais une excuse : un décès familial.

Un décès. Son décès.

Jusqu'où était-elle allée ? Combien de temps s'était écoulé entre notre bagarre et sa panse mutilée ? Peut-être y était-elle allée directement, taillée en pièces une demi-heure après être sortie en trombe dans la nuit. Mais le corps dans le parc n'avait pas l'air d'avoir huit jours.

Si elle avait été tuée la nuit dernière et que la police me retrouvait, la situation pourrait devenir délicate. Je n'avais aucun moyen de prouver où j'étais après le travail.

Mon stock de pilules était rangé dans la glacière — une boîte à biscuits remplie de sachets plastique et de fioles brunes. Karen les avait acceptés voilà un mois ou deux, à titre de rétribution. Elle avait déféqué devant un parterre de toubibs en route pour San Diego à une prétendue partie de chasse. Des tranquillisants, pour la plupart, et ils étaient tous périmés. Mais ils faisaient effet. J'ingurgitai 20 mg de Valium et envisageai de passer un coup de fil au Donut Haven. Expliquer mon absence me rebutait malgré tout : j'étais mieux avec une bière devant la télé, à attendre que les benzodiazépines m'embrument la tête. Et puis me laisser aller…

Visions du parc. Visions d'elle en train de quitter la maison. Une histoire de conséquences, de signification, de sentiment intime. Aurait-elle été tuée si je n'avais pas pété les plombs ? Je suppose que j'avais ma part de responsabilités, mais ce n'était qu'une fraction du problème. Je l'avais obligée à se barrer et, à un moment ou à un autre, elle était morte. Je l'y avais obligée à cause de ce qu'elle avait fait et elle-même n'avait agi qu'au regard d'événements passés qui remontaient à l'enfance. La grande chaîne de la causalité.

Je suppose qu'aucun de nous n'était totalement en tort. Nous avions tous les deux joué un rôle et ce rôle portait son lot de culpabilité.

Et au-delà de la responsabilité partagée, la question de la douleur. Effondré sur un lit dans un meublé, le soleil brûlant, l'agitation à l'extérieur. Des bribes de conversations et les rires des Californiens en pleine ascension me parvenaient. On ne pouvait pas dire que le chagrin était le sentiment dominant. Il y avait le contrecoup de la mort violente, bien sûr. Il y avait ma peur de retrouver la solitude et la dérive urbaine. Mais un sentiment dévastateur de perte ? Non.

J'éprouvais un certain soulagement. Si immonde que cela puisse paraître, une voix obscène me soufflait que mon calvaire était terminé. Finies, les nuits passées à attendre le bruit de ses pas dans les escaliers. Finies, les excuses détestables qui me raccrochaient à cet ersatz de liaison déshumanisée. Oui, il y avait une part de soulagement.

Autant je désirais me laisser porter par ce sentiment, si traître fût-il, autant le dernier geste de Karen impliquait de manière sournoise que je m'en veuille. Si elle avait été foncièrement mauvaise, ç'aurait été plus facile. Mais elle avait mis la voiture à mon nom. Le doute quant à sa complète insensibilité et, par extension, aux excuses que j'aurais pu trouver à mon accès de fureur s'insinuait en moi.

J'essayai d'avoir une réaction plus franche : quelques larmes, un sanglot. J'éprouvai à peine une esquisse d'autoapitoiement. Juste avant que les cachets ne fassent effet et ne rendent inutiles ces émotions factices.

Le matin suivant, je m'éveillai dans cette langueur typique de l'après-Valium et me trouvai changé. J'avais dû taper une deuxième fois dans la boîte à biscuits aux alentours de dix heures du soir. Ça m'avait achevé. Une journée entière H.S. Vingt-quatre heures de tranquillité durant lesquelles mon esprit avait été purgé de toutes les pensées qui me pourrissaient la vie depuis mon installation à L.A. : l'obligation de faire ceci, de ressentir cela.

Je n'avais pas fermé les volets et le soleil entrait dans la pièce comme une marque au fer rouge. La lumière de la Californie : enviée partout dans le monde, le flux stimulant de l'océan, les voitures flambant neuves, le fric, et cette formidable énergie dégagée par des millions de promeneurs persuadés de pouvoir réussir. J'aurais voulu m'y ébattre comme un chien, tenter d'en imprégner mon pelage pour sentir la même odeur.

J'allumai une cigarette puis allai au frigo. Dehors, de l'autre côté de la rue, une fille était assise sur un balcon. J'étais à poil et elle pouvait me voir par la fenêtre de la cuisine, mais je m'en foutais. Je l'observai, assise là avec son maillot de bain et ses lunettes de soleil. Elle avait des bras, des jambes, une figure, et sa chatte était sans doute un peu collante à cause de la chaleur. Mais tenter de ramener cette description à une personne ou à un fait signifiant paraissait une immense perte de temps. Au bout d'un moment, il devint impossible de la distinguer de la balustrade écaillée et des briques derrière elle.

Je regagnai le lit accompagné de quelques bières. À l'extérieur, les gens s'exhibaient le long de la plage, se tenaient attablés aux terrasses, avec leurs jus de fruits ou leurs cafés frais, occupés à bronzer et à traîner. Connards. Cette Californie matinale et tout son enthousiasme dément pouvaient aussi bien sombrer dans l'océan, pour ce que ça me faisait.

Il fut un temps où j'adhérais complètement à cette espèce d'optimisme ensoleillé. Je croyais que tant que vous aviez un boulot, tant que vous travailliez assez dur, et pour peu que vous vous teniez à l'écart de la police, vous pouviez prétendre à un certain niveau de vie. Une relation stable, une maison dans un chouette quartier, une bagnole, des vacances à l'occasion… Pas la grande vie, peut-être, rien qui n'ait l'incandescence de celle d'une vedette, mais au moins une certaine protection contre les intempéries : une gratification suffisante pour avoir respecté les règles.

La vision d'un imbécile. Mais à quoi d'autre pouvais-je me raccrocher ? Pas à la liberté offerte par la richesse et la gloire en tout cas. Alors, j'avais tenu bon, à deux mains, acharné, comme si une cape magique avait pu me préserver de l'usure et de l'échec. Je l'imaginais enroulée autour de moi, alors même que ma relation avec Karen la faisait glisser, petit à petit, d'entre mes doigts.

Tout ceci était terminé désormais. La nuit dernière, tandis que mon sang plein de drogue pompait et pompait encore, la dernière part lucide de moi-même avait finalement accepté cette vérité qui s'était époumonée tout au long de ma vie d'adulte : les opportunités n'existent pas. Elles ont été épuisées par ceux qui en ont fait des films pour le cinéma ou la télé.

J'allumai le magnétoscope et chargeai une de mes cassettes de pubs pour parfum. Les réclames pour des cosmétiques de luxe sont le meilleur instrument de mesure d'une vie saine. Les individus y sont parfaits : vous vous en rendez compte rien qu'en les voyant. Leur corps sont désirables, ils portent les fringues les plus chères, et ne regardent pas à la dépense. Ils vivent dans un monde où les problèmes sont résolus par d'autres, où il est impossible de douter de soi et où nul ne peut vous voir sans s'empêcher de vous aimer, sans désirer vous ressembler.

La série *Obsession* était excellente, mais ma préférée, sur cette cassette, c'était *Sun and Moon and Star*, avec Daryl Hannah : flou éthéré, sensation de flottement dans l'univers, libérée de tous les soucis du monde réel. Imbattable. Une star hollywoodienne qui jouait ce qu'elle était vraiment : une déesse.

Je n'étais pas sorti du lit de la journée. Je voulais dormir encore mais ça faisait trop, aussi j'entrepris de lire les potins puis regardai à nouveau un numéro de *28 FPS*. Lorn présentait bien avec sa jupe de tennis blanc et son débardeur qui laissait entrevoir les courbes de ses seins. À un moment donné, alors qu'elle se penchait, je crus apercevoir un de ses mamelons. Je ne pouvais pas m'arrêter d'y penser.

Aux alentours de dix heures du soir, Rex passa. Il était chargé à la coke, tout en claquements de doigts et tics nerveux. Il portait un manteau long et léger en cachemire sur un ensemble en soie. Il avait la même odeur qu'un magasin de vêtements de luxe. Le contact de l'étoffe, lorsqu'il m'enlaça, fut réconfortant et propre.

Rex gagnait sa vie en baisant. Cheveux blonds, dents blanches, svelte et sexy. A priori, le Californien dans toute sa splendeur. Mais sa peau était pâle et ses yeux bleus n'affichaient pas vraiment « bonjour chez vous ». En y prêtant attention, si l'on grattait en dessous de la surface, il n'était pas dur de croire à l'histoire de tentatives de suicide qu'il aimait débiter chaque fois qu'il en avait l'occasion.

Karen l'avait ramené à la maison une nuit après qu'ils eurent sympathisé lors d'une scène commune dans un porno. C'était purement professionnel pour eux, et ils n'allaient pas devenir amis, mais lui et moi avions suffisamment accroché pour établir une de ces relations épisodiques qui n'existent qu'en vertu de certains paramètres : toujours chez moi, toujours en l'absence de Karen. Nous ne faisions pas de virées, nous n'allions pas aux matches entre potes ni boire des coups au comptoir le vendredi soir, mais, en un sens, c'était quand même de l'amitié.

Il se laissa tomber dans le canapé.

« Oh, mec, je plane. Je suis passé aujourd'hui, t'étais pas là. Je voulais des donuts. Besoin de sucre. Enfin, pas besoin, je crois, mais j'en voulais, mec. J'en voulais. »

Rex prit une inspiration et se passa la main sur la figure. Je piochai quelques cachetons dans ma poche. Rex secoua la tête.

« Qu'est-ce qui s'est passé, avec le boulot ? Ça ne te ressemble pas. »

J'avalai un Valium et lui annonçai que Karen était morte, qu'on l'avait retrouvée assassinée dans le parc.

Il était resplendissant d'effroi, bouche bée avec ses

dents blanches étincelantes. Il se glissa avec rapidité sur le lit où j'étais assis et m'entoura de ses bras. Il me serra fort. Je fus incliné à prendre ça pour une authentique commisération. D'une certaine manière, c'en était. J'étais persuadé qu'il ressentait de la tristesse pour ce qu'il considérait être une perte — tristesse pour moi, tristesse pour la disparition de quelqu'un qu'il connaissait. Mais en même temps, je ne pouvais me débarrasser du sentiment que ce qu'il éprouvait réellement était un mélange entre mon préjudice supposé et le vide noir de son propre malheur.

« Oh, mec… Je ne sais pas quoi répondre. Je veux dire, bon Dieu…

— C'est pas comme si c'était imprévisible.

— Bien sûr, bien sûr. Mais ça explique des choses, mon pote, ça explique des choses.

— La mort ?

— Comment tout foire. Comment on foire tout. »

Il resta silencieux un moment.

« Qu'est-ce qui s'est passé ? Je veux dire, tu peux en parler ? C'est trop tôt ?

— Tu sais où on en était. Je ne vais pas prétendre que j'en crève.

— Mais c'est un truc que tu dois digérer. Un truc qu'il faut accepter. »

À ce stade, j'étais presque convaincu d'avoir raison. Pour Rex, cette situation était l'occasion rêvée. Il voulait opérer un petit transfert. Il désirait projeter sa propre douleur sur la mort de Karen en arrière-plan et s'y complaire. Mais ça ne marcherait pas avec moi. Trop compliqué. Il allait attendre de moi que je fasse preuve de sincérité absolue, d'introspection, et je serais incapable de lui expliquer à quel point la mort de quelqu'un pouvait me paraître… accessoire.

43

« Tu sais, peut-être que c'est trop tôt.

— Oh… d'accord. Bien entendu. »

On aurait dit qu'on l'avait dépossédé et, l'espace d'un instant, je pus voir en lui, voir l'horrible monstre gesticulant à l'intérieur et avec lequel il lui fallait lutter chaque jour. D'une manière absurde, j'avais l'impression que c'était moi l'arnaqueur, ici.

« Ils l'ont trouvée dans le parc il y a deux jours. Avant ça, elle avait vendu un de ses reins. Peut-être qu'il y a un lien.

— Vendu son rein ? Comme… vendu son rein ? »

Rex ne put retenir un petit éclat de rire.

« Eh ben, c'est ce que j'appelle de la prostitution. »

Il se ressaisit tout de suite, affecté et choqué à nouveau.

« Désolé, mec, trop de sniffettes. Bon Dieu, c'est terrible. Mais je peux piger. Parfois, tu te dégoûtes tellement que tu voudrais qu'on t'enlève une partie de toi-même. Je veux dire, tu sais de quoi je parle, hein ?

— Elle avait juste besoin d'argent.

— Nan. Peut-être que c'était pas conscient, mais elle envoyait un message. Elle disait à quel point elle était abîmée, elle payait pour ses mauvaises actions. »

Je pressentis le discours interminable. Je me levai et fis quelques pas à travers la pièce pour éviter de répondre.

« Enfin, elle doit être mieux maintenant, hein ?

— Probable.

— Tu ne crois pas à une sorte de postérité ?

— Si tu passes à la télé.

— Eh, tu fais ce que tu veux cette nuit, mais… »

Il baissa les yeux et s'occupa avec une fiole de coke. Nous nous fîmes un fix et je parlai un peu plus vite.

« Je pense ce que je dis. Il n'y a qu'une demi-douzaine de personnes qui se souviennent de mon père, d'accord ? C'est comme s'il n'avait jamais existé. Mais prenons quelqu'un comme Dean Martin : il est encore là. Peu importe qu'il soit mort, il est toujours sur les disques et dans ses films. Voilà la vie après la mort. C'est ce qui s'en approche le plus.

— Je me demande si Jerry voit les choses ainsi.

— Bien sûr. C'est ce qui va lui arriver à lui aussi. »

Rex acquiesça comme s'il comprenait, mais je savais qu'il pensait que c'était juste un tas de conneries. Au bout de quelques minutes, il s'éclaircit la voix et se leva.

« J'ai un engagement, mon pote. Tu veux un autre fix ? »

Je ressentis une pointe d'affection pour lui car je savais qu'il aurait aimé argumenter avec moi, mais qu'il se retenait, malgré la coke.

Une nouvelle sniffette et il partit baiser la femme d'un réalisateur en tournage de nuit pour Warner. Il referma la porte. J'entendis sa Porsche descendre la rue et le vacarme de l'engin résonna dans l'air salé de la nuit.

Le bruit disparut rapidement tandis qu'il tournait au coin d'une rue quelque part en ville, et avec lui la compagnie illusoire. Il était venu, il avait appris pour Karen, mais n'avait pas creusé plus loin. Où étaient les questions sur ma longue nuit à écumer les quartiers d'affaires, sur les dispositions prises pour ses funérailles, sur tout ce qui ne s'était pas passé ?

La vérité, c'était que ça ne l'intéressait pas plus que ça. Il était trop accaparé par lui-même.

Plus tard, je me rendis chez un Coréen ouvert de nuit pour m'approvisionner en bière et en nourriture. Sur l'artère principale, les restaurants scintillaient d'une lumière indirecte — déco d'intérieur lisse, remplis de gens heureux de claquer leur argent, de boire du bon vin, d'élaborer des projets. Les voitures garées de chaque côté de la rue étaient rutilantes. On aurait dit qu'elles provenaient toutes de garages trois places cernés de jardins fleuris et exotiques. Je me sentis à l'écart, vulnérable.

De retour au lit. Je fixai le plafond un long moment puis composai le numéro d'une boîte spécialisée dans les cahiers de tournages joignable vingt-quatre heures sur vingt-quatre : référencement de tous les endroits où les réalisations en cours s'effectueraient la semaine prochaine. Les professionnels faisaient état d'une délocalisation massive des tournages : des collines de Hollywood vers des coins comme Seattle ou le Canada et même en direction de Fox Australia. Mais on pouvait toujours facilement trouver chaque semaine quelques tournages à portée de voiture. Il s'agissait pour la plupart de séries policières d'action ou bien de tournages vidéo crasseux dans la vallée. Néanmoins, les gros budgets étaient aussi présents, à la recherche d'une nouvelle manière de filmer la ville.

C'est pour ça que j'ai téléphoné. Pas parce que j'étais intéressé par la réalisation d'un long-métrage mais parce que je trouvais réconfortant de savoir que Willis et Travolta arpentaient encore à l'occasion les mêmes rues banales que moi.

Tard dans la nuit, avec assez de cachetons, de gnôle et de désillusions, j'arrivai à transformer cela en un point commun avec eux.

Je m'endormis l'oreille contre l'écouteur, au son de ces encouragements sans fin.

Chapitre 4

Le lendemain matin, effondré sur les toilettes, nauséeux, j'essayais de chier lorsque la porte de la salle de bains s'ouvrit avec fracas et je rencontrai Ryan pour la première fois. Il se tint un moment face à moi, me scrutant comme une sorte de tueur fou qui se demanderait si oui ou non il allait appuyer sur la détente, puis il sortit sa carte de police.

« Essuie-toi le cul. »

J'avais vraisemblablement sous-estimé les compétences des enquêteurs de la ville de Los Angeles. J'utilisai quelques feuilles de papier, mais je me sentais plutôt vulnérable et ne m'en tirai pas très bien. Alors que je remontais mon pantalon, il m'arrêta.

« La dernière feuille était encore sale. Tu ne veux pas avoir le trou qui te gratte. Frotte bien. »

Je me rendis compte, tout à coup, que mon problème était plus important qu'une simple confrontation avec la police. J'avais attiré un membre des forces de l'ordre qui prenait son pied avec ce qui se passait dans les toilettes. Je le lorgnai et me nettoyai avec soin. Il ressemblait à un Béla Lugosi dodu : pâle, ensemble noir, enrobé, chevelure sombre et dégarnie lissée en arrière. Je le situais dans la cinquantaine maladive.

« Voilà qui est beaucoup mieux. Tu sais, c'est une bonne chose que tu ne sortes pas le traditionnel "De quoi s'agit-il, monsieur l'agent ?". Je me serais senti insulté. Tu qualifierais comment ta queue ? Normale ? Ou un peu en dessous de la moyenne ? »

Après ça, nous descendîmes et prîmes la direction de Santa Monica dans une Plymouth grise.

À cause de la circulation du week-end, le boulevard était encombré. Le soleil se reflétait sur les pare-brise et les pare-chocs. J'avais mal aux yeux. J'aurais voulu me retrouver dans un endroit sombre et silencieux pour permettre à mon corps de purger la gnôle et les pilules ingurgitées la nuit dernière. Ça puait et il faisait trop chaud.

Je restai silencieux la plus grande partie du trajet. Si les flics avaient établi un lien quelconque entre Karen et moi, en dire le moins possible ne me porterait pas préjudice. Je ne pouvais bien entendu pas leur avouer que je l'avais vue morte. Ça aurait paru assez bizarre. Malgré tout, le temps de rejoindre Palisades Park, j'étais tellement tendu que je ne pus m'empêcher de lâcher :

« C'est à propos de Karen ? Ma femme ? Je veux dire, elle est partie depuis environ deux semaines maintenant. Il lui est arrivé quelque chose ? »

Ryan tourna la tête et me sourit.

« C'est bien, Jackie. J'adore ça. »

La morgue se trouvait sur Euclid — une rue qui, comme ses consœurs parallèles, portait juste un nom et pas de numéro car elle débouchait au 13 de Wilshire Boulevard. Plate et grise, elle était tapie entre un grossiste de vêtements et un complexe de fabrication de pièces détachées automobiles, semblable à un animal ramassé au-dessus de sa nourriture. Sur l'herbe en bordure, un groupe de gamins se livrait à des expériences désagréables sur un chien.

Ryan n'emprunta pas l'entrée principale ; il me fit contourner le bâtiment puis descendre une rampe de béton par laquelle les ambulances déchargeaient leur cargaison. Vers le sous-sol.

La salle où ils entreposaient les corps ressemblait à des toilettes publiques — carreaux blancs et néons crus. Des rangées de casiers immaculés, avec des poignées identiques à celles des vieux réfrigérateurs, couraient sur trois niveaux le long du mur opposé. L'atmosphère était plutôt froide et déplaisante, mais je suppose que la bidoche sur les rayons y était indifférente.

La pièce était vide. Ryan siffla pour appeler quelqu'un. Je fermai les yeux et écoutai les fluides progresser dans les canalisations qui quadrillaient le plafond. Poison drainé des morts derrière les panneaux pour les rendre propres et détendus, enfin. Il y avait d'autres sons : le tic-tac de quelque gigantesque système de refroidissement qui ralentissait la détérioration ambiante, un souffle d'air dans une conduite, les clameurs d'un jeu télévisé qui filtraient par l'embrasure d'une porte au bout de la pièce.

Un gros Japonais avec une planchette et une canette de Pepsi vint à notre rencontre d'un pas nonchalant, sans cesser de regarder par-dessus son épaule comme s'il était en train de manquer un atterrissage sur Mars. Il portait des lunettes et un morceau de nouille sèche était incrusté sur sa blouse crasseuse. Ses cheveux noirs et brillants étaient plaqués en arrière dans le style Jack Lord.

« BMW série 3 et un voyage pour quatre en Floride. Y en a qui ont de la chance. Jamais moi. Comment va,

Ryan ? » Ses yeux papillotèrent quand il me regarda.
« C'est le boulot, aujourd'hui ? »

La voix de Ryan était dure, comme s'il essayait de se protéger de quelque chose.

« La fille qu'ils ont trouvée dans le parc. Mercredi. »

Le visage du Japonais s'adoucit et prit un air à peine sincère. Il inclina légèrement la tête à mon intention.

« Oh, désolé. Vous êtes ici pour l'identification ? Personne ne savait, alors on l'a déjà autopsiée.

— Jackie est un dur, il peut encaisser. Sors-la. »

Nous allâmes jusqu'à un mur et le Japonais tira une poignée, ouvrit un des panneaux et fit coulisser un long casier sur rails. La télé avait menti. Je m'attendais à un drap de protection blanc, peut-être juste un coup d'œil à son visage. J'eus droit à Karen totalement nue, allongée sur une sorte de matelas gonflable dont on aurait retourné les bords pour prévenir les écoulements de fluides corporels dans le casier.

Je jetai un coup d'œil à Ryan. Son visage avait perdu le peu de couleur qu'il possédait et il respirait avec difficulté.

Karen était différente de quand je l'avais vue dans le parc. Elle avait l'air pire. Ainsi que j'avais cru le voir, une partie de son côté droit manquait : une bande incurvée de quelques centimètres de large s'étirait de la coupure sur son ventre au milieu du dos. Les toubibs avaient prolongé la principale blessure en direction de la poitrine afin d'effectuer l'autopsie. Ils avaient aussi coupé l'arrière de son crâne. Je le savais car sa tête était trop enfoncée dans le caoutchouc du matelas. Par conséquent, son visage était lâche et ses traits brouillés. Elle avait perdu sa beauté, mais c'était bien elle. Ses principales caractéristiques étaient encore présentes : les cheveux blonds coupés court, la pâleur anti-californienne, les tétons et le nombril percés. Seulement, maintenant, on aurait dit qu'elles avaient été fixées sur une pièce de bœuf, une sorte de décoration bizarre qui aurait perdu toute signification.

Je me demandai, tandis que Ryan et moi nous approchions du casier, si la proximité pourrait libérer les émotions enfouies au plus profond de moi depuis cette nuit au parc. Après tout, une année en sa compagnie aurait au moins dû me laisser un ou deux souvenirs touchants. Mais en contemplant cette poupée mutilée et monstrueuse, tout ce temps passé ensemble, toutes ces baises et ces bagarres ressemblaient à un film sur quelqu'un d'autre.

Elle avait été nettoyée avec de l'antiseptique et la puanteur de l'hôpital masquait toute odeur personnelle. J'avais hâte de retrouver une fragrance vivante, un souvenir olfactif des temps récents : vieille merde, pisse séchée, transpiration, n'importe quoi. Le musc de sa chatte aurait été encore mieux. Mais tout ceci n'existait plus.

Je pressai un de mes doigts sur le côté de son sein. Lorsque je le retirai, la chair reprit doucement sa forme originale. Ryan me fixait. J'ignorais pourquoi il agissait avec tant d'inconstance mais quand nos regards se croisèrent, je compris que j'étais dans une merde noire. Car ses yeux étaient remplis de larmes.

L'assistant remua d'un pied sur l'autre, conscient de la tension.

« Une jolie fille, celle-là. Avait dû être vraiment belle avant. »

Ryan cessa de m'adresser son regard de tueur, revint à la réalité et examina le corps.

« Ouais, elle était mignonne, d'accord. »

Lorsqu'il commença à passer délicatement ses doigts

51

sur sa chatte, je pensai que l'infirmier allait bondir ou au moins crier au scandale, mais cela ne sembla pas l'étonner le moins du monde. Ryan continua un moment, un regard triste posé sur son visage. Le carabin se contentait d'observer. Je restai planté là avec le regret, teinté d'une pointe de jalousie, de ne pas pouvoir moi aussi toucher sa fente morte.

Ryan retira sa main.

« Tu es bien silencieux, Jackie. J'ai apporté des Kleenex, tu sais.

— Qu'est-ce qu'il lui est arrivé ?

— Le rapport dit que quelqu'un lui a tout retiré à l'intérieur. »

Le Japonais feuilleta la liasse de papiers attachée à la planchette et se mit à lire :

« Incision verticale d'origine chirurgicale de vingt-trois centimètres. Incision latérale et perpendiculaire de dix-huit centimètres au-dessus du pubis. Excision de la paroi abdominale entre la hanche et les côtes flottantes. Section d'épiderme d'environ huit centimètres carrés au niveau de l'omoplate droite manquante. Pas d'autres coupures ou abrasions. Ablation de l'ensemble des organes internes à l'exception du cœur et des poumons.

— Du travail consciencieux, on dirait. Pas vrai, Jackie ? Regardons ça. »

Ryan fit signe à l'assistant et ce dernier cala ses outils entre les jambes de Karen avant d'écarter la plaie au-dessus de la cicatrice latérale. Les bords étaient nets. Là où les blessures se croisaient, ils présentaient le même genre de stries, faites de graisse blanche et de fibres musculaires rouges, que la viande chez le boucher.

« Tu vois ? »

Il me regarda comme si je risquais de ne pas comprendre.

« Tu vois ? Vide. »

C'était exact. Il ne restait pas grand-chose sous les dernières côtes. Plus rien de cette pulpe d'intestins bleu-gris, pas d'abats poisseux, ni même un petit tas de matières fécales agglomérées. Sous la lumière crue, un petit morceau du pelvis brillait sous une fine couche de tissu. Il n'y avait pas de sang, tout était propre.

Éviscérée comme un poisson et lavée au jet.

D'un coup d'épaule, Ryan écarta l'infirmier. Il s'empara d'un des bras de Karen et le souleva jusqu'à ce que je puisse voir l'omoplate. On aurait dit que quelqu'un s'était servi d'un couteau à fromage sur elle. Un morceau de peau arraché manquait, juste à l'endroit où se trouvait son tatouage.

Le Japonais lorgna de l'autre côté de la pièce où se trouvait la télé.

« Écoutez, les gars, j'ai des trucs à faire. Vous voulez voir quelqu'un d'autre ? »

Ryan secoua la tête.

« O.K. Remettez-la en place quand vous partez. Vérifiez que la poignée s'enclenche bien sinon va y avoir des odeurs. »

Il serra la main de Ryan puis repartit vers la télé, avec sa planchette et sa canette. Je l'entendis zapper, puis rester sur Pamela Anderson dont je percevais la voix. Son Pepsi avait laissé une éclaboussure humide sur l'une des cuisses de Karen.

Je savais qu'il était cinématographiquement approprié que j'exprime un peu ma douleur, aussi je baissai la tête et tentai d'avoir l'air de lutter avec courage contre mes émotions. Jusqu'à ce que Ryan me dise de ne pas me donner cette peine, puis nous partîmes.

Nous restâmes assis dans la voiture en silence tandis que Ryan respirait avec difficulté, transpirait et, au besoin, s'enfilait un cacheton. L'effet fut si fulgurant que ç'aurait pu être de la nitro. Une fois remis, il passa son bras autour de mes épaules et serra mon cou.

« Quelle était la leçon du jour ? Allez, je sais que tu étais attentif. Non ? C'était à propos d'un truc que je devais te dire.

— À l'évidence, vous avez trouvé Karen et elle est morte.

— Oh, cette partie-là est inutile. Tu étais déjà au courant. »

J'essayai de m'insurger, mais il me coupa.

« Vu comment je me sens maintenant, tu ferais mieux de ne pas me raconter de conneries. La leçon du jour était de te dire que je sais.

— Vous savez quoi ? »

Ryan prit une inspiration, retint son souffle, puis expira comme s'il refusait de laisser l'air sortir.

« Jackie, voir jusqu'où tu peux pousser le bouchon avec moi n'est pas une bonne idée. »

Il enleva son bras et mit la clef de contact. J'étais assis à côté d'une terreur et je commençais à être terrorisé.

Il me laissa au coin de Santa Monica et Lincoln. Nous n'avions pas parlé de tout le trajet, mais alors que je me préparais à sortir, il m'arrêta.

« Jackie, la partie de son épaule qui a été bousillée, elle portait une marque ? Un signe distinctif qui aurait pu être ôté pour une raison particulière ? »

C'était une question simple. La réponse était oui : il s'agissait d'un scarabée égyptien incrusté à l'encre sous sa peau. Mais j'allais pas avouer un truc pareil à Ryan. C'était trop foutrement bizarre. La petite séance de caresses intimes ne faisait partie d'aucune procédure de la police scientifique que je connaisse.

« Pas que je sache.

— Bien sûr de ça ?

— Je m'en serais rendu compte, quand même.

— Ouais, Jackie, tu t'en serais rendu compte. »

Il déboîta et me laissa planté là avec le sentiment que j'aurais dû répondre autre chose.

Je descendis la colline pour voir la mer. Il y avait des moutons au sommet des déferlantes et l'océan n'avait pas l'air commode. Néanmoins, il me semblait que sous ces vagues le monde aurait été bien plus paisible que sur la terre ferme. Je restai un long moment à les admirer. Puis j'empruntai un taxi pour rentrer à Venice.

Quand j'arrivai chez moi, le téléphone sonnait. Donut Haven voulait savoir quand je reprenais le travail et m'informait de manière courtoise que si ça excédait demain, j'étais viré. Je raccrochai sans répondre. Je n'y retournerais pas. Jamais. Le loyer était réglé jusqu'à la fin du mois et je me soucierais du mois suivant plus tard.

Je me passai une cassette louée sur le chemin du retour : Jennifer Jason Leigh, dans *Rush*. J'étais d'humeur à regarder des flics se faire baiser.

Chapitre 5

Les jours passèrent. J'ignore combien, ils se ressemblaient à peu près tous. Bière, junk food, cachetons. Écroulé sur le lit, rideaux tirés mais fenêtres ouvertes pour aérer. Je transpirais et ne me lavais pas. Je voulais être sale. Je voulais me fossiliser dans la crasse.

Dans la kitchenette, de la bouffe était en train de pourrir.

Les paquets de cigarettes écrasés et les canettes de bière vides rendaient toute progression hasardeuse. Mais c'était sans importance puisque je ne faisais pas grand-chose. Se rendre à la salle de bains était si fastidieux que la plupart du temps, je m'asseyais au bord du lit et pissais dans une bouteille. Un coup, j'ai chié dans un sac plastique.

La télé était allumée dix-huit heures par jour : du matin, où j'avais assez de coordination musculaire pour appuyer sur le bouton, jusqu'au moment où l'accumulation quotidienne de gnôle et de tranquillisants brouillait ma vision.

À une ou deux reprises, alors que tout était sombre et calme, je sortis pour vérifier la voiture. Une fois, j'y suis monté et j'ai bu une bière en écoutant la radio.

Je suppose que fuir ainsi constituait une réaction à quelque chose. Peut-être qu'un psy aurait trouvé. Je mettais ça sur le compte de ma toute nouvelle aversion pour la normalité. Ou sur le compte d'un sentiment beaucoup plus simple à appréhender : la peur. Peur que la mort de Karen n'ait des répercussions et que, plus tard, elles ne finissent par me démolir.

J'étais déjà l'objet de l'attention de Ryan. J'ignorais où pouvait me mener l'espèce de jeu cinglé à la morgue, mais même le meilleur des scenarii était une option dont je me serais bien passé. Je n'arrêtais pas de penser au tatouage de Karen. Lorsqu'elle l'avait fait faire, cela n'avait eu aucune signification particulière pour moi. Un jour, quelques mois plus tôt, elle était rentrée avec. J'y avais jeté un coup d'œil, j'avais fait les commentaires habituels et c'en était resté là. Elle avait prétendu y être allée avec une amie. Qu'est-ce que j'en avais à foutre ? C'était un élément décoratif comme un autre.

Alors ça aurait dû être facile de révéler à Ryan ce qui était sur le morceau de peau manquant. Ça n'aurait pas été, pour ainsi dire, une déchirure. J'aurais pu aussi lui expliquer qu'elle venait de se faire enlever un rein.

Mais je m'étais tu. Et malgré les peurs qui me rongeaient à trois heures du matin, je continuerais. J'étais hors du monde, désormais. Hors du monde où le pleurnichard M. Tout-le-Monde s'escrimait à jouer les braves types.

En plus, j'étais déjà au courant de sa mort. Alors raconter le reste ne m'aurait rendu que plus suspect.

Un supermarché, sur Lincoln, le soir qui tombe. C'était la première fois que je sortais de l'appartement depuis quatre jours et je ne ressentais rien. La paranoïa que j'avais éprouvée sur Main Street la nuit où j'avais été faire des provisions chez le Coréen du coin avait fait place à une insularité glacée. Je bougeais sans pouvoir sentir l'air sur ma peau. J'entendais les bruits de circulation et les gens, mais ils étaient filtrés par un étouffoir qui leur ôtait toute signification. Les couleurs, les angles et les surfaces planes des buildings tout autour étaient indéchiffrables. Rien de tout cela ne me gênait. Je voulais juste de l'alcool et de la nourriture, sans penser à grand-chose d'autre.

Jusqu'à ce que le poivrot commence à m'emmerder pour une pièce au moment de passer la porte coulissante. Il faisait partie d'un groupe de quatre individus, chacun d'eux couvert d'une croûte d'agglomérats brunâtres, telles des statues de fin de siècle oubliées sous l'épaisse couche de vernis dont se servent les municipalités pour cacher leurs SDF. Leurs vêtements — ils étaient tous beaucoup trop couverts dans la chaleur de l'été — avaient la texture grasse des toiles cirées, leurs cheveux ressemblaient à des algues draguées au fond d'une rivière et replâtrées à la truelle. Ils puaient la merde, les ordures et les parties génitales infectées.

Le type en face de moi avait la cinquantaine et semblait proche de la fin ; plaies tout autour de la bouche, tremblements, yeux larmoyants, avec cette expression stupide qu'ont les mendiants au bout de plusieurs années passées à ramper pour demander de l'argent. On aurait dit qu'il avait méchamment besoin d'un remontant. Seul l'espoir de s'en jeter un semblait le faire tenir.

J'entrai en force dans le magasin climatisé. Section alimentation. Je ressentis une pointe de culpabilité alors que je longeais les rayonnages de produits frais, croustillants, goûteux. Toutes les célébrités de la planète suivaient un régime très équilibré à base de fruits et légumes, de glucides et de protéines sans hormones.

C'était important. On était alors assuré de présenter mieux que personne. Je savais que j'aurais dû m'y mettre aussi. À mes cours de téléprésentation, lors du bilan de personnalité, on avait pointé l'importance d'avoir une belle peau et un regard clair. Mais je ne pouvais pas. Je ne pourrais jamais. Et j'avais retourné dans ma tête les mots qu'on employait dans les livres, dans les émissions de santé à la télé, dans les pages conseils de beauté des stars, jusqu'à ce que la seule façon de me les sortir de l'esprit soit de manger précisément ce qui était mauvais pour moi. Il était tout à fait vain de vouloir tenter un régime salvateur.

J'allai au rayon frais au fond du magasin, m'appuyai sur la vitre, y plaquai mon visage pour transmettre ma chaleur. Viande conditionnée sous vide, sauce allégée, gâteau zéro cholestérol, jus de fruits naturels… Il y avait des photos publicitaires sur la plupart des emballages. Je restai pensif à l'idée des maisons dans lesquelles elles avaient été prises. Lumières tamisées, décoration de goût, mobilier classieux. De doux foyers où la vie était bien remplie et confortable. Je mis les voiles lorsque les gars de la sécurité commencèrent à m'épier.

Dans ce supermarché de la taille d'un hangar, le sentiment de détachement qui m'avait saisi s'accentua. La femme en surpoids, le mec fatigué, les gosses pleurnichards — tous ces putains d'échantillons d'une humanité avide type classe moyenne — qui poussaient leur chariot d'une allée à l'autre me paraissaient si inutiles, si répugnants que j'étais terrifié à l'idée d'appartenir à la même espèce. C'étaient des monstres de foire, des figures de papier mâché conduites à travers les galeries marchandes par un réseau secret de rouages et de chaînes. Des choses à flinguer ou à démolir à coups de batte de base-ball.

Je gagnai brusquement la section apéritifs et plats précuisinés puis mis le cap sur les boissons. La Budweiser était en promotion. Je pris donc deux packs de six. Sur le chemin de la caisse, je dus passer devant les spiritueux. Brandy, gin, vodka, tout ça. Pris d'une impulsion, j'embarquai en plus un litre et demi de whisky bas de gamme.

La fille à la caisse introduisit ma Visa dans le lecteur et nous dûmes attendre quelques secondes pour l'autorisation. Le temps de m'inquiéter à propos de mon compte et de me demander à quoi pouvait ressembler sa chatte. Est-ce que le fait d'être assise dessus toute la journée encroûtait son slip ? J'étais en train de ranger mes affaires dans les sacs papier lorsqu'elle me tendit ma carte. Elle souriait. Je lui retournai la politesse. J'imaginai mon foutre s'écouler le long de son menton.

« Une petite pièce, mon pote ? »

Le même poivrot que tout à l'heure. Ce demeuré ne se souvenait pas de m'avoir déjà accosté dix minutes plus tôt.

« Une petite pièce, mon pote ? »

Voix empâtée. Engorgée de mucus, cloison nasale dévastée.

« Mon pote ? Mon pote ? Juste quelque chose pour me payer à manger. »

Je regardai derrière lui ses trois compagnons délabrés, effondrés contre un mur cinq ou six mètres plus loin. Ils observaient avec attention, brûlaient d'avoir leur part. Je baissai la voix pour être sûr qu'ils n'entendent pas.

« Tu ne veux pas manger. Mais je parie que tu boirais bien un coup.

— Eh bien, pour dire la vérité…

— C'est vrai. C'est une vie dure.

— Vachement dure. Du genre qui épuise rien que de respirer. Je suppose que t'as pas une bouteille, dans ces sacs en papier, hein ? »

Il ne quittait pas des yeux les sachets dans mes mains. Il s'adressait à eux quand il parlait. Ses lèvres étaient craquelées et il les léchait sans cesse.

« Un bon jeune homme comme toi, ça doit sûrement ramener à la maison une bouteille de vin pour dîner. Un bon jeune homme civilisé comme toi.

— C'est tes amis, là-bas ?

— Oui, monsieur. On prend soin les uns des autres depuis quelques mois. Y en a d'autres qui vont qui viennent, mais nous, on est toujours ensemble.

— Ah… Tu vois, j'étais en train de penser qu'il n'y en aurait pas assez pour tout le monde. Qu'est-ce que tu voudrais ? Quelques lampées pour chacun ou une dose plus conséquente ? »

Le clodo jeta un rapide coup d'œil par-dessus son épaule et s'humecta de nouveau les lèvres.

« Eh bien, monsieur, je voudrais pas être déraisonnable. Qu'est-ce que tu as, au juste, là-dedans ?

— Je crois que nous devrions aller dans un endroit plus discret.

— Je pourrais zieuter d'abord, monsieur ? Juste pour, genre, me motiver. »

Je le laissai voir le whisky.

« Bon Dieu de merde ! Viens, il y a un coin derrière. »

Il partit au trot, le manteau au vent, balançant ses bras osseux de manière désordonnée. On aurait dit que les articulations de ses hanches étaient pleines de verre pilé. Il parcourut une dizaine de mètres puis s'arrêta quand il réalisa que je n'avais pas suivi. Il me fit signe de venir avec frénésie.

Le supermarché entreposait ses poubelles dans trois containers sous un auvent en brique. Les murs faisaient un mètre cinquante de haut et, accroupis derrière, nous étions plus ou moins cachés. Les voitures garées sur le parking étaient visibles tout au bout, mais le ciel s'était couvert. J'estimai que l'ombre suffirait à nous dissimuler. Et puis je n'allais rien faire de si terrible.

Lorsque je sortis le whisky du sac papier, le pochtron manqua de perdre les pédales. Il voulut s'emparer de la bouteille, mais je la tins hors de portée.

« Tu es un grand buveur, mec ?

— Monsieur, je suis le plus grand buveur que tu aies jamais rencontré. Combien de cette gnôle tu comptes ramener chez toi ?

— Goûte.

— Bon Dieu. »

Sans lâcher la bouteille, je l'autorisai à la porter à ses lèvres et à en prendre une petite gorgée. Puis je la retirai.

« Oh, bon sang, monsieur, fais pas un truc pareil à un vieil homme. Tu sais ce qu'on dit, une gorgée c'est pire que rien du tout. »

Son rire exprimait le manque à un tel point que j'en fus gêné.

« Peut-être que je devrais aller chercher tes copains. Ça me semble un peu injuste de les tenir à l'écart.

— Ne fais pas ça. Pas si tu veux en garder pour toi. Ils te siffleront tout en moins de deux. J'ai déjà vu ces enculés faire ça. Juste toi et moi, c'est mieux. Crois-moi. »

Ses yeux n'arrêtaient pas d'aller et venir entre moi et la bouteille. Il bavait. On aurait dit qu'il était sur le point d'avoir une de ces crises de delirium.

« T'en voudrais encore ?

— Putain oui. C'est-à-dire que très franchement, oui, j'en veux encore. On peut partager, non, monsieur ? Pour un vieux salopard ?

— À deux conditions.

— Tout ce que tu veux. Ce sera un plaisir.

— Tu as la bouteille cinq minutes. Cinq minutes, pas plus.

— D'accord, bien sûr.

— Et si tu t'arrêtes de boire plus de vingt secondes, je te la retire et je la donne à tes potes.

— Pas de problème, monsieur, tout ce que tu veux. Laisse-la-moi. Laisse-la-moi ! »

Je lui filai la bouteille. Il la prit à deux mains, renversa la tête en arrière et se mit à déglutir. Il en but une longue rasade avant de s'arrêter pour respirer.

« Ouah, mon pote, c'est du bon. Droit au but, c'est un fait. »

Il avait les larmes aux yeux mais semblait aller bien. Il avait l'air un peu plus en forme. C'était le seul changement notable.

« Dix secondes.

— Je reprends juste mon souffle.

— Quinze secondes. »

Il se la planta à nouveau entre les lèvres. Sa déglutition fut plus lente cette fois, mais il était encore d'attaque.

« Putain de Dieu, j'ai pas eu autant de gnôle depuis un bon bout de temps. Faut que j'enlève mon manteau. Ça prendra que quelques secondes.

— Enlève-le. »

Il transpirait. Lorsqu'il se fut exécuté, la puanteur emplit l'espace. De l'urine, principalement, mais aussi un tas d'autres choses en train de pourrir.

« Tu ferais mieux de t'y remettre.

— Encore quelques secondes. »

Je fis mine de reprendre la bouteille.

« O.K., bon Dieu, y a quoi qui presse ? »

Il tenait le whisky tout contre sa poitrine comme un bébé.

« Je t'ai exposé les conditions. Si tu n'en veux plus…

— Merde, qui a dit ça ? J'essayais juste de récupérer, c'est tout.

— Rends-la-moi. »

Il porta le goulot si vite à ses lèvres qu'il se coupa. Le sang coula de la plaie, le long de son menton, en un mince filet rouge. Je n'eus pas l'impression qu'il s'en rendit compte. Il essayait de faire preuve de jugeote, cette fois. Il serra les lèvres pour prendre de petites gorgées. Ses bras tremblaient d'effort pour stabiliser la bouteille.

Au moment de prendre une inspiration, il produisit une sorte de hululement. Je suppose qu'il s'agissait d'un rire.

« Ouf, mon pote, je crois que je commence à piger le truc. T'as une cigarette ?

— Pas le temps. »

Sous la crasse, son visage était congestionné. Il eut un rictus stupide, haussa les épaules comme s'il avait un sacré boulot à finir, et leva le coude à nouveau.

Cette fois, ça passa mal et il s'étrangla violemment dans une tentative désespérée pour s'éclaircir la gorge. Du whisky lui sortit par le nez. Il mit la tête entre ses genoux et toussa un moment. Quand il se redressa, le pourtour de ses yeux était gonflé et un filet de bave dégoulinait sur son menton. Un cinquième de la bouteille était parti. Il s'essuya le visage avec sa manche et commença à chantonner tout seul.

« Tu vas en boire combien ?

— Tout.

— Un litre et demi ?

— Regarde ça. »

Et il y alla de nouveau.

Il commença à dégueuler quelques secondes après. J'entendis ses dents cogner le verre alors que sa tête partait en avant et qu'une gerbe d'alcool aspergeait le goulot. Il l'ôta de sa bouche, mais ses tripes continuaient à se soulever. Des gouttes de whisky noires et quoi qu'il eût d'autre dans l'estomac éclaboussèrent son entrejambe et le sol entre ses pieds.

« Un peu trop ambitieux, la bouteille entière.

— Ça te plaît, espèce de connard sans cœur ?

— Prends-en encore.

— Tu crois que j'en suis pas capable ? »

Des traînées de dégueulis visqueux pendaient de son menton. Elles se balançaient à chaque mouvement de tête. Il avait l'air beaucoup moins en forme, à présent.

« J'attends de voir. »

Il essaya de soutenir mon regard d'un air combatif pendant qu'il reprenait la bouteille. Ça ne dura pas. Il vomit de nouveau. Avala, vomit, avala, vomit. Jusqu'à ce qu'il fût épuisé et que la bouteille, poisseuse de renvois, lui glisse des mains.

Il s'évanouit et son crâne fit un bruit sourd en heurtant le béton. Je le surplombais tandis qu'il entrait en convulsions. Il ressemblait à un chien en train de cauchemarder. Entre deux haut-le-cœur, il me maudissait. Étranges incantations d'un vieil homme, issues d'un registre proche de celui d'Elmer, dans *Bugs Bunny*.

La bouteille de whisky était là où il l'avait lâchée, à la verticale, intacte, à moitié vide. Quand il fut calmé, il la fixa comme s'il s'agissait d'un reliquaire contenant sa vie entière. Il tenta de l'atteindre. Je crus qu'il allait y parvenir, mais à quelques centimètres du but, ses forces l'abandonnèrent. Il ferma les yeux et laissa retomber son bras. Sans relever la tête, il rendit un filet de sang qui coula en un pâté sur sa poitrine pour venir souiller le cul de la bouteille.

Il n'était pas en train de crever — j'avais vérifié sa respiration — mais il avait sans doute bousillé de manière définitive son estomac déjà en piteux état. Je lui laissai le reste de la bibine et regagnai le parking. Le dernier bruit que je l'entendis faire consista en un long pet humide alors que ses sphincters se relâchaient.

J'eus un début d'érection jusqu'à la voiture.

Je m'apprêtai à fermer la portière de la Prelude lorsqu'une main potelée, à la périphérie de ma vision, arrêta mon geste. Ryan apparut, à contre-jour sur les lumières au mercure de la rue.

« Jackie, mon garçon. Te revoilà ! Ne démarre pas la voiture. »

Il fit le tour et monta côté passager. Il cala confortablement sa masse dans le siège.

« C'est douillet.

— Vous avez des nouvelles, à propos de Karen ? »

J'essayai de paraître affligé et avide en même temps.

« C'est intéressant, ce que tu as fait au clodo.

— Hein ?

— Je t'ai laissé jouer au con la dernière fois, mais ne pousse pas le bouchon trop loin. J'ai observé la scène. Ça fait deux jours que je te surveille. Tu sors pas beaucoup.

— Il a demandé à boire un coup. J'ai accepté.

— Ouais, j'ai vu.

— Il aurait pu s'arrêter à tout moment.

— Mais tu savais qu'il ne le ferait pas. »

Le plafonnier était allumé. Les ombres sur les yeux de Ryan soulignaient les petits bourrelets de graisse en dessous. Il avait l'air encore plus malsain qu'avant.

« Vous n'êtes pas là pour Karen ?

— Oh, tu désires parler de Karen ?

— Bien sûr. Pourquoi est-ce que ce ne serait pas le cas ?

— Mon garçon, laisse-moi réfléchir… Peut-être parce que tu n'étais pas surpris le moins du monde lorsque tu l'as vue à la morgue ? Peut-être parce que tu avais quelque chose à voir avec ça ?

— Venez-en au fait.

— Si j'allais vraiment au fait, mon garçon, tu serais face contre terre, en train de pisser le sang. Je sais que tu m'as menti… Elle ne t'a jamais raconté, pour nous ? Elle ne t'a jamais dit qui j'étais ?

— De quoi vous parlez ?

— Je la connaissais, tête de con. C'était une pute. Je me la payais. Je l'aimais bien parce qu'elle faisait ce que je voulais. Elle n'avait aucun problème avec le genre de gâteries qui font minauder la plupart des tapins. Elle m'appelait Papa, pendant qu'on faisait ça.

— Vous avez l'âge.

— Oh, Jackie, quelle audace ! Tu devrais montrer plus de respect. J'ai dû être une source de revenus réguliers pour vous. »

Je me demandai s'il ne s'agissait pas d'une tactique psychologique de flic destinée à me faire paniquer et avouer. Jamais je n'avais entendu Karen mentionner le nom de Ryan, mais ça ne voulait rien dire. Elle n'aimait pas les flics, mais elle en aurait baisé un s'il y avait eu de l'argent à la clef.

La réflexion suivante de Ryan, toutefois, éclaira considérablement ma lanterne.

« Tu m'as l'air d'un gars intelligent. Étant donné que j'avais l'habitude de la voir à quatre pattes, tu comprendras sans mal : je sais que ce que tu as dit sur son épaule est un peu inexact. Un de ces cafards égyptiens, si je ne me trompe pas.

— Ah, merde, oui, le scarabée ! Écoutez, je suis désolé. Je devais être sous le choc ou quoi.

— Oh, tu me vexes.

— Qu'est-ce que vous voulez ? Je suis désolé. Quand j'ai vu son corps, j'ai été pétrifié.

— Ou bien le tatouage menait à quelque chose que tu ne voulais pas que je sache.

— Comme quoi ? Pourquoi je cacherais quoi que ce soit ?

— Pour le moment, je l'ignore, Jackie. Mais si je devais émettre une hypothèse, je dirais que c'est parce que tu l'as tuée. »

Je devais réfléchir à la réaction appropriée. Surprise ? Indignation ? Démenti catégorique ? Une attitude qui réduirait à néant ses convictions. Impossible. J'allumai alors une cigarette et m'absorbai dans le flot de la circulation dehors. À travers la vitrine du supermarché, les gens vaquaient avec intérêt à leurs occupations, décents, en sécurité quelle que soit leur vie. Durant un bref instant, je les enviai. J'enviai leur acceptation des règles du monde environnant. J'avais été comme eux, à une époque, mais plus maintenant. J'étais allé trop loin pour revenir en arrière. Désormais, je me trouvais en un lieu étrange, assis à côté d'un flic qui voulait me coller un meurtre sur le dos.

Une femme vêtue d'un minishort qui lui rentrait dans la raie des fesses traversa le parking pour regagner sa voiture. Ryan l'observa, tel un prédateur flasque.

Lorsqu'elle se pencha pour mettre ses courses dans le coffre, il se massa les couilles.

« Regarde ça. Quelle sorte de touffe tu crois qu'elle a ? Vraiment fournie ou juste une de ces mèches fines autour de la fente ? Qu'est-ce que t'en penses, Jack ? T'étais avec une femme comme Karen, tu dois aimer les garages à bites.

— Ma femme a été assassinée. »

Ryan se mit à rire.

« T'es pas en larmes.

— Peut-être que je veux juste ne pas le montrer.

— Peut-être que c'est encore le choc, celui qui te pétrifie. Où t'étais, le lundi de la semaine dernière ? Le soir et la nuit. »

Ce brusque changement me déstabilisa une seconde, puis, la signification des mots m'apparut. La nuit de lundi. Deux jours avant qu'on la trouve dans le parc. Génial. J'avais un alibi.

« C'est à ce moment qu'elle a été tuée ?

— Réponds à cette putain de question. Et il vaudrait mieux pour toi que je puisse vérifier.

— Je travaillais. Donut Haven, sur Wilshire, Hollywood Ouest. De quatre heures à minuit. Vous pouvez demander au patron.

— Je le ferai. Mais il faut d'abord que je voie quelque chose avec toi.

— Quelle chose ?

— Ils ont trouvé du foutre dans son bide.

— C'était une pute. Vous vous attendiez à quoi ?

— Je parle pas de sa chatte, je parle de ce gros trou dans les tripes. On dirait qu'après l'avoir éviscérée, quelqu'un s'est soulagé à bout portant, tu vois de quoi je veux parler ?

— De moi, je suppose ?

— J'ai bon espoir. Mais pour tout te dire, Jackie, je suis un mec qui essaye de prendre en compte tous les paramètres d'un problème, tu sais, considérer chaque éventualité. Alors, je vais te donner une chance d'éclaircir la partie "éjaculation".

— Euh… comment ? »

J'avais le pressentiment que quelque chose d'horrible allait se produire, et ce fut le cas.

« On a du foutre provenant de ses entrailles. L'étape suivante est évidente, évidente pour moi en tout cas : il me faut un échantillon de ta part.

— Bien entendu. Je ferai tout pour faciliter l'enquête. Qu'est-ce que je dois faire ? Donner du sang ?

— Je suis un peu pointilleux pour ce genre de détails. On a trouvé du sperme, on doit le comparer avec du sperme. Je suis vieux jeu.

— C'est une plaisanterie.

— Je te donne une chance.

— Putain, d'accord… Où va-t-on ?

— Bon sang, Jackie, je ne veux pas t'embêter. Tu peux faire ça là, maintenant.

— Vous êtes sérieux ?

— À toi de voir. Bien sûr, si tu refuses, je vais avoir du mal à ne pas sauter aux conclusions hâtives.

— Vous voulez que je me branle dans la voiture ?

— Pourquoi pas ?

— Hors de question. C'est trop bizarre…

— Au fait, je t'ai montré mon arme ? »

Ryan se pencha sur une fesse et sortit un canon court du holster de ceinture. Le métal était terne. L'arme avait l'air d'avoir servi. Il la fit tourner sous la lumière du plafonnier.

« Un .38. Pas aussi puissant que les Glock trimballés par les jeunes, mais efficace. Tu sais combien j'ai tué de personnes, avec ? Assez pour devoir utiliser mes doigts de pied.

— On dirait une menace voilée, non ?

— Quand je la baisais, je me demandais à quoi ressemblait son mec, à qui je me mesurais, en quelque sorte. Il s'avère que c'est une pauvre merde qui ne veut même pas coopérer pour résoudre son meurtre. J'ai deux raisons de te buter, Jack. Premièrement, l'affaire serait close. Tu as essayé de t'échapper, tu étais sans doute coupable. Deuxièmement, ça me ferait plaisir. Maintenant, si j'étais un gars assis à côté d'un autre gars comme moi, je n'argumenterais pas à propos de quelques gouttes de jus d'amour. Tu vois où je veux en venir ?

— O.K., O.K… Vous voulez bien au moins sortir pendant que je m'exécute ?

— Impossible. Désolé. Tu pourrais détériorer l'échantillon : cendre, poussière, par exemple. Et j'ai pas envie de devoir tout recommencer. Tiens, tu peux te servir de ça. »

Ryan extirpa de sa poche un pot pharmaceutique en plastique qu'il me passa. On pouvait parier sans risque qu'aucun policier affecté à une enquête sérieuse n'aurait recueilli les indices de cette manière. Mais je ne pouvais pas faire grand-chose. Il pointait son arme dans ma direction et je m'étais déjà distingué en mentant à propos du tatouage. Alors… Je sortis ma bite.

Mon début d'érection avec le clodo était parti depuis longtemps. Je n'arrivais pas à bander. Je m'astiquai pendant un moment, focalisé sur des images dégueulasses, mais Ryan me fixait et je n'arrivais pas à me concentrer.

« Je ne peux pas, avec vous en train de regarder.

— Bien sûr que tu peux. T'as juste besoin qu'on t'aide à te mettre dans le bain. »

Il sortit une photo de sa poche et me la tendit. Elle montrait la croupe d'une femme à poil, visage à terre, genoux repliés sous la poitrine, bras rejetés de part et d'autre. L'angle de prise de vue permettait de voir le sang qui était sorti de sa bouche et avait formé une flaque autour de sa tête. Elle avait un pied-de-biche planté dans le cul.

« Guerre des gangs. Les brigades du Central Sud aiment bien se refiler ce genre de choses. Plutôt érotique, hein ? »

En dépit de la perversité du sujet, Ryan avait raison. L'éclairage plat, impitoyable, la chair épaisse de sa chatte, l'anus forcé : tout contribuait à brouiller mes sens. L'horreur de tout ceci m'emporta loin du monde pour un instant et Ryan s'effaça assez longtemps pour que je commence à bander.

Ensuite, cela ne prit qu'une minute pour cracher dans le pot. Il y en avait beaucoup. Une partie se perdit et tomba sur le tableau de bord. La force de l'orgasme me surprit, mais dès que ce fut terminé j'éprouvai du dégoût. Être observé pendant la masturbation est aussi désagréable que de chier devant quelqu'un.

« À la bonne heure, Jackie. »

Ryan rangea son flingue, referma le pot et le tint à la lumière.

« Abondant et épais. Tu dois avoir un bon taux de spermatozoïdes.

— Je peux y aller, maintenant ?

— Bientôt.

— Bon Dieu, quoi encore ? Un échantillon de selles ?

— C'est pas malin de jouer au plus fin avec moi, Jackie. Est-ce qu'elle fréquentait un toubib ?

— La liste de ses clients ne figurait pas dans mes lectures du soir.

— J'essaye vraiment d'être conciliant, là, Jackie. À l'heure actuelle, c'est le seul élément qui ne cadre pas avec toi.

— C'est-à-dire ?

— On sait qu'elle a été découpée. Ça pourrait être quelqu'un qui a des connaissances chirurgicales. Un docteur, non ? »

Il y avait quelque chose de tellement tordu chez Ryan que je n'étais pas disposé à lui lâcher quoi que ce soit, sans parler de l'ablation de rein clandestine. Mais je songeai qu'une info ou deux pourraient plaider en ma faveur.

« Elle en a peut-être évoqué un. Vers Malibu, je crois.

— Oh, vraiment ? Tu as un nom ? Une adresse ?

— Non. Elle ne m'a pas réellement parlé de lui. Il s'agissait plutôt de réflexions. Je ne sais même pas s'il habitait vers la plage ou dans les collines.

— Tu l'as vu ? Il n'est jamais passé la chercher ?

— Non.

— Est-ce qu'elle avait un carnet d'adresses ? N'importe quel document sur les gars qu'elle baisait ?

— Non. Karen n'était pas organisée à ce point.

— Ce n'est pas de bon augure. De bon augure pour toi, en tout cas. Je n'ai rien à me mettre sous la dent. Je suppose que je vais devoir me contenter de toi. Dis-moi, c'était comment, d'être marié à une pute ?

— Pas le pied.

— Peut-être qu'elle t'a poussé à bout ? Peut-être qu'elle a baisé une grosse queue une nuit, qu'elle est rentrée, et te l'a avoué. Et comme t'en as pas une si grosse, t'as perdu les pédales avec un objet bien aiguisé ?

— Je ne l'ai pas tuée, Ryan. »

Il sourit puis désigna d'un mouvement de tête le cliché avec la fille morte.

« Un cadeau. »

Il sortit de la voiture et s'enfonça dans une nuit qui n'avait plus rien de distant ni d'insulaire. Tout y était coupant, instantané et dangereux. Le genre d'environnement parfait pour Ryan.

Chapitre 6

Au lit, en plein jour. J'étais connecté au monde, mais d'une manière artificielle, irritable, l'esprit brouillé par un écran chimique. Lorn, à la télé, sur une cassette. Aussi parfaite que les avatars prépubères et sexués de Nintendo. Elle parlait de choses qui m'obsédaient. J'étais allongé comme ces poissons nourris à la dosette, qui avalent trop vite pour goûter, mais vont tout de même cacher leur nourriture sous les rochers.

C'est alors que Royston — une espèce de fouine qui possédait quelques logements sur la côte et aimait conduire ses affaires avec une certaine familiarité — se pointa pour encaisser le loyer. Il avait pour habitude de rejeter la tête en avant, ce qui bombait son cou comme l'intérieur d'un pénis. Des lunettes fumées, des cheveux qui avaient l'air synthétiques, un corps mince et blanc qui paraissait toujours vouloir se tordre, s'enrouler et essayer d'échapper à ses vêtements. Il avait la trentaine, mais il était difficile de ne pas penser à un gosse : un gosse demeuré, protégé de la vie par sa propre incapacité à prendre en compte les emmerdements que le reste du monde subissait.

J'avais beaucoup de mal à rester civilisé en sa présence.

« Salut Jackie, c'est l'heure de la douloureuse du mois. »

Il se marra comme s'il avait sorti une bonne blague. Une sorte de braiment.

« Ah ouais ? J'ai pas encore mes règles. Je dois avoir du retard.

— Oh Jack, tu es incorrigible. Allez, tu sais de quoi je veux parler. »

Il envoya un coup de poing en l'air et grogna, comme s'il appréciait mon petit jeu.

« Ce n'est pas le moment.

— Oh ouais, je vois ça. Tu devrais vraiment essayer de faire un peu de nettoyage, tu sais. C'est du gâteau au chocolat, sur ta poitrine ?

— Tu m'as entendu ?

— Pourquoi tu n'ouvres pas les volets ? Il fait tellement beau, dehors. Le soleil brille, les oiseaux chantent et Dieu est au paradis. C'est ce que ma mère disait : le soleil bri… »

Je quittai la pièce pour prendre une bière dans le frigo. Je regardai le pot à cachetons. Je me demandai si je pouvais en prendre assez pour m'évanouir avant que Royston ne prononce le mot commençant par un L. Peu probable. Aussi, je pris juste un DF 118 et retournai dans la pièce où je m'affalai sur le lit. Je portais un slip sale qui bâillait et laissait pendre ma queue. Royston évita de regarder dans cette direction.

« Ça n'a pas l'air d'aller, Jack.

— J'ai quelques soucis.

— Oh, les soucis… N'est-ce pas notre lot à tous ? Mais tu sais quoi, Jack ? Les soucis sont juste des épreuves à surmonter. Même les gros soucis, si tu te donnes le temps. Par exemple, j'ai eu un dégât des eaux dans mon autre logement. La moquette était complètement bousillée. Ça aurait pu m'affecter. Je veux dire, c'était vraiment une jolie moquette. J'aurais pu me torturer et me demander pourquoi une telle catastrophe m'était arrivée. Mais j'ai préféré ne pas le faire. J'ai pris une décision. Au lieu d'attendre que ça prenne des proportions catastrophiques, j'ai agi tout de suite, j'y suis allé, et je l'ai remplacée. Fin du problème. Dis, où est Karen ?

— Morte. Quelqu'un l'a éventrée, lui a sorti les tripes et a éjaculé dans le trou. »

Pendant un moment, sa bouche s'ouvrit et se referma en silence, comme s'il avait besoin d'avaler les mots que je lui avais lancés avant de les digérer. Puis, quand il eut cessé d'être estomaqué, sa voix résonna à nouveau.

« Ta mère ne t'a jamais dit qu'il ne fallait pas raconter des trucs pareils ? Qu'ils pourraient vraiment se produire ? »

Il était assis sur le divan, il tressautait sur le matelas.

« Les ressorts passent au travers.

— Remplace le divan.

— Oh, c'est pas si moche. Je veux dire, ça ne dépareille pas.

— C'est-à-dire ?

— Eh bien, tu as un certain niveau de vie.

— Tout le monde a un certain niveau de vie.

— Tu ne peux pas avoir un divan tout neuf.

— Je ne te demande pas de me le donner. C'est un meublé. Je paye le loyer, le mobilier devrait quand même être à peu près décent.

— C'est ce que je t'explique. Il est décent… pour ton niveau de vie. Je ne suis pas chiant, Jack. C'est juste comme ça que ça marche. Allez, mec, c'est pas grave.

Tapons-nous un cône. J'ai ce matos, en provenance d'Afrique du Sud. Le pied total. Si je mens, je vais en enfer. »

Royston était persuadé que la fumette était le top de la branchitude et il devenait encore plus familier quand le sujet venait sur le tapis. Il sortit un sac d'herbe et des feuilles. Faire tourner la beuh était devenu une habitude, les jours de loyer. Ça lui permettait de se sentir mieux lorsqu'il devait demander de l'argent, comme si nous étions des poteaux et que la location était accessoire.

Je n'aimais pas l'herbe. Trop d'amour et de fleurs dans le folklore. Donnez-moi n'importe quel membre de la famille des benzodiazépines. Quelque chose de fabriqué dans un labo, pas un putain d'accident champêtre. Quelque chose garanti sans paranoïa. Seulement, je pensais qu'une fois défoncé, il aurait été plus coulant à propos de l'argent. De plus, je savais que cet abruti continuerait à geindre tant que je n'aurais pas accepté de planer avec lui.

« Allons-y, alors. »

Royston fit tomber le sac deux fois, dans sa hâte d'en rouler un.

Nous fumâmes et toussâmes et fumâmes. Il ne savait pas retirer les graines, alors le joint explosait régulièrement et les cendres incandescentes tombaient sur la moquette. Chaque fois que ça se produisait, il se précipitait à genoux, piochait comme une poule et frottait avec frénésie les taches de roussi.

Le temps de finir le joint, et nous étions tous les deux passablement confus. Royston ruait dans le vide et n'arrêtait pas de retirer ses lunettes pour s'essuyer les yeux. Je me levai et allai à la cuisine pour reprendre une bière. J'avais l'impression que mon visage grésillait et des trucs fusaient à la périphérie de ma vision.

Ils étaient durs à choper. Chaque fois que je tournais la tête, ils disparaissaient.

Par la fenêtre de derrière, la fille que j'avais vue l'autre jour était de nouveau au balcon. Elle était un peu plus habillée. Penchée en avant, elle vernissait ses ongles. Le THC qui courait dans mes veines m'incitait à projeter toute la tristesse de la ville sur elle. Avec les splendides reflets orangés diffusés par le soleil couchant sur les murs autour d'elle, s'absorber à ce point dans le vernissage de ses ongles me semblait être l'acte le plus désespéré qui soit. Le cours de mes pensées était déformé par les psychotropes et j'étais persuadé que si j'étais allé là-bas et avais passé mon bras autour d'elle, elle aurait éclaté en sanglots. Dès lors, tout serait allé bien pour elle jusqu'à la fin de sa vie. Je commençais à éprouver une empathie débordante pour elle.

Jusqu'à ce qu'elle lève les yeux, me voie en train de l'observer, et me fasse un doigt d'honneur.

Je fus soudain fatigué de tout ça : des gens, du bruit dehors, des lumières du soir, de ce putain de Royston et son putain de loyer… Je voulais de l'évasion, peut-être me planter un moment devant la télé, peut-être regarder la photo de la morte avec son pied-de-biche dans le cul.

Je repartis au salon avec ma boisson.

« T'en as mis du temps, Jack.

— J'ai pas le loyer. »

On aurait dit que je l'avais giflé, que j'avais prononcé des mots tabous.

« Oh… Eh bien… Bon sang, Jack, c'est pas le genre de choses qui laisse beaucoup de marge. Tu vois ? Je veux dire, c'est quand même pas difficile à ce point, si ?

— Karen est morte pour de vrai.

— Oh, Jack.

— C'est la vérité. Elle a été tuée.

— Oh, merde. »

Royston commença à frotter ses mains d'avant en arrière sur ses cuisses. Il regardait la pièce, mal à l'aise, comme s'il espérait que d'un instant à l'autre quelqu'un surgirait et lui viendrait en aide.

« C'est… Oh, merde…

— Oui, c'est plutôt moche. »

Il se leva. Se gratta la tête, l'autre main sur la hanche.

« J'ai l'impression d'être un peu manipulé, Jack.

— Quoi ?

— Eh bien, d'abord tu n'as pas le loyer, et ensuite tu me racontes que Karen est morte.

— Ben c'est vrai. Je n'ai pas le loyer et Karen est morte.

— Mais tu mets les deux ensemble. Comme s'il y avait un lien.

— Hé, j'allais juste te demander si on pouvait attendre le mois prochain. Tu ne perdras rien. C'est une période difficile.

— C'est pas comme ça que ça marche, Jack. C'est pas comme ça que le monde tourne. Nous avons des relations, nous devons fonctionner selon les règles qui ont été établies. Qu'est-ce qui se passerait si tout le monde faisait pareil ? Le chaos. Personne ne payerait de loyer.

— Je le crois pas.

— Moi non plus, Jack. Je suis vraiment déçu.

— Bon Dieu, Royston. Quelques semaines. C'est trop demander ?

— C'est le principe. Si je ne peux pas te faire confiance pour payer dans les temps, comment je pourrais croire que tu le feras jamais ?

— Je promets, d'accord ? C'est la première fois en deux ans, pour l'amour de Dieu ! »

Il secoua la tête comme si cette affaire allait à l'encontre de tout ce qu'il chérissait.

« Je ne peux pas te donner un mois. Impossible. Je te donne deux semaines, et c'est une faveur que je te fais, Jack. D'accord ? »

Il marcha jusqu'à la porte, secouant toujours la tête.

« Merde, je suis plutôt contrarié. »

Après qu'il fut parti, je bouillais de rage. Je me sentais rabaissé, avili. Une histoire aussi triviale qu'un report de loyer... Je tournais et tournais, les dents serrées, mais ce sentiment ne me quittait pas. Afin de me calmer, j'extirpai la photo que Ryan m'avait donnée. Je fus aussitôt fasciné. Je la tins d'une main et me branlai de l'autre. Debout au milieu de la pièce. Ma purée fit une espèce de crépitement lorsqu'elle tomba sur la moquette.

Ensuite, je planai encore plus grâce aux magazines de potins : une immersion au cœur d'une vie meilleure.

Tom Cruise avait réservé la suite Lune de miel, au Ritz de Paris, et l'avait remplie de fleurs à l'occasion de ses secondes noces avec Nicole. Lors de leur séjour dans la Ville de l'amour, ils avaient dépensé deux cent cinquante mille dollars pour de nouvelles fringues. La rumeur courait que Heather Locklear était enceinte, mais la star elle-même restait évasive. Farrah Fawcett, toujours aussi sexy et athlétique, avait dansé toute la nuit dans un bar gay de Hollywood. Tim Allen avait offert une nouvelle Jaguar à sa femme pour son anniversaire. Antonio Banderas et Melanie Griffith avaient claqué vingt-cinq mille pour faire garder leur bébé, Stella. Ted Danson et Mary Steenburgen devaient faire face à des problèmes de couple dus à leur présence sur le même show télé : ils faisaient chambre à part le week-end et ne se parlaient pas le samedi.

Quelques jours après la visite de Royston, je pris conscience que je m'ennuyais. La gnôle était fade, mon corps s'était ramolli, et les pilules qui m'embrumaient l'esprit commençaient à me taper sur le système. La fuite de ces dix derniers jours arrivait à son terme et j'étais tout à coup fatigué de me mentir. Comme un réveil cathartique, le désir de faire à nouveau partie du monde m'éclaira. Je voulais bénéficier d'une meilleure distraction que la télé. Je voulais participer à ce que j'y voyais.

Je me rasai, pris une douche et m'habillai. Tard dans la nuit. Le ciel noir était saupoudré de reflets orangés. Dehors, les feux de position striaient les routes, virées nocturnes bien plus excitantes que celles du jour : transports de drogue, deals sur les banquettes arrière, chasse aux bons coups dans les bars et les clubs, fiestas bien arrosées au bord des piscines sur les collines, rencontres durables ou ruptures, marches à gravir en direction du succès ou de la destruction d'autrui. Ah, la nuit à L.A. !

Je me tins en haut des marches de l'appartement et respirai un bon coup. L'odeur avait changé. Il s'agissait d'un endroit différent de celui que j'avais connu avant la mort de Karen. Exempt de la routine quotidienne du travail, exempt des soucis usants causés par la conformité de son propre comportement. D'un monolithe impénétrable, il était redevenu un lieu où tout pouvait arriver : une arène illuminée par les lumières de la rue, celles des voitures, des fenêtres et des néons.

La Prelude démarra au quart de tour : fonctionnement optimal de la technologie nippone. Je laissai le moteur tourner au ralenti et songeai à Karen.

Morte dans un parc peu après une ablation rénale clandestine. La cicatrice sur son corps, et tous ses organes ôtés. Il n'était pas difficile d'en déduire un scénario : Karen se déleste de son rein, rentre à la maison, et me raconte tout, nous nous battons, elle s'enfuit, retrouve le toubib, puis quelque chose foire et il s'en débarrasse. Cela me semblait tenir debout. L'opération et le meurtre étaient proches. Les blessures auraient pu être infligées par un chirurgien. Et pourquoi vider le corps avec autant de minutie si ce n'est pour effacer les traces d'une intervention illégale ?

Je savais que j'établissais un rapport entre ces faits pour une raison, mais elle m'échappait encore. Alors j'ouvris les vitres et me mis en route avec l'espoir que le vent de la nuit balayerait ces pensées.

Pendant un court instant, je me sentis libre. Rien ne pouvait m'empêcher de conduire pour toujours si c'était ce que je désirais. Pas de réveille-matin, pas de donuts ni de patron. Mes actions avaient si peu d'impact sur le monde environnant que j'avais l'impression de me trouver hors du temps. Quelle importance de savoir quand je m'arrêterais, où j'irais, ce que je ferais ? Sans lien avec l'industrie audiovisuelle, je n'avais aucune raison d'être, dans cette ville.

Lincoln vers le nord, Santa Monica vers l'est. Direction Hollywood et ses trottoirs.

L'heure de pointe, aux alentours de minuit. Parallèlement à Hollywood Boulevard, quelques rues plus au sud le tapin battait son plein. Huit cents mètres de clinquant, de lumières trop brillantes, surpeuplés d'acheteurs, de vendeurs, comme une carcasse irradiée, criblée d'asticots. Cinémas pornos, fast-foods, un ou deux bars, des types au regard d'acier et à la peau dure, portant trop de bagues à leurs doigts. Et des putes, des putes, des putes.

Des voitures roulaient au pas, près du trottoir, à l'affût de la marchandise. Chattes, cons, fentes... Convoités par tous les gus que la ville pouvait vomir. Des étudiants, entassés à six dans leur véhicule, suspendus aux vitres, qui sifflaient, criaient, frappaient du plat de la main sur les portières, apportaient avec eux la seule forme d'innocence que le tapin connaissait, en virée pour faire tirer un copain ou à la recherche d'une gourmande qui leur ferait un prix de groupe. Les pros, les clients réguliers, décontractés et confiants, seuls ou en compagnie d'un ami, appelant les filles par leur nom, négociant calmement, explicites dans leurs demandes. Ils en auraient pour leur argent, aussi sûr que deux et deux font quatre. Et les mecs qui prenaient les choses beaucoup plus à cœur. Toujours seuls, vitres fermées, jusqu'à ce que le besoin soit tel qu'ils ramassent une fille devant laquelle ils étaient déjà passés une dizaine de fois. En ébullition, au volant avec une érection, leur boulot, leur femme, leur maison, leurs enfants dans la balance, mais incapables de se réfréner. L'addiction au sexe, sale et dangereuse, issue des strates dévastées de la psyché : la merde trimbalée depuis l'enfance. Des malades et des sournois, ouais, mais ils incarnaient le vrai visage du sexe tarifé. À l'inverse des gosses et des bons vivants dont les transactions amusées se limitaient à l'épiderme de la prostitution déshumanisée, ces désespérés en constituaient l'ossature et les muscles. Ils étaient la vérité de ce qui se jouait ici, la véritable contrepartie du tapin. De la douleur injectée dans de la douleur.

Les proxos, dans leur voiture. Les camés, recroquevillés sur leur café intact, dans des restos délabrés dont les toilettes étaient constellées des bouts de charbon tombés des cuillères brûlées et aspergées des éclaboussures sanglantes de seringues vidées. Les vieux pervers, toujours à rôder autour des chattes ou de la dope, qui continuaient à prendre leur voracité fébrile pour la fougue de la jeunesse. Les spiritueux, avec leurs flingues — poissons-pilotes à côté des requins — qui priaient chaque début de nuit pour s'en sortir vivants. Les Mexicains qui nettoyaient la merde, balayaient les locaux des spectacles pornos et les arrière-salles avant de s'offrir cinq minutes de pause sur les marches des entrées de service, une roulée ou un cigarillo noir aux lèvres, appuyés sur leur balai, si fatigués qu'ils pourraient ne jamais repartir. Les flics, peu nombreux et loin, lunettes de soleil même en pleine nuit, avant-bras puissants, pâles après une nuit de service, chewing-gum. En chasse, comme tous les autres.

Je me garai à l'extrémité ouest de la rue, sur le parking d'une usine de confection abandonnée. Ici, le tapin effectuait un faux départ avec une poignée de snacks et de librairies de cul extirpés du désert obscur formé par les petits immeubles de bureaux et les entreprises en faillite, telles des créatures du marais. Une courbe, dont l'apogée se situait quatre cents mètres à l'est, puis encore un passage non éclairé laissé à l'abandon par la ville. Il y avait moins de gens, par là, les voitures en maraude coupaient par les rues perpendiculaires un peu plus haut. Il me fallut environ cinq minutes de marche avant de parvenir au cœur de l'action.

Le tapin n'avait rien de nouveau pour moi. Les mauvaises nuits, lorsque mon imagination s'enflammait et que les heures se gorgeaient de solitude, je venais parfois chercher Karen ici, empli du fol espoir de la ramener à la maison. Cependant, c'était la première fois que je venais avec la volonté de m'immerger dans ce mélange contradictoire de cupidité et de désir. Je voulais du réconfort, la confirmation, en quelque sorte, que la ville représentait autre chose que la simple conception du travail selon les classes moyennes. Et le trottoir était le lieu idéal pour ça. Les pulsions enragées, affamées, qui définissaient la conduite des gens affleuraient près de la surface. Elles tiraient un grand bras d'honneur à la normalité.

Les putains, vêtues pour attirer l'attention et favoriser la rapidité des rapports, étaient postées en bordure du trottoir comme des auto-stoppeuses qui s'ennuyaient, affalées contre les murs des sex-shops ou les cabines de strip. Autour d'elles, les lumières et les sons fluctuaient. Vagues éblouissantes en provenance des bars et des cinés, beuglements des rabatteurs plantés là comme des petits cancrelats en vestes de soirée graisseuses, intarissables dès qu'il s'agissait de chattes, de culs ou de verres à payer. Certaines des filles avaient l'air de chiennes, d'autres étaient belles. Elles donnaient toutes l'impression de vouloir se trouver ailleurs.

Le sexe était gradué, sur le bitume. Les spécialités purement hétéro se trouvaient en pleine lumière. Mais dans les ruelles obscures, c'était du beaucoup plus costaud. Les cinés spécialisés, en sous-sol, donnaient dans le SM, les animaux, la merde et la pisse. Et tapis dans l'ombre, tout près, des gens pouvaient faire de ces films une réalité. Plus loin vers l'est, la circulation piétonne ne diminuait pas. Le tapin cédait la place aux terrains vagues et aux bars occasionnels. Mais c'était toujours fréquenté. Les garçons s'en assuraient.

Jeans et T-shirts, reflets intermittents du cuir. Jeunes, pour la plupart. Au coin des rues ou contre les grillages, un genou fléchi, le pied à plat sur le mur, pouces dans les boucles de ceinture, doigts écartés pour mouler l'entrejambe au cas où une voiture ralentirait. Stéréotypes volontaires. Il n'y avait pas de cinémas, pas de spectacles, aucun magasin spécialisé dans le latex, pas de macs, pas de rabatteurs. Juste des mecs en train de fumer et d'attendre.

Je n'avais jamais été aussi loin : ce n'était pas un endroit où Karen aurait eu beaucoup de succès. C'était étrange de savoir que des types, dans des voitures, pourraient me reluquer et envisager une expérience sexuelle.

Une centaine de mètres plus loin, une Mercedes SEC 60 se gara en face d'un gars avec une crête blonde et la vitre se baissa. Je m'arrêtai pour observer. Les choses se déroulaient vraisemblablement de la même manière qu'avec les prostituées féminines. C'était juste plus rapide, il y avait moins de baratin. Je n'entendis pas la conversation, mais ils durent trouver un terrain d'entente car le conducteur ouvrit la portière et Crête blonde grimpa. Tandis que la Mercedes repartait, j'aperçus à travers la vitre arrière la silhouette du conducteur qui faisait passer son bras derrière le siège.

Je regardai la voiture disparaître et me demandai quel genre de trucs ils allaient faire, la somme qui allait changer de main. Je n'avais jamais baisé avec un mec. J'atteignais la fin de la vingtaine, proche de la date de péremption. Ç'avait l'air assez simple. Tu traînais dans les environs, et les propositions venaient à toi. Et une fois dans la voiture ? Le plus souvent, sucer et branler, je supposais. Des manipulations qui n'auraient pas plus de signification que de serrer des mains. De l'argent facile.

Je me trouvai un petit bout de mur et m'y adossai. Je n'avais pas vraiment de stratégie. Je désirais juste voir ce qui allait se passer. Quelques-uns des tapins les plus proches me jetèrent un coup d'œil, sans réelle conséquence. Les regards assassins n'avaient jamais tué personne.

Des véhicules défilèrent comme des jetons de casino. Des types autour de moi eurent de la chance. J'avais meilleure allure, mais ils étaient plus jeunes. Je m'en foutais. La nuit était douce et j'étais mieux dehors avec les marginaux qu'en train d'ingurgiter de la bière que je ne pouvais pas m'offrir dans un appartement poisseux.

Rien ne se passa pendant un moment. Et puis on y arriva.

« Hé. »

Une Lexus noire venait de se garer et un mec assez fort, la quarantaine, était penché sur le siège passager, le visage tourné vers moi.

« Ouais, toi. Tu veux qu'on fasse affaire ou quoi ? »

Maintenant que ça se produisait, ce n'était plus aussi simple. Je songeai à me barrer, mais ça aurait voulu dire adieu à l'argent et j'aurais été gêné vis-à-vis des autres types.

« Approche-toi, putain de Dieu. Je vais pas gueuler à travers cette sacrée rue toute la nuit. T'aimes pas l'argent ou quoi ? »

Je vins plus près et me penchai vers la vitre. Il était plus balaise que moi. Trop pour que je puisse le démolir si les choses tournaient mal. Et je réalisai soudain que c'était une éventualité. Il pouvait y avoir un paquet de trucs que je refuserais de faire avec un type comme ça. Lui dire non une fois qu'il aurait la bite bien dure ne réchaufferait pas l'atmosphère.

« Combien tu fais ?

— Hein ?

— Combien mesure ta putain de queue ?

— Dans la moyenne, je dirais.

— En centimètres.

— Dix-neuf.

— C'est pas tellement gros. Mais peut-être qu'on

peut quand même s'arranger. T'as déjà éjaculé, cette nuit ? Si je paye, c'est pour un bon jet bien épais. Tu les as pleines ou quoi ? »

J'étais assez proche de lui pour le sentir, et l'odeur était répugnante. En fait, il puait la merde. Je fus tout de suite moins enthousiaste.

« Tu veux faire quoi ?

— Monte dans cette putain de bagnole. Tu vas nous faire choper. T'as quel âge, de toute façon ?

— Je veux savoir avant de monter.

— Bon Dieu de merde. Je pourrais trouver quel-qu'un d'autre. »

Je restai planté là, à le regarder, à espérer qu'il s'exé-cute. Au bout d'un moment, il haussa les épaules.

« Felching. Je paye bien et c'est ce que je veux. »

Je décidai de m'en aller illico. Plonger ma tête entre ses fesses poisseuses, poilues, puantes de merde et lécher son anus plein de mon propre foutre ne faisait pas partie de ce que j'avais prévu pour mon entrée dans le monde de la prostitution masculine.

Il dut lire sur mon visage.

« C'est quoi, le problème ? Tu penses que c'est mal ? C'est une pratique tout à fait normale ! Pourquoi t'es là, sinon ? Tu trouves que c'est drôle de prendre les gens pour des cons ? »

Il avait presque passé la tête par la portière. Des postillons frappèrent ma joue. Je reculai et remontai la rue, dans la direction opposée à la circulation pour évi-ter qu'il ne me suive. J'entendis le moteur rugir. Il criait encore quand il mit les bouts. Les gitons adorèrent le spectacle.

Je fis le tour du pâté de maisons et revins sur le ruban une centaine de mètres plus à l'est où je trouvai un bar. Pas très accueillant, mais j'étais fatigué de marcher et il n'y avait rien de plus proche. Je commandai une mousse et allai m'installer sur un tabouret près de la fenêtre.

L'épisode de la Lexus m'avait rendu furieux. Si le type avait voulu une simple pipe, j'aurais été assis avec quelques billets dans ma poche et la promesse d'une nouvelle carrière sous ma ceinture. Au lieu de ça, j'étais en train de cramer le peu d'oseille qui me restait juste pour avoir un endroit où me reposer.

Sur les côtés de la fenêtre, des néons clignotaient. Je fixai la rue sans la voir, devant ma bière, et regrettai de ne pas avoir assez de fric pour me saouler. Jusqu'à ce que quelqu'un marque un temps d'arrêt dehors et vienne frapper à la vitre.

Rex.

Il pénétra dans le bar, habillé en cow-boy et suffisamment propre sur lui pour paraître en bonne santé. Égal à lui-même. Je me demandais pourquoi il ne travaillait pas pour la télé.

« Mon pote. Tu t'en sors ?

— En quelque sorte.

— Bizarre de te trouver là.

— Ouais. Eh bien… »

Il eut l'air de comprendre puis se pencha vers le bar et commanda des doubles doses et des anti-gueules de bois pour nous deux. Lorsqu'il me tendit mon verre, il parut inquiet.

« On peut parler de Karen ?

— Pas besoin d'éviter le sujet, si c'est ce que tu veux dire.

— Bien. Je n'étais pas sûr… J'arrête pas de penser à elle.

— Hé, on reprend au début ? On sait tous les deux que vous n'étiez pas super amis.

— Ben... Merde, mec, je suis au courant. Mais ça ne m'empêche pas d'être touché.

— D'accord. C'était juste pour dire.

— Il n'y a pas de mal. Le désir d'exclusivité est une chose normale, au début.

— Le désir d'exclusivité ?

— Le fait de vouloir être l'unique dépositaire de la personne disparue. De refuser que les gens considèrent qu'elle était aussi importante pour eux que pour toi.

— Je ne veux pas être dépositaire. Putain... Je suis content qu'elle soit partie.

— O.K., O.K... » Il leva les mains en signe d'apaisement. « Peut-être que quand je prétends penser à elle, je ne veux pas dire elle, mais, tu comprends, plutôt la mort. La réalité de celle-ci. Tu sais ce que je vois, quand je pense à ça ? Je ne la vois pas elle. Je vois le sommet d'une falaise. Tu saisis ? Un précipice. Et c'est comme si une immense force gravitationnelle me poussait à sauter.

— C'est normal, cette histoire de porte ouverte, les premiers temps.

— Eh bien, j'essaye d'y résister, mec. Mais, je ne sais pas... Les jours se suivent et se ressemblent. Tu piges ? C'est la même chose tous les jours. Même si un nouvel événement survient, même si c'est quelque chose de bien, c'est toujours pareil.

— J'ai vu son corps. Je suis allé à la morgue.

— Putain... Ça a dû être une sacrée épreuve.

— Ouais, elle était plutôt en mauvais état.

— Oh... »

Rex but en silence pendant un moment.

« Tu as parlé aux flics ou un truc de ce genre ?

— J'ai parlé à un type.

— Ils n'ont rien à te reprocher ? Je veux dire, style, ils ne te suspectent pas, non ?

— Aucune idée… C'était si inattendu, si officieux. Ce gars était vachement bizarre.

— Peut-être que c'est mieux comme ça. Moins d'emmerdements pour toi. Son père n'était pas flic ?

— Putain, qui sait ? Elle a parlé de ça, une fois, mais tu la connaissais.

— Eh bien, pas vraiment, mec. Nous n'étions pas super amis, après tout. »

Il m'adressa un petit sourire et me donna un léger coup de poing sur le bras. Je ris, soulagé d'avoir quelqu'un d'assez proche pour me sortir ce genre de plaisanterie. Rex tapota son verre vide sur le comptoir.

« Ta tournée, mon pote.

— Impossible, désolé. J'ai quitté mon boulot.

— Ah… »

Rex passa la commande lui-même puis se retourna, l'air content de lui.

« Allez, crache le morceau. Qu'est-ce que tu fais par ici ?

— Je me balade.

— Personne ne vient ici pour se balader. Moi, j'étais sur un plan came, mais t'as pas l'argent pour ça. Alors, si je devais deviner, je dirais que tu étais à la recherche d'une source de revenus alternative.

— J'y songeais.

— Ah. » Rex claqua des mains. « À la bonne heure, j'ai jamais compris pourquoi tu étais resté pauvre aussi longtemps. T'as une belle gueule, un beau corps.

— Je devais franchir le dernier pas, je suppose.

— Quel dernier pas ? Tout ceci ne signifie rien, Jack. Tu n'en meurs pas. Tu peux être en mesure de te payer de la dope et des jolies fringues ou non. Tu perds ton temps sur le trottoir, en tout cas.

— Pourquoi ?

— C'est un endroit pour les junkies et les losers. Tu y bosses si tu n'as nulle part où aller ou si tu te démerdes comme un manche. Ces types, dehors, ils auront de la chance s'il leur reste cinq tickets d'ici demain. Le travail en agence, c'est là que se trouve le pognon. »

Rex m'observa un moment, puis siffla le reste de son verre.

« Ta voiture est pas loin, vrai ?

— Euh, oui.

— O.K. J'ai un taf vers Mulholland. La Porsche est au magasin et j'allais prendre un taxi, mais je vais plutôt te rendre un service. Viens.

— Où on va ? »

J'étais un peu bourré et les choses avaient l'air de s'emballer.

« Prendre de l'argent à une personne qui peut se permettre de nous le donner.

— Tu veux que je baise quelqu'un avec toi ?

— Si tu as envie de rentrer dans le jeu, saisis ta chance. Ne t'inquiète pas, je connais ces gens, ils n'ont rien contre un type en plus, crois-moi.

— Ils ?

— Un couple.

— Merde, je sais pas… »

« Qu'est-ce que tu vas faire si tu t'y mets pas ? Rentrer chez toi fauché et te taper une queue ? Viens avec moi et tu pourras baiser une gonzesse, te shooter et te faire du fric. On partage cinquante-cinquante. Tu as d'autres options ? Allez, mec. C'est le moment de faire un choix. »

Exposé de cette manière, refuser semblait stupide.

« T'as de la coke ?

— Mais bien entendu. »

Nous sortîmes dans la nuit tapageuse.

Chapitre 7

Hollywood Ouest, puis au nord, vers Laurel Canyon et l'intérieur des collines. Une belle virée à travers ce que L.A. a de plus beau.

La route montait et serpentait. Voies uniques étroites qui aboutissaient à des ravines, ou s'élevaient en direction de petites bâtisses sur pilotis à l'architecture des années 1960 ou 1970, qui s'inclinaient le long des rampes de manière suicidaire. Les quartiers plats de Beverly Hills, au sud de Sunset, étaient plus ostentatoires et la richesse, à Bel Air, plus ancienne, mais question atmosphère, les collines de Hollywood étaient imbattables.

Depuis les rues, les maisons étaient discrètes. Construites dos au reste du monde, dissimulées par des eucalyptus et des poivriers. Si d'aventure une fenêtre était visible, la vue était restreinte et la lumière qui en filtrait était tamisée, masquée. Se balader dans le quartier stimulait l'imagination. Qui qu'ils fussent, quoi qu'ils fassent, on pouvait parier que les gens d'ici menaient des existences dignes d'être filmées, qu'ils possédaient une kyrielle d'amants et un potentiel de revenus illimité.

L'alcool du bar et le vent de la nuit qui soufflait par les vitres ouvertes me donnèrent une impression de jeunesse. J'étais vivant, excité. Il me semblait désormais absurde d'avoir préféré passer les deux dernières semaines dans mon lit plutôt que de faire ça : côtoyer l'extérieur de ces vies parfaites.

« Je suis un peu au-dessus de la limite. »

Rex sourit, songeur. « On s'en fout. Je me sens toujours en quelque sorte plein d'espoir, quand je conduis défoncé. Plus de chances de tirer le gros lot.

— Tu pourrais heurter quelqu'un qui n'a aucune envie de mourir.

— Exact. Mais si tu es assez bourré, c'est le cadet de tes soucis. »

Rex sortit sa coke. Je fermai les vitres. Il en mit sur le coin d'une carte de crédit qu'il me colla sous le nez. La route était droite pendant un moment, aussi, je bloquai le volant avec mes genoux et m'exécutai. Traitez-moi d'irresponsable.

Quelques minutes plus tard, nous parvînmes au promontoire du Hollywood Bowl et la ville était là, déployée à nos pieds comme un tapis de diamants. Une étendue infinie de lumières qui s'élevaient, grandioses, à partir des tours du centre-ville. Je me garai. L'entrée du promontoire était fermée, mais il y avait un passage sur le côté. Nous sortîmes. Les doigts agrippés au grillage de la clôture, nous tombâmes en admiration.

À n'importe quelle heure de la journée, la ville était banale, mais la nuit, lorsque l'obscurité gommait l'horizon, elle devenait une construction de lumières qui submergeait la vision : une récompense éblouissante pour tous les habitants des collines.

« Incroyable. »

Rex grogna. « Ça me fait flipper. Tous ces gens qui

vont et viennent aussi vite qu'ils le peuvent. Je veux dire, tu es persuadé, quand tu penses à toi-même, que c'est important d'être humain. Et puis tu vois ça, tous ces gens... Il est impossible que nous valions quoi que ce soit. On est des fourmis, mec.

— Pas si tu t'appelles Bruce ou Arnold.

— Moi, je considère que c'est l'enfer sur terre, qui que tu sois. »

Nous restâmes encore un moment le nez collé à la clôture avant de regagner la voiture.

La maison était située au bout d'une petite route tranquille sur les pentes de Mulholland. Elle était blanche, spacieuse : une réplique de style espagnol entourée de végétation subtropicale. Deux ailes perpendiculaires au bâtiment central, loin de la route, dominaient la ville.

Nous quittâmes le véhicule et nous dirigeâmes vers une porte en chêne noir garnie de clous d'acier.

« Il est pas un peu tard ?

— Ce genre de choses a lieu quand il est tard.

— Il y a de l'oseille, on dirait.

— Ils bossent dans l'industrie du film.

— Sympa. Comment tu les as rencontrés ?

— Ils téléphonent à l'agence et expliquent ce qu'ils veulent. Si tu leur plais, tu reviens. Pour l'amour de Dieu, ne commence pas à leur demander ce qu'ils font. Comment tu te sens ?

— Plutôt solide.

— Continue comme ça. Ils vont adorer ta fraîcheur. »

Un petit homme sec, de taille moyenne, ouvrit la porte. Il semblait très nerveux. Il portait une chemise en coton soigneusement délavée et ouverte jusqu'au milieu de la poitrine. Ses cheveux étaient sablonneux, fins. Je ne le reconnus pas. S'il bossait dans les films, ce devait être de l'autre côté de la caméra. Il nous fit signe d'entrer et referma la porte. Il bougeait d'une manière abrupte, trop empruntée, comme s'il avait du mal à contrôler ses membres.

« Eh bien, il était temps. Et qui est ce jeune homme ? »

Il me sourit en me tendant la main. Sa poigne était beaucoup trop forte.

« Ron, voici Jack. J'ai eu un problème avec ma voiture et il m'a emmené. Vous l'avez lui aussi. Sans supplément.

— Salut Jack. Tu m'as l'air d'un gars en bonne condition. Tu aimes apprendre aux gens à bien se conduire ? Bien sûr que oui, bien sûr que oui. Tu ne serais pas ici autrement, n'est-ce pas ? Oui, je suis certain que tu sais comment traiter les gens qui n'ont pas été aussi sages qu'ils auraient dû l'être. »

Je regardai Rex et vit son œil gauche cligner.

« Pour sûr. »

Après ça, nous demeurâmes un moment dans un silence tendu. Ron passait d'un pied sur l'autre, comme s'il avait oublié quoi faire ensuite.

Rex s'éclaircit la voix. « Heu, Ron…

— Oh oui, mon Dieu, je suis désolé. L'argent d'abord, bien entendu. Pas de supplément pour Jake, comme tu l'as indiqué ? Je veux dire Jack. Désolé Jack. Pas de supplément ?

— Sauf si tu préfères qu'il y en ait un, Ron. C'est entièrement à ta discrétion. Aucune obligation.

— Bon, peut-être un petit quelque chose alors. »

Rex prit les billets pliés que Ron lui tendit et les glissa dans sa poche sans compter. Chacun agissait comme si l'argent n'avait aucune importance. J'essayai d'évaluer la coupure, mais ce fut trop rapide.

« Bon, allons-y. »

Au bout du vestibule, nous passâmes sous une voûte conduisant à une pièce au plafond haut qui donnait sur l'arrière de la maison. Tout au bout, une immense baie vitrée offrait une vue plongeante sur L.A., suspendu au-dessus du canyon large et obscur. Lumière crue, pierres blanches, sol ciré en bois clair. Très peu d'ameuble-ment : un bar dans une alcôve, un canapé de cuir blanc contre un mur, une table basse sur laquelle était posée une poire à lavement qui paraissait disproportionnée. Elle était pleine. La pièce ressemblait à une galerie d'art sans tableau.

Sur le sol, au milieu de cette vaste étendue stérile, se trouvait un dispositif qui s'apparentait à une table d'examen gynécologique customisée : un mètre cin-quante sur un mètre, encadrée par une armature chro-mée sur laquelle était disposée une paire d'étriers.

Sur la table, une femme nue.

D'après son corps, je lui donnais une bonne trentaine bien conservée. Je ne pouvais pas me prononcer pour son visage car elle portait une cagoule intégrale en cuir noir. Il y avait deux trous pour le nez, mais pas pour les yeux. Une fermeture Éclair oblitérait sa bouche. Ses pieds étaient fixés aux étriers et tellement tirés en arrière que ses genoux touchaient presque ses épaules. Son anus était intégralement dévoilé. Ses bras étaient entravés par une paire de menottes fixée à une autre partie de la structure, derrière sa tête.

Rex ôta sa veste et prit place sur le canapé.

« A-t-elle besoin de la même chose que la dernière fois ? »

Ron était au bar pour prendre les verres et tout le bazar.

« Je pense qu'elle le mérite. Pas vous ?

— Oh oui. »

Rex me fit un large sourire pendant que Ron avait le dos tourné.

Je restai debout et observai la femme sur la table jusqu'à ce que Ron rapplique avec la gnôle. Elle semblait irréelle sous les halogènes. Difficile de la considérer comme un être humain.

Les boissons étaient fortes. Vodka, jus de citron vert, glace. Rex me jeta un coup d'œil par-dessus son verre pour voir comment je gérais la situation.

« Tu nous entends, mon amour ? Ils sont là. Ils sont deux cette fois. Ils vont t'apprendre, n'est-ce pas ? Nous te regardons tous. »

La voix de Ron monta tandis qu'il parlait. Il devait lutter pour se retenir de crier. Il s'arrêta une seconde pour reprendre ses esprits.

« Dans un petit moment, je vais les laisser commencer, mais d'abord, nous allons prendre un verre. Ne t'inquiète pas, nous ne te laisserons pas seule. »

Les seins de la femme se levaient au rythme rapide de sa respiration.

« O.K., les gars, l'heure est venue de vous stimuler un peu. »

Dans un tiroir de la table basse, il prit un sachet de seringues à insuline, quelques ampoules d'eau stérile et un emballage contenant deux ou trois grammes de coke.

Il faisait chaud dans la pièce : la nuit embaumée, typiquement californienne, ajoutée au chauffage au sol. Dehors, le silence profond et nocturne achevait de nous déconnecter du reste du monde.

Ron regarda la femme qui tressaillait au bruit ténu des ampoules qu'on craquait. La tension qu'elle éprouvait semblait lui plaire. Lorsqu'il y eut une dizaine de millimètres d'eau au fond d'un gobelet, il ouvrit un des emballages et le versa à l'intérieur. Il mélangea le tout à l'aide d'un piston de seringue jusqu'à dissolution. L'extrémité en plastique crissait contre le verre.

Je me resservis deux lampées de vodka directement à la bouteille. Ma gorge me brûla et mes yeux s'emplirent de larmes. On passait aux choses sérieuses et je voulais être défoncé. Ron brandit sa préparation.

« Ne vous souciez pas du filtrage, cette mixture est pharmaceutique. Servez-vous. » Puis, il appela à travers la pièce : « Ces garçons vont être déchirés, ma chérie. J'espère que je vais parvenir à les contrôler. »

La femme changea légèrement de position. Les étriers et les menottes cliquetèrent.

Ron dut se faire un garrot, mais Rex et moi pûmes trouver la veine en serrant le poing.

J'introduisis la seringue, un picotement au creux du coude. Je relevai un peu le piston pour vérifier que je n'étais pas à côté. Le sang afflua en une épaisse traînée à travers la solution transparente. Je dévisageai Rex avant d'appuyer. Il m'attendait. On shoota de concert. Rex me souriait, du style, on y est, mon pote, accroche-toi.

Bang. La tête et la poitrine explosées. Un flash de plaisir et de nausée mélangés qui s'estompa aussi vite qu'il était apparu. Superman. Clarté et confusion en même temps. Je voulais y aller. Je voulais baiser cette bonne femme maintenant, avant la redescente, avant que mes organes récurés ne rompent l'isolement.

Le front de Ron luisait. Le regard exorbité, pas d'iris, les muscles de la mâchoire tétanisés. Nous étions tous dans le même état.

« Prépare-toi, chérie, les voilà. »

La femme ouvrait et fermait ses cuisses autant que les étriers le lui permettaient. Rex me donna un coup de coude, se leva et se déshabilla. Il bandait déjà à moitié. Je jetai mes vêtements en tas sur le sol. Ron était toujours assis et ma queue se balançait devant son visage.

« D'abord ceci. »

Il tendit à Rex la poire à lavement.

« Nettoyez-la avant de commencer. »

Nous nous tenions tous les trois autour de la femme. Elle savait que nous étions tout proches. Ses cuisses et ses bras se creusèrent tandis qu'elle se contractait sur ses liens et que les muscles saillaient. Ron avait gardé ses habits et son érection tendait le haut de son pantalon.

Rex agissait comme s'il savait quoi faire et je me demandai combien de fois il avait bossé ainsi. La haine visible de Ron envers sa femme ne semblait pas feinte, mais la scène avait quelque chose de calculé, d'organisé. Si elle avait lutté bec et ongles contre notre hôte, il lui aurait été impossible de l'attacher comme ça. Elle devait être consentante.

Les effets de l'alcool et de la cocaïne étaient à leur apogée, la tâche était plus facile. Rex, tout à son travail maintenant, approcha la poire.

« Ouvre-la bien, mon pote. »

Sa chatte était humide et mes doigts glissèrent deux fois avant que je parvienne à l'écarter. L'embout de plastique blanc passa entre mes jointures puis dans son intimité. Rex pressa la poire.

Il fallut un quart de litre avant que le liquide commence à ressortir, à jaillir sur les bords de la canule, à baver sur la table pour asperger le sol verni avec un bruit d'averse.

« C'est ça, Rex, nettoie bien cette petite pute. Comment ça fait, d'être propre, hein, petite pute ? Elle veut être propre. N'est-ce pas, mon amour ? Tu veux être propre ? »

La femme fit un son qui devait signifier oui.

Lorsque la moitié de l'eau fut utilisée, Rex réitéra l'opération avec son cul. Cette fois, le liquide ne ressortit pas.

Ron fumait une cigarette. On aurait dit quelqu'un qui n'avait pas l'habitude de cloper. Petites bouffées, avec les yeux plissés. Puff, puff, puff. Il me la tendit et désigna la femme du menton. Je dévisageai Rex.

« Son pied.

— Avec ça ?

— C'est ce qu'ils veulent. »

J'hésitai. L'extrémité de la cigarette brillait d'un rouge vif sous la cendre grise. Je parcourus la pièce, à la recherche d'un signe qui m'indiquerait si oui ou non je devais me prêter au jeu. Mais aucune réponse ne vint. À cet instant, j'étais accablé par l'inanité du choix entre le bien et le mal. Quelle importance ? En quoi ce qui arrivait à cette gonzesse pouvait-il m'affecter ?

« Fais-le, mec. »

J'étais comme un pantin, une chose dénuée de libre arbitre.

J'appuyai la cigarette contre la chair tendre de sa voûte plantaire. Elle se contracta, se souleva, l'eau dans son cul fut expulsée à plusieurs mètres de la table en quelques jets hoquetant de merde liquide.

« Oui ! Bon sang, elle en avait besoin. »

Ron sautait d'un pied sur l'autre et frappait dans ses mains. Sous son masque, la femme poussa un cri perçant. Rex leva un sourcil à mon intention.

« Intéressant, hein ? »

Ron sortit deux préservatifs dernier cri : un avec une tête ressemblant à un éléphant, l'autre à un poulet.

« Ces garçons sont gonflés à bloc, ma chérie. Tu vas prendre. Tu veux le nouveau d'abord ? »

Elle fit un signe d'assentiment maladroit de la tête.

« Oui, c'est bien ce que je pensais. C'est à toi, Jack. Laisse-moi t'aider. »

Je me plaçai au bout de la table et Ron s'empara de ma queue pour la guider en elle. Ses doigts s'attardèrent le temps de mes premiers va-et-vient.

« C'est ça, mon ami. Donne-lui bien. Vas-y aussi fort que tu peux. C'est ce qu'elle aime. Plus fort. Défonce-la. »

J'y allais avec énergie, mais ça ne suffisait pas à Ron. Il criait et gesticulait comme s'il encourageait une équipe de foot, jusqu'à ce que je cogne si fort que mes cuisses claquent sur son cul et que j'ébranle la table. À chaque impact, la femme grognait. Quand j'eus terminé, sa fente était à vif et relâchée.

« Tu te sens plus propre, mon amour ? Est-ce que ça a raclé un peu du pus qui est en toi ? Et voici le numéro deux. »

Même chose, avec Ron en train de se trémousser et la femme en train de faire des bruits d'animaux. Sauf que Rex était dans son cul. Au bout d'un moment, elle commença à péter à chaque coup de boutoir.

Nous fîmes une pause pour prendre de l'alcool et un nouveau shoot de coke. Puis nous échangeâmes les orifices avant de remettre ça.

À la fin, Rex et moi nous tenions comme des matadors la tête baissée sur un taureau à bout de forces. Ron alluma une nouvelle cigarette. Il avait sorti sa bite et avait l'air un peu ridicule à se branler et à rejeter la fumée en même temps.

« Ne me fais pas attendre, mec. »

Il me tendit la cigarette. J'étais épuisé et effrayé à cause de la coke, alourdi par l'alcool. Je voulais être ailleurs. Je fis mine de la prendre, mais Rex me poussa sur le côté.

« Je vais le faire, Ron.

— Comme tu veux, mais vas-y, pour l'amour de Dieu. »

Ron se tenait derrière la tête de la femme, sur la pointe des pieds, tout entier à sa bite. Rex souffla sur le bout de la cigarette, puis, sans me regarder, écarta ses petites lèvres et l'écrasa sur son clito. J'entendis le léger chuintement de la braise sur la chatte lubrifiée.

Elle se pissa dessus, donna des secousses sur la table comme si elle avait été électrocutée. Les sons qui provenaient de sous le masque étaient réellement terrifiants. Ron poussa un grognement et cracha son foutre blanc sur le cuir noir de sa figure.

Dehors à nouveau, dans la nuit.

« Je vais conduire.

— Pas de problème. »

Je n'allais pas discuter. Mon corps était douloureux. Ma tête bourdonnait du vide succédant à la coke. Je pouvais très bien me passer de conduire.

« T'as du Valium ?

— Dans la poche de ma veste. »

Rex partit vers Mulholland, dans la direction opposée à la maison.

« Pas la bonne route.

— Ça m'aide à décompresser. Juste pour un instant, O.K. ? »

J'éjectai deux pilules jaunes d'un tube en plastique marron et les fis passer avec une gorgée de la vodka que Ron nous avait laissée. Ce n'était pas assez, alors j'en pris deux autres. Rex fit de même et termina la bouteille. Je la jetai par la vitre et la regardai exploser sur le côté de la route comme un truc lourd jeté dans un lac. Il restait une bonne heure avant l'aube et le ciel n'était qu'un couvercle d'un gris maladif. Autour de nous, les collines émergeaient, semblables à des scènes tirées sur Polaroïd.

Nous roulâmes en silence sur deux ou trois kilomètres pour laisser aux cachetons le temps de faire effet.

« Qu'est-ce que t'en as pensé ?

— Elle était vraiment dans le trip ?

— Bien sûr. Argent facile, hein ?

— Ils sont tous comme ça ?

— Certains oui, d'autres non. Tu t'en es bien sorti.

— Elle ressemble à quoi, derrière son masque ?

— Je ne l'ai jamais vue.

— Ils doivent avoir une relation intéressante.

— Je suppose que c'est une façon d'entretenir son couple.

— Vrai, tant que tu as l'argent pour le faire sans risque.

— Comment ça, sans risque ? Ils n'étaient pas en train de s'entre-tuer.

— Ouais, mais pour s'en sortir intact, il faut être capable de se tenir hors des règles habituelles. Et ce n'est pas un truc que tout le monde peut se permettre.

— Tu es en train de dire que l'argent les dispense du bien et du mal ?

— Les dispense de l'idée que s'en font les autres.

— Tu te fais trop de films, mec. Le cas échéant, c'est juste des gens normaux, pareils à tout le monde.

— Conneries. Est-ce que tu vois un gars, comme un éboueur par exemple, rentrer à la maison, et sa femme, qui a récuré les sols toute la journée, le laisse l'attacher et lui brûler la moule avec une cigarette ? Putain, ils auraient un tas d'emmerdes. Police, violence domestique, abus sexuel... Cet acte pourrait tout bouleverser pour eux. Mais les riches ne sont pas affectés de la même manière. Ils peuvent compartimenter. Ils peuvent laisser libre cours à leurs envies sans bousiller leur existence entière. Demain, Ron et sa femme vont se réveiller. Elle aura un mal de chien, mais ils prendront leur petit déjeuner dans un coin prétentieux de Melrose, comme s'il ne s'était rien passé.

— Eh ben, c'est pas moi qui irais les y chercher. Bon Dieu, je suis vanné. »

Il fit demi-tour et nous tâchâmes de regagner la maison. Blindés de cachetons, nous nous foutions tous les deux de savoir si nous étions au-dessous de cinquante. Quelques minutes plus tard, Rex piqua du nez et il devint évident que nous n'allions pas finir le trajet. Je le secouai par l'épaule pour le réveiller.

« Gare-toi. »

Il redressa brusquement la tête et fit de son mieux pour se concentrer. Lorsqu'il parla, sa voix ressemblait à la mienne : traînante.

« T'as faim, mon pote ?

— Je ne sais pas.

— Moi non plus.

— On a pris trop de Valium.

— Nan, pas après tant de coke.

— Arrêtons-nous.

— Ouais. »

Nous roulâmes encore un petit kilomètre jusqu'à ce que Rex trouve la motivation suffisante pour ralentir et stopper. Le temps qu'il y parvienne, nous étions de retour au promontoire de Hollywood Bowl. Nous nous garâmes près de la clôture.

Une perspective en biais de l'aube sur la ville.

Moteur coupé. Tout éteint.

« Putain de merde.

— Ces sièges s'inclinent.

— Dieu merci. »

Le soleil était déjà haut lorsque je m'éveillai et l'air, dans la voiture, était lourd. À travers le pare-brise, le centre-ville de L.A. était un fantôme obscur caché derrière un rideau de brouillard.

Rex était parti, mais il avait laissé une carte de visite et du fric sur le tableau de bord. Je comptai les billets — trois cents dollars — et lus ce qu'il avait griffonné sur la carte : « Appelle ce numéro. Et en voiture Simone. » Je la retournai. Lettrage luxueux en noir et blanc. Un numéro de téléphone et les mots : « *Bel Air Escorts*. » Cependant, l'indicatif ne correspondait pas à Bel Air. Je l'enfournai dans ma poche avec l'argent.

L'entrée du promontoire était maintenant ouverte. Je sortis de la voiture, passai devant un groupe de Japonais impeccables sur le parking, et grimpai les marches qui conduisaient au surplomb en pierres de grès. Les cigales chantaient dans les broussailles autour de moi, et en bas, dans sa cuvette marron sale, la ville se préparait aujourd'hui encore à faire suer dix millions de personnes. Malgré les abus de la nuit dernière, j'étais bien. Je me repassai avec émerveillement les scènes dans ma tête : ma queue, sa chatte, la cigarette entre mes doigts sur son pied. Je l'avais fait. J'avais franchi la ligne qui séparait la conduite acceptable de celle que la plupart des gens considéreraient comme un appel au lynchage. Ce matin, je me sentais aussi vivant qu'un acteur de pub pour Escape. J'avais été méchant et vicieux, mais j'en voulais plus.

Je regardai par-dessus mon épaule pour vérifier la voiture. Une autre cargaison de touristes se frayait un chemin par l'entrée et je m'inquiétai pour la peinture de ma carrosserie.

Les reflets du soleil formaient des figures ovales sur les fenêtres à travers lesquelles je revoyais Karen. Elle devait être sous terre à présent, poitrine ouverte, membres décharnés, empaquetée dans le caveau d'un cimetière municipal où je ne me rendrais jamais. Mais elle m'avait acheté une voiture avec de l'argent qui provenait de la vente de son rein et je n'arrivais pas à la rayer de ma mémoire. De même que je n'arrivais pas à oublier que je l'avais forcée à quitter l'appartement cette nuit-là : une action qui avait presque à coup sûr sa place dans l'enchaînement qui avait conduit à son assassinat.

Je réalisai soudain pourquoi j'avais fait le point sur sa disparition avant-hier soir. Vivre avec elle avait été un cauchemar, mais morte, elle pouvait me servir d'échappatoire. Je ne m'attendais pas à voir aboutir la traque de son assassin, mais le simple fait de chercher, la tentative en elle-même, pouvait me permettre de retrouver ce que j'avais connu avec Ron : une existence hors des sentiers battus. Si je mettais la main sur le coupable, j'ignorais ce que je ferais. C'était sans importance. Ce que je voulais obtenir de sa mort était une raison d'entrer dans un monde où les conventions habituelles ne s'appliquaient pas. Un prétexte pour me rendre dans des lieux, questionner, faire autre chose que de rester au lit toute la journée.

Et pour financer mon retrait de l'Amérique puritaine ? J'avais trois cents dollars dans ma poche et le numéro de Bel Air Escorts. Rex avait affirmé que j'étais doué. Mec, je serai dans mon élément.

Je redescendis de mon poste d'observation. Au premier groupe de Japonais succédait un autre arrivage. Je passai à travers l'attroupement, une demi-tête de plus qu'eux et le crâne farci de pensées bizarres sur l'inutilité de la vie en société.

À l'intérieur de la Prelude, je me sentis en sécurité. Les sièges étaient chauds, ils m'enveloppaient.

Chapitre 8

Une cabine téléphonique, à l'ouest de L.A. Je m'y étais arrêté car ma belle assurance, sur le promontoire, avait été ébranlée par le souvenir de Ryan. Peut-être s'agissait-il d'une paranoïa résiduelle et chimique, mais je ne pouvais me débarrasser du sentiment que je devais résoudre les problèmes en suspens avant de m'embarquer dans une nouvelle vie. À présent, Ryan devait avoir eu confirmation de mon alibi : mon sperme n'était pas celui qu'on avait trouvé dans Karen. Je savais que les analyses seraient négatives, mais je voulais l'entendre de sa bouche. J'avais besoin de m'assurer qu'il ne me suivrait pas dans ma quête.

Sa carte de police indiquait qu'il faisait partie du département de police de Santa Monica. J'appelai les renseignements et demandai la section Homicides. La conversation prit aussitôt un tour étrange. Il n'y travaillait pas. Le type à qui je parlai me certifia que le seul Ryan en service au poste était membre de la brigade des mœurs.

« Est-ce que la brigade s'occuperait du cas de la fille qui a été tuée à Palisades Park il y a deux semaines ? Celle qui a été éventrée ?

— Jamais de la vie. Nous prenons en charge tous les meurtres. Si vous possédez des informations, vous feriez mieux de parler à l'agent Sullivan. C'est l'officier qui s'occupe de cette affaire. Vous vous appelez comment ? »

Il semblait beaucoup plus simple de raccrocher que de répondre. Ce que je fis. Puis, j'appelai de nouveau le standard et demandai Ryan, à la brigade des mœurs. La ligne sonna longtemps dans le vide avant que quelqu'un ne décroche.

« Ouais ?

— Ryan ?

— Pas là. Rappelez demain.

— Ryan, c'est ce type brun, un peu fort, non ? Celui qui prend des tonicardiaques.

— Ouais, c'est lui. Vous êtes qui ?

— J'ai des infos à propos de l'affaire sur laquelle il bosse. Le meurtre sur Palisades Park.

— Le meurtre ? » Le gars rigola. « Vous vous trompez de personne.

— Je suis sûr qu'il s'agissait de Ryan.

— Non À moins que ça se soit passé dans un sex-shop. Essayez les homicides. »

Je n'eus pas à raccrocher, cette fois-ci. Le gars me devança.

Je restai dans la cabine un moment, partagé entre le soulagement et l'effroi. Je n'avais jamais entendu parler d'un Sullivan, et il aurait eu tout le temps de me retrouver. J'en déduisis que le département de police en général ne se préoccupait pas de moi. C'était un bon point, mais quelle alternative restait-il ? Un psychotique comme Ryan avec une dent contre moi qui virait à l'obsession ? Étais-je devenu un de ses jouets, une affaire personnelle ?

Je retournai à la voiture pour regagner mon domicile. J'avais besoin de prendre une douche et de dormir.

Ce matin-là vers Venice, côté mer sur Lincoln Avenue, l'atmosphère était poussiéreuse, semblable à celle d'une ville fantôme repeuplée à regret. Lorsque j'avais emménagé, l'endroit recelait à mes yeux un certain mystère, un certain romantisme. Mais c'était différent, maintenant. Ce qui n'avait pas été détruit petit à petit pendant ma vie avec Karen était désormais balayé par les réminiscences brûlantes de cette nuit de sexe et cette matinée en forme d'épiphanie. À présent, c'était vide et désert : un lieu à traverser, d'où il fallait s'éloigner.

À la radio, sur le chemin du retour, je captai un résumé des dernières nouvelles. Mel Gibson gagnait trente-cinq millions avec *La Rançon*, Macaulay Culkin en avait atteint soixante lorsqu'il avait fêté son dix-huitième anniversaire, et la fortune personnelle de Michael Jackson était estimée à deux cent cinquante.

Les sommes s'entassaient dans ma tête. Quand j'étais plus jeune, j'avais l'habitude de jouer à me demander ce que je ferais avec dix millions, persuadé qu'un jour je posséderais au moins ça. J'évaluais dans les moindres détails chaque marche qu'il me faudrait gravir, les priorités de mes achats, les choix entre un nombre infini de possibilités que tant d'argent pouvait offrir. Mais à présent, échoué à la trentaine, ce genre de songes hyperréalistes s'accompagnait d'un marasme trop épuisant à supporter. Ajoutés à ça, les dernières nouvelles à propos de Ryan et les reportages sur le bien-être des autres achevèrent de me flinguer le moral.

Je gobai deux Seconal et allai me coucher. La douche attendrait.

Chapitre 9

Il faisait noir lorsque je m'éveillai. Je restai allongé un moment et contemplai le mouvement des lumières colorées projetées sur mon plafond par les voitures en bas de la rue. On aurait dit des éventails japonais. Dans ma tête, tout était clair. Je passai mes mains sur mon corps. J'étais prêt à l'action.

Il était temps de se bouger.

Chier, se doucher, se brosser les dents, se raser. Une canette de Pepsi frais et deux cigarettes dans la douce brise par la fenêtre. Télé allumée, son coupé, dans un coin de la pièce. Des gens circulaient dehors. J'imaginais comment ils se sentaient : le corps bronzé, ferme et sec après une journée passée à la plage, très à l'aise dans leur jean et leurs vêtements de coton lavés de frais, en route, non sans plaisir, vers les cinémas ou les bars.

Je mangeai un bout devant le frigo ouvert et songeai à Brad Pitt, à Johnny Depp et à Tom Cruise. Avec quelle acuité supérieure ils devaient sentir ce souffle nocturne identique à celui sur ma peau. Leur perception devait être beaucoup plus fine que la mienne, exempte de l'épuisement qui afflige les pauvres : nourriture, loyer,

113

impôts, fatigue due à la conduite… Et si jamais une de ces choses faisait irruption dans leur monde, ils avaient des domestiques et des assistants pour s'en charger.

Je me perdis dans ces pensées pendant un petit bout de temps. Il était assez tard lorsque je quittai l'appartement et me mis à la recherche de l'assassin de Karen.

Je ne connaissais pas suffisamment bien les amis de Karen pour posséder leur numéro de téléphone, mais au début de notre relation, alors qu'elle et moi tentions encore de nous prêter à la mascarade d'une vie commune, j'avais une vague idée de l'endroit où entrer en contact avec un ou deux d'entre eux. Karen faisait partie d'un groupe informel qui fréquentait toujours les mêmes lieux, écoutait les mêmes musiques, avait les mêmes centres d'intérêts : drogue, fric, vêtements de cuir… À moins que la mode n'ait changé depuis la fin de notre histoire, je supposais qu'une tournée dans certains bars pourrait me mettre en rapport avec quelqu'un de sa connaissance. Et si je le localisais, peut-être serais-je en mesure d'avoir une indication sur l'homme aux reins.

Mes deux premières tentatives se révélèrent infructueuses : un bar à expresso sur Harper, où j'abusai un peu du café, et un bar à musique du côté de Paramount, où je fis mon possible pour en atténuer les effets à coups de vodka. Le troisième essai fut le bon. Un club sur Detroit Street, pas loin du tapin.

L'établissement possédait une devanture discrète, juste une porte entre deux magasins. Cette dernière était maintenue ouverte par une chaise et donnait sur une volée de marches qui conduisait au sous-sol. Il ne figurait pas dans les pages jaunes et n'était à la pointe d'aucune tendance musicale. Néanmoins, il présentait quelques attraits pour un certain type de clientèle. Non seulement la prévention sur les méfaits de la drogue y était quasi inexistante, mais il avait une autre caractéristique absolument démente : on pouvait s'y branler sans problème. Ou branler quelqu'un. Ou se faire branler. Et on n'avait pas besoin d'aller se cacher dans les toilettes pour ça.

On me fouilla en bas des marches. Pas d'arme. Je payai ensuite les vingt dollars de droit d'entrée et franchis une série de doubles portes battantes capitonnées. Conjonction de volume sonore poussé à fond et de faible éclairage. Si faible, d'ailleurs, qu'il me fallut plusieurs secondes pour m'habituer. La musique, plutôt industrielle, rendait l'atmosphère coupante. Je supposais que le but était de rendre les clients si tendus qu'ils devaient se pignoler pour être soulagés.

Petite, sale, toute noire, la piste de danse contenait huit personnes et le bar semblait avoir été découpé dans la coque d'un navire russe. Ça puait le fauve. Je pris une vodka et regardai une gonzesse vêtue de latex faire jaillir la purée d'un gars à l'intérieur d'un verre déjà rempli au quart. Puis j'examinai les clients. Il était difficile de distinguer les visages alors je me focalisai sur les coupes de cheveux. J'en reconnus deux, assis ensemble dans un des box le long du mur.

Jimmy et Steve étaient des aspirants rock stars arrivés d'Angleterre quelques années plus tôt, juste à temps pour s'apercevoir que la Californie comptait déjà un million de musiciens au chômage. Ils s'adaptèrent assez bien malgré tout. Ils se recyclèrent dans un domaine où ils excellaient : la défonce. Vingt-cinq ans environ, cuir des pieds à la tête, cheveux teints en noir.

Leurs traits pâlirent et ils se figèrent tandis qu'ils fouillaient leur mémoire et que je me dirigeais vers eux. Mais après que j'eus prononcé le nom de Karen, ils se souvinrent de moi et me laissèrent m'asseoir. Ils voulurent tout de suite savoir si j'avais du matos. J'en déduisis qu'ils n'étaient pas encore au courant pour elle, mais ce n'était pas une supposition très fiable. Je ne les déçus pas, côté came. J'avais touché un quart de gramme dans la soirée en vue de briser la glace. Même dans un endroit comme celui-ci, il aurait été déplacé de consommer en public. Nous nous penchâmes donc sous la table pour sniffer à l'aide d'un billet. Ensuite, nous fûmes amis, poteaux, copains : des connaissances de longue date qui taillaient le bout de gras.

Une demi-heure plus tard, après qu'une nana dans le box voisin eut terminé de s'enfiler une bouteille de Rolling Rock, j'en vins au but réel de ma visite.

« Alors, ça fait combien de temps que vous n'avez pas vu Karen, les mecs ? »

Ils étaient déjà bien partis. Ils répondirent de manière décontractée. Steve avait l'air d'en avoir un chouia trop dans le nez pour soutenir une conversation, mais Jimmy était plutôt clair.

« Ch'ais pas. On l'a vue quand, la dernière fois, Steve ? »

Steve parvint à hausser les épaules.

« Ch'ais pas. Un bail.

— Ouais, ça fait un p'tit bail maintenant. Comment elle va ?

— Je l'ai pas vue depuis un mois.

— Un mois ? Vous vous êtes séparés ou un truc de ce genre ?

— Pas que je sache. Je pensais qu'elle travaillait.

— Un long travail, alors.

— Ouais. Je commence à m'inquiéter. Vous ne l'auriez pas vue ?

— Nan. Hé, Steve, tu sais où est Karen ?

— Hein ?

— Karen. Tu sais où elle est ?

— Pas la moindre idée. »

Jimmy leva ses mains et les laissa retomber.

« Désolé, mec.

— Elle m'a parlé de ce boulot qu'elle avait dégotté. Je sais pas si ça a quelque chose à voir.

— Sans vouloir te vexer, mec, elle est toujours en train de monter un bobard ou un autre. C'était des conneries. Y se passait rien.

— C'était une espèce d'histoire à propos de reins. »

Jimmy se mit à rire et frappa la table.

« Oh putain, pas le coup du rein, mec ! Elle était à fond dans celui-là. Te vexe pas, mais elle est sacrément barrée, des fois. »

La réaction de Jimmy sortit Steve de sa torpeur. Il ouvrit les yeux et se gratta l'avant-bras.

« Je connais quelqu'un qui l'a déjà fait.

— De quoi tu parles, espèce de crétin ? Rendors-toi.

— Nan. Tu le connais aussi. Ce type, qui avait l'habitude de nous fournir. Comment il s'appelait ? L'abruti avec toutes les boucles d'oreilles.

— Joey.

— Ouais, Joey. Il a raconté que c'était comme ça qu'il avait eu son bar.

— N'importe quoi.

— Il m'a montré sa cicatrice.

— Et c'est parole d'évangile.

— Je t'explique juste ce qu'il a dit.

— Il se foutait de ta gueule, bordel. »

Jimmy secoua la tête et se leva pour contempler un groupe de gars en train d'encercler une fille.

Je demandai à Steve combien Joey était supposé

avoir touché pour le rein. Lorsqu'il répondit trente mille, il me sembla judicieux de demander aussi l'adresse du gonze.

« Je sais pas où il habite, mais son bar est sur Pico. Il y a toutes ces merdes égyptiennes sur la devanture. Cherche un gars avec un bouc. Et plein de boucles d'oreilles. »

Chapitre 10

H.S. Retour tardif. La tête encore pleine de came. L'appartement avait l'air pire que jamais, crasseux sous la lumière de l'ampoule nue. Même les meubles étaient désagréables à regarder. L'un d'entre eux en particulier parce que Ryan était assis dessus. Corps tout mou engoncé entre les coussins. Ensemble noir identique à la fois précédente, un T-shirt blanc et propre, les cheveux luisants coiffés en arrière, à plat sur le crâne.

« Bordel, qu'est-ce que…

— Salut Jackie. T'étais où ? Je t'attendais dans la voiture, mais tu as mis tellement longtemps que j'ai préféré rentrer et faire comme chez moi.

— Qu'est-ce que vous voulez ?

— Oh, droit au but, examiner les lieux… T'étais où ?

— Dehors.

— Essaye de faire un petit effort.

— J'étais avec des amis.

— Si tôt après la disparition de Karen ? Eh bien, eh bien. T'as à boire ?

— Quoi ?

— À boire. Alcool, gnôle, eau de feu.

— Il est presque trois heures du matin.

— Alors, nous prendrons l'apéritif de trois heures. »

De toute évidence, ça ne servait à rien de discuter, aussi j'allai chercher du Southern Comfort, de la glace et des verres dans la kitchenette. Je remplis les deux verres et m'assis sur le lit, en face de lui.

« Ça va être long ? Je suis fatigué. »

Ryan ignora ma question et scruta la pièce.

« Pas vraiment le paradis, hein ?

— Non, pas vraiment.

— Tu aurais dû t'accrocher plus, Jack, lui offrir quelque chose de mieux. C'est ce que j'aurais fait. »

Il resta les yeux dans le vague un moment, comme s'il faisait appel à un souvenir. Lorsqu'il se reprit, il n'était pas mieux disposé. Il siffla son verre et grimaça, l'air d'avoir du mal à déglutir.

« J'ai entendu dire qu'ils fabriquaient ça à partir de pelures d'oranges. »

Il se resservit et m'observa, songeur.

« Tu sais à quoi je pensais quand je la baisais ? Je pensais à ce que ça aurait été de l'avoir tout le temps, comme toi.

— C'était beaucoup moins amusant que ce que vous croyez.

— Ouais, elle m'avait raconté que votre relation n'était pas géniale. Mais passé la cinquantaine, ce genre de choses ne signifie plus rien. Avec une nana de son âge, qui n'est pas trop laide, tu es le roi du monde. Tu as l'impression de ne pas avoir vieilli. Rien que de te promener dans la rue comme ça, c'est le pied, crois-moi.

— Super intéressant. »

Ryan bougea avec une rapidité incroyable pour un type de sa corpulence. Il se précipita et me souleva. Ses ongles m'éraflèrent la poitrine. L'arrière de mon crâne heurta le mur.

« Ne crois pas que je prenne ça à la légère. J'ai passé trente ans à nettoyer la merde dans cette ville et à la fin de l'année prochaine, je toucherai une retraite qui payera un deux-pièces minable et une chatte de second ordre une fois par mois. Tu comprendras que je ne suis pas disposé à subir les humeurs d'un pauvre déchet de ton acabit. » D'homme à homme, j'aurais pu m'en sortir avec facilité. Mais il était policier et il avait une arme. Je restai immobile et le laissai respirer lourdement sous mon nez. Peu après, il regagna le divan et se laissa tomber dedans. Il se massait la poitrine.

« Donne-moi de l'eau. »

Je lui apportai un verre. Il but quelques gorgées puis s'enfourna un cachet sous la langue. Son visage était congestionné.

« Ça va ?

— Ouais. Sers-moi une dose.

— Vous pensez que c'est judicieux ?

— Ouais, c'est judicieux. Sers-moi une putain de dose. »

Je me fendis d'un nouveau Southern, essayant d'évaluer si son décès dans mon appartement serait une bonne chose ou non. Ryan leva son verre dans la lumière.

« Faut que j'essaye d'y aller mollo avec cette merde.

— Vous avez déjà eu les résultats des analyses ?

— Peut-être…

— Ou peut-être que vous n'avez jamais procédé à la vérification.

— Oooh, qu'est-ce que ça veut dire ?

— J'ai appelé votre commissariat. Vous ne travaillez pas sur l'affaire. Vous ne travaillez même pas aux homicides.

— Jackie… Voilà qui n'est pas très malin. Pas malin du tout.

— Je ne leur ai rien raconté, mais, je veux dire, vous bossez sur les affaires pornos, ou quelque chose de ce genre.

— Si jamais tu t'avises de refaire un truc pareil, je te tue.

— Je veux savoir ce qu'il se passe, putain. »

Ryan inspira et retint son souffle un instant. Puis il expira doucement.

« Donc, tu comprends, tu es capable d'estimer à quel point quelque chose de grave est susceptible de t'arriver. Je vais te résumer la situation. Je connaissais Karen, je te l'ai déjà dit. Je vois des photos de scène de crime sur un bureau, j'apprends qu'elle est morte et que personne n'a de renseignements sur elle. Non seulement je sais qui elle est, mais je connais pas mal son histoire. Peut-être plus que toi, Jackie. Je sais qu'elle est mariée parce qu'elle me l'a raconté. Je sais où elle vit car je l'ai suivie jusque chez elle un soir après l'avoir baisée. Appelle ça de la simple curiosité. J'ai d'autres éléments encore, mais je ne suis pas aux homicides, je suis aux mœurs. Je dois faire un choix. Donner aux gars de la Crim' les informations que je possède et espérer qu'ils ne foirent pas leur enquête. Ou opérer en solo et être certain que ce sera fait comme il faut.

— Mais pourquoi ? Vous la connaissiez, O.K. La belle affaire. Je ne vois pas le motif.

— Eh bien, c'est une chose sur laquelle tu devras cogiter, pas vrai ? Et pendant que tu cogites, il serait judicieux de garder en mémoire que je ne bosse pas pour le département de police et que ce n'est pas vraiment un avantage pour toi. Je n'ai pas à me soucier de tous ces règlements tatillons et autres codes de procédures, tu vois où je veux en venir ?

— J'en ai déjà une petite idée depuis que vous m'avez obligé à me branler dans la voiture.

— Il me fallait un échantillon. Ne t'inquiète pas, il n'est pas allé à la poubelle. Il se peut que je sois obligé de passer par des voies officieuses, mais certaines personnes me doivent des services.

— Alors, vous savez que ce n'était pas mon sperme, dans Karen. Vous avez aussi vérifié mon alibi ?

— Ouais, j'ai parlé au type. Tu as eu du pot par deux fois.

— Pourquoi vous continuez à me harceler ?

— Parce que rien n'est jamais aussi simple qu'il n'y paraît. Il existe mille et une façons de falsifier l'heure d'un décès, peut-être que tu l'as gardée au congélo quelques jours avant de la balancer. Et le sperme ? Tu aurais pu avoir un complice et le tour était joué. Ça ne te dispense pas d'être impliqué. Tu sais quelque chose, Jackie, et je vais venir et venir encore jusqu'à ce que je trouve quoi.

— C'est complètement dingue. Je pourrais contacter le commissariat dès maintenant et leur dire que vous avez perdu les pédales.

— Mais tu ne le feras pas. Premièrement, parce que tu aurais trop de choses à expliquer. Comme par exemple pourquoi tu n'as pas fait de déclaration de disparition, pourquoi tu as menti à propos du tatouage, pourquoi tout ceci ne semble pas t'affecter outre mesure. Et deuxièmement, parce que je te tuerais. Tu penses que c'est complètement fou ? Attends que je me mette en rogne pour de vrai. »

Il se leva, mais ce fut sans doute trop brusque. Il dut se plier en deux et prendre de profondes inspirations.

Il se redressa au bout d'un moment et cligna des yeux rapidement.

« Merde, je me fais vieux. Tu as de la coke ?

— Je ne vous donnerais même pas les poils de mon cul. »

Ça le fit rire. Il se passa la main dans les cheveux et gagna la porte.

Attention les gars, le connard est de retour.

Je dormis et le jour suivit la nuit comme un chien son maître. Nouveau réveil diurne : reflets du soleil sur des bouteilles vides, vêtements en tas. Je somnolais tandis que la température grimpait.

Aux alentours d'une heure, Royston appela pour pleurnicher à propos du loyer. Je lui certifiai que je l'avais et qu'il pouvait passer le lendemain matin. Il parut enchanté et essaya de se comporter comme si nous étions de nouveau amis. Je raccrochai et composai le numéro d'un brocanteur.

Envoûtement cathodique. Sur l'écran, des chanceux regagnaient leur caravane après chaque prise pour être pomponnés, pour rallier le clan des amis et associés indispensables à la soirée jet-set qui se profilait. À moins qu'ils ne discutent au portable de mouvements de fonds considérables ou de transports de matériel à travers le monde, des discussions qui affecteraient la vie des autres.

Je passai une heure dans un état de désir ardent. Je rêvai que j'étais l'un d'entre eux. Mais au bout d'un moment, cela devint trop douloureux.

Afin de me changer les idées, j'emballai les affaires de Karen et descendis le tout aux poubelles, derrière l'immeuble. Je hissai les sacs dans le container puis les observai. L'un d'eux s'était ouvert et son contenu s'était répandu sur une portée de chatons. Les animaux, salement entaillés, étaient en train de pourrir. Je demeurai un moment à regarder les asticots ramper sur les sous-vêtements, les produits cosmétiques bon marché, les Tampax... Ensuite, je pris la voiture et allai voir un film dans un multiplexe de la Troisième Rue.

Les brocanteurs se pointèrent en fin d'après-midi. Des types qui portaient encore leurs tenues de cow-boy utilisées pendant les loisirs. Ils ne posaient pas de questions tant qu'ils faisaient du bénef. Je mis ce que je voulais garder dans le placard et leur indiquai d'embarquer tout le reste. Ils me proposèrent quatre cent soixante-quinze dollars. Pas énorme pour le contenu de l'appartement, mais cela ne me parut pas si mal vu que rien n'était à moi.

Je les laissai bosser et tuai le reste de la journée dans un bar sur la prom'. Vers sept heures, je sortis la carte que Rex m'avait laissée et passai un coup de fil.

Chapitre 11

La ligne téléphonique de Bel Air Escorts aboutissait à un appartement situé dans le district de Wilshire. Endroit sympa, grandes routes sans rôdeurs, balcons spacieux, vitres à foison. Ça ne ressemblait pas beaucoup à Bel Air, mais c'était propre, tranquille et anonyme : idéal pour un commerce qui donnait dans le sexe à domicile.

On répondit immédiatement à l'interphone : j'étais attendu. Quinze étages dans un ascenseur en verre poli aux effluves de térébenthine. Moquette bleu foncé le long du couloir. Personne. Pas un bruit. Impersonnel et aseptisé, comme les allées d'un hôtel. J'appuyai sur la sonnette blanche à côté de la porte et patientai.

Un type chauve, athlétique, en pantalon de cuir et chemise noire ouverte. Il avait tout de l'esclave favori, fier, délicat, mais bien tenu en laisse. Nous traversâmes un couloir avec des portes closes en enfilade et pénétrâmes dans une pièce qui avait dû être une chambre à coucher avant de devenir un secrétariat moderne. Décor minimaliste : sol en ardoise grise, murs blancs, vaste bureau en fibre de carbone dans un coin, un bouquet de brindilles noires dans un vase en verre fumé. Les vitres étaient opaques, légèrement teintées d'orange par les lumières de la route en contrebas.

Il y avait deux individus dans la pièce : un Latino un brin précieux, la quarantaine, occupé à taper sur un portable derrière le bureau, et une fille d'une blondeur parfaite, au corps encore plus parfait, assise sur un canapé de cuir noir placé entre les deux fenêtres. Elle portait une minijupe moulante en lycra rouge et se tenait avec assurance. Plusieurs centaines de dollars la nuit, c'était certain.

Le Latino leva les yeux de son écran et son regard glissa sur moi.

« Tu connais Rex ? »

Il avait une voix rauque, comme si sa gorge avait jadis été endommagée dans quelque échauffourée d'Amérique centrale. Je n'aimais pas non plus sa manière de m'observer : trop directe, trop prolongée. Personne ne m'invita à m'asseoir, aussi je restai debout devant le bureau, mal à l'aise.

« Heu, oui. Rex a affirmé que j'étais qualifié pour ce genre de travail.

— Et quel genre de travail serait-ce ?

— Le genre que Rex effectue.

— Précisez.

— Eh bien, la prostitution, je suppose. Aller chez les gens pour leur offrir du sexe.

— Oh non. » Le Latino secoua la tête avec tristesse. « Ce n'est pas du tout ce que fait Rex. La prostitution…

— Rex baise avec des gens pour de l'argent. Il m'a conseillé d'entrer en contact avec vous.

— Ne m'interrompez pas, je vous explique un point important. Nous procédons avec classe, ça n'a rien à voir avec l'état d'esprit de la prostitution. Mes clients payent le prix fort, ils attendent autre chose que dix minutes sur

127

le siège arrière d'une voiture. Je ne vends pas ce qui peut se trouver au coin de n'importe quelle rue.

— D'accord.

— Comprenez aussi que le sexe n'est parfois qu'une partie du travail. Certains clients désirent d'abord être accompagnés dans des dîners ou des soirées. Vous devez être discret et agréable, même s'ils sont vieux et repoussants. Pouvez-vous faire ça ?

— Je peux faire tout ce que vous désirez. »

Il désigna d'un mouvement de tête la fille sur le canapé. Elle se leva et s'approcha.

« Bien. Faites-moi plaisir.

— C'est-à-dire ?

— Grace. »

La fille prit sa jupe par l'ourlet et la passa par-dessus sa tête. Elle était nue en dessous. Bronzage intégral de la tête aux pieds. Poils pubiens épilés en une fine ligne.

« Vous me prenez un peu par surprise. Je ne suis pas, heu, tout à fait certain...

— Si vous ne pouvez pas le faire ici, comment puis-je être sûr que vous y parviendrez dans la chambre à coucher d'une femme loin de... posséder la perfection de Grace ? »

C'était différent de la nuit avec Rex. C'était froid et autoritaire. Je n'avais pas eu le temps de me préparer. De surcroît, mon sang était presque exempt d'alcool ou de dope. Mes chances d'être humilié étaient grandes, mais je n'avais pas le choix. Il me fallait de l'argent. Plus important encore, je m'étais voué à un certain type d'existence, sur le promontoire du Hollywood Bowl, et ce test en constituait une des portes d'accès. Si je faisais marche arrière maintenant, je devrais me remettre en question. Et je n'avais nulle part où me remettre en question.

Grace se rapprocha, son parfum était capiteux et très cher. Elle fit une espèce de sourire qui ne m'aida pas beaucoup.

La fraîcheur de la pièce sur mes couilles fut désagréable quand elle ôta mon jean. Je me collai à elle, à la recherche d'un soupçon de chaleur. Son dos ferme sous mes mains, son cul bombé, ses seins contre ma poitrine. Si je pouvais cracher la purée devant Ryan, je devais pouvoir m'en sortir ici.

J'effaçai de mon esprit le Latino et le type chauve et plongeai mon visage dans ses cheveux. Lorsque je passai ma main entre ses cuisses, elle était mouillée. Elle poussa un petit gémissement de plaisir. Il semblait si authentique, si avide, que l'instinct de la baise prit le dessus sur toute autre considération et ma queue se gonfla de sang.

Elle m'enfila un préservatif avec la bouche et nous nous accouplâmes debout. J'étais derrière, elle se penchait en avant, les mains raidies sur le bureau du Latino. Ce dernier me scrutait avec soin par-dessus son épaule, mais pas du tout comme s'il prenait son pied.

Quand ce fut terminé, le type chauve nous donna à chacun une petite serviette. Grace s'essuya, remit sa jupe et retourna s'asseoir sur le canapé. Elle n'alluma pas de cigarette. Elle ne se remaquilla pas. Elle se contenta de rester ainsi, laissant son regard errer dans la pièce.

« En combien de temps récupérez-vous ?

— Vous voulez que je remette ça ? »

Un léger sourire se dessina sur le visage du Latino.

« J'ai un engagement pour vous. Cette nuit. Un bon engagement. Grande maison, bien payé, pas trop moche. Pour commencer en douceur. »

Les brocanteurs s'étaient acquittés de leur tâche avec application : l'appartement était vide. Ils avaient laissé le téléphone et les ampoules, mais c'était à peu près tout. J'eus un pincement au cœur lorsque je m'aperçus que j'avais oublié de leur dire de ne pas toucher à la télé : une présence amicale aurait été la bienvenue pendant que je me préparais.

Le boulot du Latino était tardif. Bite à la demande pour faire frissonner une dame lorsqu'elle rentrerait d'une première, d'une soirée de charité, d'une fête sur les collines avec tout le gratin, mon cher, ou autre chose. J'avais donc plusieurs heures à tuer : du temps pour essayer de trouver Joey. Je me douchai, me changeai, puis me mis en condition.

J'avais toujours les trois cents dollars que j'avais gagnés avec Rex, plus le liquide de la revente des meubles et, à ce qu'il semblait, j'en aurais encore plus cette nuit. Je décidai de claquer une partie de la somme sur le front de mer.

J'aurais pu me procurer de la coke, mais j'optai pour le sulfate : du speed yéménite. Le quart du prix et beaucoup moins amusant, mais il présentait des avantages. Un demi-gramme suffisait à vous remonter et à vous exciter pour la nuit. La tension que vous éprouviez se propageait en outre aux personnes de votre entourage, vos réactions devenaient plus imprévisibles pour eux. Juste ce qu'il fallait pour faire flipper Joey, si j'arrivais à mettre la main sur lui.

De retour à l'appartement : deux lignes, deux Southern et une Bud achevèrent de porter mon humeur à la température idoine pour affronter la ville. Et faire ce que j'avais prévu.

Une minute à boxer dans le vide pour m'échauffer au cas où Joey ferait des histoires.

On y était presque, on y était presque… Manquait quelque chose… Oui, cigarette ! Se la planter dans la bouche, l'allumer. Vérifier ses yeux dans la glace : ouaip, pupilles dilatées au maximum, muscles tendus, mâchoires crispées… Prêt à casser la baraque.

Dans la Prelude. La circulation était fluide mais les autres voitures étaient si lentes. Je collais les gens sur Lincoln. Tout était cristallin, comme si l'espace entre les différents objets n'existait plus, à l'image de cette clarté horrible, splendide, sur les clichés pris depuis les navettes spatiales.

Litanie dans mon crâne. Vas-y tranquille, vas-y tranquille, attention à la voiture devant, l'autre type tourne à droite, freine, met le cligno, ralentis, tourne, redresse, vas-y tranquille, encore un autre gars devant, double cet enfoiré, rien de mieux, cette technologie nippone est imbattable. Déboîter, déboîter encore, positionnement parfait sur la voie rapide. Je ne faisais qu'un avec la voiture : un bonze engagé dans une course zen et polluée.

Pico Boulevard, une route secondaire, étroite mais plutôt rectiligne et pas trop encombrée. Idéale pour traîner sans savoir où aller. Quatre pâtés de maisons après l'université massive de Santa Monica, au coin de Cloverfield, je trouvai le Bar Ramses. Ainsi que l'avait précisé Jimmy, il était farci de merdes égyptiennes : pharaons en plastique de chaque côté de l'entrée, portes vitrées en forme de croix ansées, hiéroglyphes partout.

Je me garai sur un parking derrière : lumières rares, ordures nombreuses. Je me fis une nouvelle ligne. Le temps que je sorte de la voiture, mes dents s'entrechoquaient. L'alcool du bar m'attirait autant que la perspective de trouver Joey.

L'intérieur n'était pas à l'image de la devanture tapageuse. Un simple bar de quartier. Alcôves, box, une ou deux tables de billard vers le fond, un espace sommaire dégagé où les clients dansaient peut-être parfois, nuages de fumée de cigarettes et peu d'eau minérale.

L'examen se révéla infructueux, aussi j'allai m'incruster au comptoir et prendre quelques vodkas, jusqu'à avoir sympathisé assez avec le barman pour pouvoir m'enquérir de Joey.

Ça se passa mieux que ce que j'escomptais. Pas de regard fuyant comme dans les films, pas de brusque crispation des lèvres, pas de plongeon derrière le comptoir pour saisir une arme. Juste : « Joey ? Ouais, il est dans le coin. Essayez derrière les tables de billard. Le box du milieu. » Un tantinet déçu, à vrai dire. Je m'étais préparé à le déstabiliser avec un argument imparable du genre « je suis un ancien ami » ou « je viens rembourser un prêt ».

Joey était assis tout seul devant une bouteille de bière et un journal de petites annonces. La description de Steve était fidèle. Son oreille gauche était bordée d'anneaux en argent de la taille d'une pièce de cinq cents et le bas de son visage se terminait par un triangle de barbe noire. Il portait une chemise hawaïenne. Court sur pattes et maigre, il était plus petit que moi. Les choses se présentaient bien.

Il sursauta lorsque je pris place en face de lui.

« C'est privé, dégage.

— Salut Joey, comment va ? » Grand sourire.

« On se connaît ?

— Non, mais on a un lien.

— On ne se connaît pas mais on a un lien ? C'est quoi, putain, un jeu télévisé ?

— J'ai un truc à te demander.

— Je fais pas l'aumône. Casse-toi.

132

— Steve m'a parlé de toi.

— Qui ?

— Steve, l'Anglais, longs cheveux noirs. Il traîne avec Jimmy.

— Jamais entendu parler.

— Je ne veux pas paraître indélicat, Joey, mais tu avais l'habitude de lui en acheter. Je désire juste deux-trois informations, c'est important pour moi.

— Rien à foutre. »

Être raisonnable ne me mènerait apparemment pas bien loin. Il était temps de pousser un peu le bouchon, en espérant que j'en aurais les couilles.

« Et si la brigade financière apprenait comment tu t'es payé cet endroit, tu en aurais quelque chose à foutre ? Ou la police, peut-être ?

— Je pourrais en avoir quelque chose à foutre d'appeler mes copains, là-derrière. »

Joey désigna du menton une bande de types en train de jouer au billard.

« Tu te souviens de l'histoire que tu as racontée à Steve ?

— Je te l'ai dit, je ne connais pas de Steve.

— Fais pas la tête de con. Il me suffit d'un mot pour que tu arrêtes ton char.

— Ouais ?

— Reins. »

Joey se calma un brin.

« Quoi, des reins ?

— Ablation. Vente. Ne sois pas stupide, j'ai jamais fait ce genre de truc avant. Je pourrais péter un câble à n'importe quel moment et faire preuve d'amateurisme, devenir violent. Donne-moi une piste et je pars d'ici. T'entendras plus jamais parler de moi.

— Je ne peux pas te dire ce que je ne sais pas. »

133

J'en avais marre. Je me penchai au-dessus de la table, le chopai par le revers de sa chemise hawaïenne, et tirai. Le vêtement fit un joli bruit de tissu déchiré et des boutons volèrent en dehors du box. Je passai ma main le long de son torse, à droite de l'abdomen, puis descendis vers la cicatrice qui striait sa peau terreuse et pâle.

« Hé, dégage, mec ! »

Il commença à essayer de se redresser, prêt à faire un scandale. Je n'avais pas beaucoup le choix. Je le frappai assez fort pour que sa bouche saigne.

C'était une première pour moi de frapper quelqu'un, mais ça cadrait parfaitement avec l'évolution de ma situation depuis la mort de Karen. J'avais vu ce genre de scène un million de fois à la télévision, alors je savais que c'était ce qu'il fallait faire. Je n'éprouvais aucun remords. Je suppose que j'étais en train de mûrir.

Un coup d'œil rapide en direction du bar. Personne n'avait l'air de nous prêter attention. Mais Joey semblait envisager de crier. Je parlai vite.

« Cette histoire de reins conduit à un meurtre et si je ne dégotte pas ce que je cherche, tu vas te retrouver impliqué aussi. J'ai un super enculé de flic accroché aux basques et je crois que tu serais parfaitement à son goût. Tu veux perdre ta licence ? Elle n'existera plus le jour où il viendra te voir. Maintenant, assieds-toi et parlons de cette cicatrice sur ton ventre. »

À l'évocation du policier, Joey se dégonfla. Il essuya le sang sur ses lèvres et se rassit.

« Je ne suis au courant de rien pour le meurtre.

— Ma question portait sur les reins.

— J'en ai vendu un. Alors quoi ? La belle affaire ! La somme était trop importante pour laisser passer.

— Dis-m'en plus.

134

— Dire quoi ?

— Par exemple, Joey, où tu es allé, qui s'en est occupé, comment tu es entré en contact. Ce genre de choses.

— Ça va être difficile.

— Tu as un téléphone, ici ? On ferait peut-être mieux de s'adresser à quelqu'un qui a l'habitude de poser des questions.

— Putain, je te dis la vérité, mec. Je n'ai pas de nom et pas d'adresse.

— Explique-moi comment ça s'est passé, alors.

— Nom de Dieu, O.K… » Joey leva les mains comme s'il essayait de calmer un demeuré agressif. « Merde… Fut un temps où j'étais pas établi comme maintenant. Tu connais le tapin ?

— Ouais.

— J'avais l'habitude de racoler là-bas. J'en suis pas fier, mais j'avais nulle part où aller, pas de famille, je crevais de faim la plupart du temps…

— J'en ai rien à carrer de tes petites misères. Au fait. »

Joey prit un air sournois. Il m'obligea à attendre en sirotant une petite gorgée de bière qu'il fit clapoter entre ses lèvres.

« Une nuit, cette Jaguar se gare. Je pense que le gars veut tirer un coup. Il possède à l'évidence pas mal de blé. Mais ça ne se passe pas comme ça. Le type m'avoue direct que le sexe ne l'intéresse pas. Il travaille pour un riche docteur qui prodigue des soins gratuits aux SDF. Il cherche quelqu'un susceptible d'accepter l'offre.

— Quelle offre ?

— Aller avec lui à la clinique du toubib. Faire un bilan complet gratuit, quelques vaccins, des pilules si un truc cloche. Plus un lit pour la nuit et deux cents tickets le lendemain matin. J'ai sauté sur l'occasion. Deux cents tickets, un paquet de fric pour moi, à l'époque. Je monte dans la voiture, et au bout d'un moment, il me donne une espèce de sac à mettre sur la tête pour que je ne sache pas où nous allons. Si je refuse, le deal est annulé : le toubib veut rester anonyme. Je me dis : quelle importance, un gars dans une Jaguar n'est pas un serial killer, d'accord ? Quoi qu'il en soit, j'obéis et rien n'arrive. On va là où on doit aller. Il ne me laisse pas enlever le sac avant qu'on soit à l'intérieur. J'ignore où on se trouve.

— Combien de temps vous avez mis pour y aller ?

— Une demi-heure, environ.

— Ça ressemblait à quoi ?

— Un genre de cabinet particulier. Sans fenêtre, pas très grand, du matériel médical un peu partout. Il m'enferme dans une chambre, et une ou deux minutes plus tard, il y a cette gonzesse qui rentre. Elle porte un de ces masques chirurgicaux, alors je ne vois pas son visage. Elle se présente comme le docteur, elle prélève du sang, de la pisse, et me demande tout un tas de conneries : antécédents médicaux, si j'ai de la famille, etc., etc. Et puis elle me fait mettre à poil et m'examine. J'ai tout de suite vu qu'il y avait un truc pas net. Sa manière de me tâter : me faire pencher, introduire son doigt dans mon cul, vérifier mes couilles. Elle prenait son pied, mec. Quoi qu'il en soit, elle me dit, une fois que c'est terminé, que je n'ai pas besoin de traitement mais que je peux avoir un sédatif pour m'aider à dormir. Je demande ce qu'elle a. Elle me donne de la morphine. Tu le crois ? Ensuite, elle dit qu'elle doit étudier les résultats de mes examens, puis elle s'en va. Le vieux type revient. Il m'emmène dans une autre pièce avec un lit. De nouveau, il verrouille la porte. Il n'y a pas de

fenêtre, aucun moyen de sortir. Je me dis : et alors ?
Contente-toi de te faire ton shoot, attends le matin et
prends les deux cents. S'ils ont des problèmes avec la
sécurité, c'est pas mon souci. Le lendemain matin, la
même doctoresse, avec son masque, elle me raconte
qu'elle s'est penchée sur mes résultats et qu'elle a une
proposition à me faire. Je peux embarquer les deux
cents, comme promis, et on me ramène en ville. Ou je
peux faire don d'un de mes reins et partir avec trente
mille. Trente mille putains de dollars !

— Un don pour qui ?

— Qui sait ? Un connard de riche qui en avait besoin,
je suppose. Elle m'a montré la salle d'opérations et m'a
fait son speech comme quoi on peut vivre exactement
pareil avec un à la place de deux. Ça semblait trop
concret pour être un truc de cinglé. Je veux dire, ils
avaient ces machines et tout le reste. Alors, j'ai accepté.
L'opération a eu lieu le jour suivant et je suis resté deux
semaines sur place pour guérir : shooté à la morphine
tout le temps. Ensuite, ils m'ont laissé partir. Avec
trente mille dollars en liquide. Et tu sais quoi ? La nuit
précédant l'opération, elle est venue dans ma chambre
et elle m'a baisé. Elle a gardé son masque, comme toujours, mais elle avait un de ces corps.

— Tu pourrais la reconnaître ?

— Pas son visage, en tout cas.

— Le vieux type, il ressemblait à quoi ?

— Grand. Mince. Dans les cinquante ou soixante
ans. Belle chevelure argentée. Pas perdu une mèche. Si
tu veux mettre la main sur lui, regarde les cheveux.

— Tu l'as revu ?

— Non. Je me suis acheté cet endroit. J'ai plus
besoin de tapiner. Mais j'ai entendu parler de lui, malgré tout.

— Qui t'en a parlé ?

— Merde, juste des putes. Une fois, un couple se pointe, ils discutent. J'écoute parce que je me fais chier. On mentionne un type à la chevelure argentée dans une Jag, ce doit être lui. »

Joey s'adossa et but sa bière. Il avait retrouvé son assurance, après m'avoir raconté son histoire.

« Tu veux me donner des infos sur le meurtre ?

— Non.

— Je m'en doutais. Et à propos du flic ? Je veux pas le voir venir ici bousiller ma vie.

— À la prochaine, Joey. »

Je me dirigeai vers la porte. Il me cria que j'étais un enculé. Quelques têtes se tournèrent, mais personne n'intervint.

Je m'installai dans la voiture et respirai calmement. Mes mains tremblaient mais j'étais plutôt satisfait de la manière dont j'avais mené la barque. Je n'avais pas l'habitude de jouer les gros bras. Maintenir la pression avait été beaucoup plus dur qu'à la télé.

Je songeai à me faire une ligne mais j'étais déjà tendu à bloc. La montée d'adrénaline dans le bar n'avait pas fait bon ménage avec les amphétamines. J'avais les nerfs à vif. Dans une heure, j'étais censé baiser une bonne femme à Beverly Hills. Si je ne me calmais pas un peu, j'allais cracher la sauce dès le premier coup de boutoir. Si ça se produisait, j'étais grillé auprès du Latino. La perspective de toucher de coquettes sommes disparaîtrait comme neige au soleil. Ma tête me conseillait de manger, mais mon estomac était contre. Je fumai et ruminai ce que j'avais appris.

Karen avait vendu son rein. Joey avait vendu le sien. Au même acheteur ? De toute évidence. Même à L.A., le marché noir de la vente d'organes n'était pas si étendu. Cependant, Karen avait laissé entendre que ses séances de cul avec le toubib se déroulaient à Malibu. Joey n'était pas resté dans la voiture assez longtemps pour faire le trajet du tapin jusque là-bas. Était-ce un problème ? Mêmes individus, avec deux salles d'opérations différentes ? Ou bien ils avaient déménagé par précaution ? Impossible de savoir. Pour l'instant, je devais me contenter des infos fournies par Joey. Un mec à la chevelure argentée dans une Jag noire qui recrutait encore, selon toute vraisemblance, des membres du club des donneurs de reins parmi la faune du tapin. Un seul moyen de vérifier : traîner là-bas et croiser les doigts.

Lorsque que je sortis du parking, en route pour l'engagement que je devais honorer à Beverly Hills, une difficulté survint. Mes phares accrochèrent une Plymouth grise de l'autre côté de la rue. Lumières éteintes, moteur coupé, mais je distinguai une silhouette sombre derrière le volant. Je regardai avec attention et avisai, en contre-jour, une chevelure huileuse et de grosses bajoues tournées vers moi. Ryan. Obligé.

Un coup d'accélérateur. Je dégageai. Il voulait me suivre mais il était hors de question que je le laisse deviner la nature de mon rendez-vous galant. Cela n'aurait fait que renforcer ses idées tordues.

Il était garé en direction de Pico. Il devait m'avoir filé avec la conviction que je repartirais par le même chemin. Au contraire, je pris à droite sur les chapeaux de roue dans l'espoir de choper Cloverfield Boulevard pour remonter jusqu'à Santa Monica et de le semer en route. Ensuite, je serais libre de gagner Beverly Hills. Il perdit quelques secondes à faire demi-tour. Je poussai la Prelude à fond dans une rue bordée de bungalows puis vers la voie rapide de Santa Monica. Le temps qu'il se reprenne, j'avais deux cents mètres d'avance.

Je débouchai sur Clover, à une minute de la voie rapide. Vingt-sixième Rue, les lumières défilaient tandis que je traversais Olympic : quelle connerie. Ryan perçut ma manœuvre, et dans la ligne droite, le moteur gonflé de son véhicule de police made in Detroit réduisit l'écart. Pas de sirène. Pas de gyro. Toujours seul.

Impossible de le semer sur Santa Monica. Je gardai la tête froide. J'étais une paire d'yeux fixés sur le pare-brise, une paire de mains sur le volant, un pied sur la pédale. Je savais que si Ryan me rattrapait, la rage due à ma tentative de fuite s'exprimerait de manière physique. Mais si j'arrivais à le larguer, il restait une chance pour que nous fassions tous les deux comme si j'étais juste en train de tester la tenue de route de ma voiture. Peu convaincant, mais mieux que rien.

Passé Colorado Avenue, c'était un maillage de rues. Feintes. Je virai à quatre-vingt-dix degrés. Puis encore. Et encore. Ryan parvenait à suivre. Je pouvais voir la lueur prédatrice de ses phares dans mon rétroviseur, mais il était chaque fois moins proche, moins rapide. De l'autre côté de Wilshire, je prenais le deuxième virage alors qu'il n'avait pas encore effectué le premier. J'étais enfin hors de vue. Je zigzaguai jusqu'à San Vicente Boulevard. Quand j'y parvins, tout était clair. Plus de Ryan. Lâché quelque part dans les quartiers résidentiels de Santa Monica, avec de la chance.

Ralentir. S'arrêter. Respirer profondément, les mains dans les cheveux. Mon estomac protestait. Un aller-retour au McDo serait le bienvenu ; un milk-shake au chocolat et une portion de frites. Inutile de songer à avaler un hamburger.

Je restai assis dans la voiture un moment à me

demander quoi faire. Ryan était en train de perdre les pédales et il serait bientôt impossible de passer outre. La collecte de sperme sur le parking et le harcèlement à mon domicile avaient été désagréables, pervers. Mais qu'il soit atteint au point de me filocher à travers toute la ville et de planquer devant un bar pour obtenir un élément à charge était autrement plus inquiétant.

Et voilà que je le semais au terme d'une poursuite.

Mon seul espoir était de toujours garder une longueur d'avance. Et de prier pour pouvoir, en cas de gros pépin, m'en tirer avec le nom de l'assassin de Karen.

Je me mis en route. J'étais ébranlé et la retombée d'adrénaline me donnait la nausée. Je conduisais vite. Pas trop néanmoins afin d'éviter d'attirer l'attention. La dernière chose dont j'avais besoin était de croiser une patrouille sur le chemin de Beverly Hills, en route vers ma première performance en solo. Et plus particulièrement encore que Ryan capte ça sur les ondes.

Le boulot se déroula sans accroc. J'arrivai avec une demi-heure de retard, mais cela ne sembla pas poser de problème. Grosse maison, stuc rose, style années 1930 en toc. Sise en retrait d'une des routes au nord-ouest de Sunset. La femme me fit entrer elle-même, il était trop tard pour les domestiques. Visage anguleux, corps anguleux, elle avait tout d'une gonzesse qui carbure aux cigarettes et aux pilules. Teinte en brun, aux alentours de la quarantaine, avec peut-être de minuscules replis de peau derrière les oreilles. Pas vraiment mon type, mais elle ne me dégoûtait pas non plus.

Un verre au rez-de-chaussée, une petite discussion insignifiante, puis nous montâmes à la chambre. Dément. Assez d'espace pour deux appartements, baignoire encaissée dans une véranda qui donnait sur un jardin éclairé avec soin et entretenu à la perfection, plafond parsemé de petits globes qui scintillaient telles des étoiles.

Le simulacre de l'amour ne l'intéressait pas. Nous nous dévêtîmes comme deux lutteurs sur le point de se faire mal. Je m'attendais à entendre le gong.

Elle m'expliqua qu'elle voulait me voir pisser dans la baignoire avant. Alors, je me tins sur le côté et me soulageai. Elle s'assit, les pieds au bord, et recueillit le jet avec ses mains. Elle s'aspergea la poitrine et l'entre-jambe. La baignoire était bouchée, et lorsque j'eus terminé, elle y prit place et se roula dans ce qui restait.

Il y avait un gode dans le porte-savon. Elle me le tendit et se mit à quatre pattes. Je le plongeai en elle : la chatte d'abord, puis le cul. J'avais une érection à présent, mais la femme était à fond dans son trip, elle gémissait pour elle-même. Je n'étais pas sûr de la marche à suivre. J'optai pour la conduite la plus évidente et la pris par-derrière. Elle jouit enfin. Je l'avais en fait devancée, mais comme c'était elle qui payait, je continuai à la bourrer jusqu'au bout.

Lorsque je me retirai, elle s'allongea sur le dos et se lécha les lèvres à mon intention. Je voulais prendre une douche, être payé et rentrer chez moi. Mais il lui en fallait pour son argent. Elle désirait que je lui vomisse dessus.

Je fis quelques essais avec mes doigts au fond de la gorge. Je la surplombais, à moitié penché, ma bite molle encore enveloppée dans le préservatif. Chaque fois que j'avais un haut-le-cœur, je perdais presque l'équilibre sur la surface glissante de la baignoire. Je parvins enfin à m'exécuter et le temps que je finisse, ses seins, son torse étaient couverts d'épaisses éclaboussures de milk-shake noir et de frites prédigérées. Elle se les étala sur le ventre et le pubis pendant un moment.

Vingt minutes plus tard, elle me tenait la porte et présentait l'argent. Les quarante pour cent du Latino seraient prélevés directement sur une de ses cartes de crédit. Je m'étais rhabillé après avoir pris une bonne douche. Quant à elle, elle était toujours nue, constellée de vomissures en train de sécher. Elle avait apparemment prévu de dormir comme ça.

Chapitre 12

Tôt le matin. Venice était floue, dissoute. Elle ressemblait à un endroit que j'avais déjà quitté. Au moins, Ryan n'était pas là, à m'attendre. Aucune Plymouth grise stationnée dans l'ombre, aucun Béla d'outre-tombe tapi dans une cage d'escalier de l'autre côté de la rue. Je montai faire mes bagages.

L'appartement était tel que je l'avais laissé : vide. Mais ce vide avait établi ses quartiers de manière si permanente qu'aucun des futurs occupants ne pourrait le dissiper. Du moins pas d'après mon souvenir.

Je remplis deux sacs-poubelle avec mes affaires. Je n'avais pas grand-chose à emporter : des vêtements, quelques accessoires de salle de bains, mes cassettes de *28 FPS,* mes magazines people, mon bocal de pilules, la photo de la fille morte. À la fin, j'étais vanné. La journée avait été longue et il restait beaucoup de choses à faire. Je m'assis sur la moquette graisseuse pour fumer. Lorsque mon corps devint trop douloureux pour que je me tienne droit, je m'allongeai, fermai les yeux, et essayai d'ignorer le sifflement dans mon crâne. À 7 h 50, la Casio à mon poignet sonna. Royston ne devait pas se pointer avant 8 h 30, mais je voulais bénéficier d'une bonne marge.

J'emmenai les sacs à la voiture, puis revins jeter un dernier coup d'œil. Je restai immobile dans la pièce, à la recherche d'au moins une expérience agréable que j'aurais vécue entre ces murs. Je n'y trouvai que le marasme et la désagrégation d'une ancienne, très ancienne vie.

Je déplaçai ma voiture un peu plus bas dans la rue. Elle demeurait cependant en vue. J'attendis. Ce ne fut pas long. Il arriva à 8 h 15, bien droit dans une Cadillac noire et brillante. Il bondit sur les marches extérieures comme un chien impatient d'avoir sa pâtée. La lumière se reflétait dans ses lunettes et sa bouche s'étirait avec des mouvements spasmodiques quand il haletait. Je le regardai frapper à la porte. Pas de réponse. Évidemment. Il frappa une deuxième fois, puis sortit son double de clefs et disparut à l'intérieur.

Trente secondes plus tard, il jaillissait sur le palier, s'arrêtait et jetait des regards fous alentour. Il ne savait pas que j'avais la Prelude et ne put me repérer, planqué derrière mon siège avec un magazine devant le visage. Il retourna dans l'appartement. Lorsque finalement il reparut, on aurait dit qu'il pleurait. Il descendit les escaliers d'une démarche saccadée, comme s'il ne voyait pas où il allait.

Je sentis une vague de sang chaud monter de mon entrejambe jusque derrière mes yeux. J'étais bien, bien, bien. Je voulais lui crier après. Je voulais grimper sur le toit de ma bagnole et me frapper la poitrine. Mais il aurait noté mon numéro d'immatriculation pour me retrouver. Je pressai juste mes cuisses l'une contre l'autre et mis le véhicule en marche. Hors de Venice, vers Santa Monica.

Je lui avais dérobé ses meubles pour me venger de sa cruauté à propos du loyer, et même si c'était plutôt mesquin, je me sentais très satisfait. Mais la vraie valeur de cet acte résidait dans le fait qu'un jalon supplémentaire hors de la norme était établi. J'avais franchi un nouveau pas irréversible qui m'éloignait d'un style de vie obsolète. L'ancien moi n'aurait jamais fait une chose pareille. Par conséquent, je devenais une nouvelle personne.

Je conduisis avec les deux vitres ouvertes pour profiter de l'air. À Santa Monica, j'empruntai la pénétrante de la Pacific Coast Highway et continuai. J'aurais pu rester sur cette route jusqu'à San Francisco et même plus. Cela me traversa l'esprit. Se contenter de conduire, avec le réservoir toujours plus vide. À chaque kilomètre, une partie supplémentaire de mon être se serait évanouie, jusqu'à ce que la voiture dérape sur un promontoire gravillonné de la côte. Alors, je ne serais plus du tout là.

Balayé par le vent.

Si seulement.

Je traversai Malibu, et, comme d'habitude, il n'y avait rien à voir. Les maisons basses le long de l'autoroute côté mer, les routes discrètes qui serpentaient à l'occasion vers les petites collines de l'autre côté. La plage était invisible et ce qu'on apercevait des maisons n'était pas très parlant. Mais on savait que la richesse était proche. Ça faisait partie de la légende.

Une demi-heure après, plus au nord, je pris un petit déjeuner dans le resto d'une ville côtière minable. Fritures maison, œufs, toast de pain blanc, bacon croustillant. Je fumais devant mon café et observais l'océan par la fenêtre. Bleu sous le soleil matinal. Des surfeurs locaux étaient déjà à pied d'œuvre, à califourchon sur leurs planches profilées, dans l'attente d'une vague. Peinard, s'il suffisait de se lever le matin et d'aller à la plage avec son matériel pour rejoindre son spot. Faire ça tous les jours et s'en contenter. Une ignorance béate où l'horreur de ne pas être aussi bon qu'une star de ciné n'avait pas sa place. Où vous ne saviez pas ce que vous manquiez, et dans le cas contraire, vous vous en fichiez.

Je ne pourrais jamais être ainsi. Je n'étais pas stupide à ce point.

Je me dégottai un bâtiment délabré qui datait des années 1930 sur Emmet Terrace, au nord de Hollywood Boulevard, à côté du musée de cires à l'est de Highland Avenue. La charpente était belle : estompes sablonneuses, dix étages de haut. Ce repaire avait dû afficher une certaine fierté à une époque, mâchoires en avant, dans le style du Duce quand il défiait les grands rêves du monde. Un résident des années 1930 aurait pu regarder par sa fenêtre, à travers les vitres dorées par le succès et le contentement. Il se serait tenu au sommet, en costume sur mesure, un verre de cristal rempli de whisky de marque à la main, la brise parfumée légèrement troublée par la fumée d'un cubain, et il aurait senti qu'il n'existait pas de meilleur endroit sur terre qu'ici, à Hollywood.

C'était un autre temps. Il ne restait que l'armature. La propriété avait été découpée, divisée et divisée encore. Le palace était devenu une série de cages à lapins empilées en bordure d'une rue clinquante.

Malgré tout, je ne me plaignais pas. J'étais sorti de Venice, j'avais un toit sur la tête dans une partie de la ville où sexe et drogue étaient monnaie courante. Une pièce, une cuisine plus salle de bains. Plancher de bois nu, un matelas dans un coin, un téléphone, une table, une chaise, et, Dieu merci, une télé. Sixième étage, à l'arrière, accessible par un ascenseur grillagé qu'on devait ouvrir soi-même. J'avais la vue sur les maisons adossées aux collines.

Il était aux alentours de midi, et j'étais fauché. Après avoir réglé le loyer et la caution, il ne me restait que deux jours de cafés, cigarettes et bières. Je fermai les rideaux afin de masquer le soleil et allumai la télé. Le tissu était déchiré. Je dus déplacer le poste pour éviter que le rai de lumière ne tombe sur l'écran. Je l'installai près du matelas, puis m'allongeai. Alors, je laissai ce que je voyais me dévorer le cœur.

Rene Russo avait acheté un manoir six millions de dollars, juste à côté de chez Dean Cain. Sylvester Stallone et Arnold Schwarzenegger discutaient d'un projet commun estimé à deux cents millions. Tom Cruise devait toucher vingt-six millions nets pour *Jerry Maguire*.

Alcool et nicotine. Comater devant la télé, la laisser allumée pour toujours. Si je restais devant assez longtemps, peut-être que j'y pénétrerais.

La nuit précédente réclama son dû et je m'endormis.

Une fille en train de gémir à l'étage supérieur me réveilla vers vingt et une heures.

Je contactai le Latino et lui donnai mon nouveau numéro. Il n'avait rien pour moi, mais il me tiendrait au courant. J'essayai de joindre Rex pour avoir de la compagnie. Son portable était éteint. Je n'avais personne d'autre à appeler.

J'allumai la lumière et éteignis la télé. Je me rassis sur le lit et fixai le poste, songeur. C'était comme si l'écran noir avait désactivé le monde entier, comme si tout, partout sur la planète, s'était arrêté.

Panique. Le sentiment d'être piégé dans une pièce pour l'éternité, face à un écran aveugle, tandis que la vie grouillait de l'autre côté des murs. J'allai prendre une bière dans le frigo de la cuisine.

Il était temps d'agir, de gagner quelques dollars. Je regrettais que le Latino n'ait rien eu pour moi, j'aurais aimé célébrer ma première nuit à Hollywood par un engagement qui aurait inclus une femme et une bonne dose de luxe. Mais à vrai dire, aller battre le pavé correspondait plus à ce que je désirais cette nuit. Un truc furtif, sale, humain : tellement plus représentatif du « va te faire foutre » adressé à la société.

Alors…

Dehors, dans la nuit chaude, deux-trois bières de plus sous la ceinture, une cigarette entre mes lèvres. Le béton éclairé d'une lumière rose sur le parking derrière l'immeuble était poussiéreux et sec ; il donnait envie de s'allonger dessus. Certaines nuits, tout L.A. était comme ça : lissé à l'extrême, en teintes pastel, une surface sur laquelle on aurait aimé passer ses mains.

Filer sur Hollywood et Sunset, se garer à proximité du tapin. Je progressais parmi les putes avec une candeur juvénile. Couleurs, odeurs, sons, cette putain de lumière, l'atmosphère elle-même. Un enthousiasme que je n'avais pas éprouvé depuis l'enfance exacerbait mes sens. Je regardais les clients échapper à leur existence pendant une demi-heure, dans cet abreuvoir de chair. Vrai de vrai, baby. Voilà de quoi le monde est fait. De quoi il aurait été fait vingt-quatre heures sur vingt-quatre s'il ne s'était pas piégé lui-même. J'étais sonné et pourtant clean. Dans cet état second, je songeais que cette partie de la société avait autant de pertinence qu'une autre, peut-être même davantage car elle était plus franche.

Néanmoins, je savais que j'avais tort. La société

n'était pertinente qu'à un seul niveau : celui du dessus. Je m'éloignai de l'attroupement tapageur des pouffes, et mis le cap sur les bas-fonds. Mon humeur devenait plus combative.

La dernière fois, je m'étais dégonflé. Mais c'était il y a une éternité. C'était avant Rex et ce couple sur les collines, c'était avant le Latino et la gonzesse qui m'avait payé pour que je dégueule sur elle, avant Joey et le type dans la Jag noire.

Réglé comme du papier à musique. Une Ford au bord du trottoir. La vitre descendit pile devant moi. Impec. Le gars était plus petit que moi, facile à battre si les choses tournaient mal. Je montai. Il parlait d'un ton plaintif.

« Tu connais un endroit ? J'aime pas faire ça dans la voiture.

— Va au fond d'une ruelle. Tout le monde s'en fout, ici.

— J'aime pas le faire dans la voiture. J'aime pas que les gens reluquent.

— Personne ne va reluquer.

— Si. Il y aura une dizaine de types en train de se branler autour de la voiture avant qu'on ait fini. Je le sais, ça m'est déjà arrivé. Je fais pas dans l'exhib à l'œil. Vraiment. Tu connais pas un endroit où on pourrait aller ?

— Si, je connais un endroit. Prends à gauche, là.

— Oh, merci. Je ne voulais pas faire le difficile, c'est juste qu'il faut que ce soit comme je veux. »

Nous prîmes La Brea, puis montâmes vers Sunset et le dépassâmes. Deux rues après Hollywood Boulevard, se trouvait une rangée de vieux immeubles de bureaux : ramassés, six ou sept étages faits de grosses pierres charbonneuses. Le rez-de-chaussée du dernier d'entre eux était condamné, mais un escalier de secours métallique pendait du toit. Karen m'avait amené ici une fois, avec quelques-uns de ses copains : gnôle et dope autour d'un feu bordé par de vieux cageots d'oranges. Des plaisirs simples, une franche rigolade. Ouais m'sieur, à la belle étoile.

Il se gara avec prudence, s'assura d'avoir bien activé la fermeture centrale et l'alarme. Il n'arrêtait pas de regarder derrière lui tandis qu'il gravissait les marches, comme s'il s'attendait à tomber dans un traquenard monté par mon gang pour le dévaliser. Nerveux. Mais j'avais l'impression que pour lui le danger faisait partie du jeu. Qu'il voulait quelque chose de risqué, quelque chose d'estampillé « sale et méchant ».

Bienvenue au club, mon pote.

Une petite cabane se dressait au milieu du toit, une ancienne cage de monte-charge ou un truc de ce genre. Le meilleur endroit pour faire ce que nous avions à faire : discret, de quoi s'appuyer. Nous nous fondrions dans l'ombre portée.

« Tu es certain que personne ne vient ici ?

— Rien à craindre, ne t'inquiète pas.

— D'accord. » Il approuva comme s'il donnait son blanc-seing à la suite des événements. « Combien ? »

Que devais-je répondre ? J'aurais dû vérifier auprès de Rex. Le marchandage de rue était différent du commerce tenu par le Latino. Tout à fait différent. Karen avait touché trente mille pour son rein. Combien pour une queue et une cuillerée de foutre ?

« Tu veux faire quoi ? »

Il me regarda le temps de trouver le courage.

« Pipe ? »

Je haussai les épaules. « C'est toi qui choisis.

— Et me baiser après.

— Soixante-quinze.

— D'accord. »

Il sortit l'argent et me le tendit. Au son de sa voix, je n'arrivais pas à deviner si j'avais demandé trop ou pas assez.

Au contact, contre le mur. Il voulait m'embrasser mais je ne pouvais m'y résoudre. Je repoussai son visage et m'attaquai à sa braguette. C'était bizarre de toucher un autre homme. J'avais pensé que ce serait pareil que quand je me tripotais, mais je me trompais. Lorsqu'une femme massait des couilles à travers un pantalon, on songeait à une sorte de pétrissage. Ici, c'était beaucoup plus ferme, comme un sac de sable. Et lorsque j'extirpai sa bite, elle ressemblait à une saucisse industrielle, rien d'organique, rien qui aurait pu faire partie de lui.

Je m'agenouillai. Une goutte de liquide séminal pendait au bout de son sexe en érection. Je l'essuyai avec ma main et commençai à sucer. Il plongea ses doigts dans mes cheveux et me parla comme à une fille. Un peu avant la fin, il donna des coups de boutoir et sa queue vint heurter le fond de ma gorge. J'eus un haut-le-cœur mais parvins à le contrôler. Lorsqu'il vint, je recrachai. Il n'eut pas l'air de s'en formaliser.

Maintenant, le clou du spectacle. Voulait-il se sentir comme une femme ou voulait-il qu'on le punisse ? Et merde. Chope-le, plante-lui ton bâton, et finis-en. Quelle importance ? J'avais l'argent.

Nous avions du lubrifiant, mais malgré tout, il eut besoin de plusieurs minutes pour relâcher suffisamment son anus afin d'être pénétré. Et là aussi, ce fut différent de ce que j'escomptais. Pas d'accueil moulant, comme dans une chatte, juste une tolérance neutre. Comme si son côlon était indifférent. J'ouvris les hostilités et l'agrippai au-dessus des hanches, puis je m'appuyai sur lui, les bras raidis contre le mur. La maçonnerie était rugueuse sous mes paumes. Il faisait des bruits semblables à ceux d'un chien qui fouille les ordures.

Dans mon dos, la mégapole s'étendait, tel un immense disque quadrillé de néons et de lampes à sodium. Tellement grand qu'il fallait tourner la tête pour l'embrasser du regard. En face de moi, si j'avais pu voir à travers la cabane et deux autres rangées de bâtiments, il y avait Hollywood Boulevard, et au-delà, les collines. C'était fou de penser qu'au beau milieu de tout ça, en plein air, j'étais en train de défoncer le cul d'un gars pour de l'argent. L'espace d'un instant, je me persuadai que la cabane constituait un volant à la taille de la ville, son centre, et que je fourrais cette tantouze pour nourrir la machine, faire tourner le moteur. Absurde, bien évidemment.

Je terminai. Nous avions sans doute tous les deux trouvé notre compte. Il remit son pantalon en silence. J'étais soulagé de ne pas avoir à faire la conversation, ne pas me compromettre davantage. J'étais perdu dans mes pensées.

Que signifiait tout ceci, pour moi ? Presque rien. J'arrivais déjà à considérer les événements avec froideur. Ce n'était qu'une histoire de mécanique, en somme : tripoter quelque chose jusqu'à ce qu'une érection se produise. Je n'éprouvais pas une attirance soudaine pour les hommes, mais je n'eus pas non plus le sentiment de m'être livré à une abomination. C'était un coup de fouet, une montée d'adrénaline. Et j'avais été payé pour ça. Inutile de chercher plus loin.

Il refusa de me ramener. Son seul objectif était de partir. Pas de problème. Je regagnai la Prelude en taxi. Je n'avais pas envie de rentrer chez moi dans l'immédiat. Je parcourus les rues un moment. Le tapin battait encore son plein : beaucoup de mouvements, beaucoup de fric qui changeait de main. Des voitures de modèles variés ratissaient les trottoirs. Mais aucune Jaguar noire conduite par un mec à la chevelure argentée. Je retournai à Emmet Terrace pour me pieuter. Quelques heures avant l'aube, je m'éveillai et me branlai sur l'image de la fille empalée sur le pied-de-biche. Puis je me rendormis.

Chapitre 13

Deux jours plus tard, je revis Rex. Fin d'après-midi.
Il était dans un bar de Melrose, seul à une table près de
la fenêtre, dans l'attente d'une prestation. Son lustre
californien avait du plomb dans l'aile et il n'avait pas
l'air d'humeur à discuter. Nous commandâmes à manger et observâmes les voitures luxueuses passer dans la
rue.

« Nuit difficile ? »

Il me regarda d'un air absent, puis grogna.

« Prothiaben.

— Hein ?

— Je fais une dépression.

— Je croyais que tu étais sous Zoloft.

— Le toubib a dit qu'il fallait changer.

— Ça fonctionne ?

— Trop tôt pour se prononcer. Il est optimiste.

— Et toi ?

— J'ai abandonné tout espoir d'y arriver avant le
carême.

— Tu es sûr de la posologie ?

— Tout ça, c'est une vaste blague pour toi, hein ?

— Eh, mec, je voulais juste…

— Plaisanter, ouais. C'est bien ce que je voulais dire. Les emmerdes te passent loin au-dessus de la tête, toujours.

— Hé, j'ai des problèmes. Genre, j'ai des problèmes monstrueux, putain.

— Mais rien qui te touche en profondeur.

— Conneries.

— Jack, ta plus grande ambition est d'être en couverture d'un magazine people.

— Et alors ? »

Rex dut se rendre compte du ton qu'il avait employé car il baissa la tête et fixa son plat pendant un moment. Lorsqu'il reprit la parole, je sus qu'il essayait de se rattraper mais que ça lui coûtait.

« T'as eu des nouvelles de l'agence ? Il a dit qu'il te contacterait.

— Un engagement il y a quelques jours. Un autre ce soir.

— Mmmh. De l'argent. » Rex acquiesça. Son regard était distrait.

« C'est pas assez. Je fais aussi le tapin.

— Ne lui dis rien.

— Ouais, je m'en doute.

— C'est une idée stupide.

— D'accord, c'est stupide, et alors ? J'ai déménagé de Venice.

— Il était temps. C'est un taudis.

— On ne peut pas appeler Venice un taudis.

— C'est la misère.

— J'habite Hollywood, maintenant.

— Le Hollywood d'aujourd'hui ?

— Je veux. »

Rex grimaça. « Et c'est pas le grand saut dans la misère, ça ? Tous ces mendiants...

— Eh bien, oui, je sais…

— Ça me déprime à un point.

— Je t'en prie. J'ai du mal à supporter tant d'encouragements.

— Encouragements ? Désolé, on est tous dans le même bain.

— O.K. Changeons de sujet. Je voulais te parler du tapin.

— Quoi, le tapin ?

— Eh bien, genre, est-ce qu'il y a des trucs que je devrais savoir pour travailler là-bas ? »

Rex renifla. « Tu veux dire en dehors du fait que c'est une grosse connerie ? Non. Je ne peux pas t'aider. Ce que tu désires savoir, tu ne pourras l'apprendre que sur le tas. Détecter les cinglés, qui peut se révéler dangereux, qui va exiger de toi quelque chose que tu refuses de donner. Comment se tirer d'une situation sans s'en prendre plein la gueule… Tu devras en quelque sorte l'assimiler et si tu n'es pas assez rapide, tu te feras bouffer à coup sûr. Le seul conseil que je peux te donner, c'est de jamais te trimballer avec tes papiers d'identité.

— Comment ça ?

— Si tu te fais alpaguer, c'est un surcroît de travail pour les flics. Certaines nuits, ils ont pas envie de se faire chier et ils te laissent filer. »

Son portable sonna. Le Latino avec son rendez-vous. Avant qu'il parte, je lui donnai mes nouveaux numéro et adresse. Il les glissa dans son portefeuille sans les regarder.

Plus tard dans la soirée, je me fis trois cents dollars en baisant une bonne femme devant son mari et leur fille de douze ans.

À Hollywood, les semaines passèrent. Des journées mélangées à d'autres journées. Je me levais tard, regardais, sur le magnétoscope que j'avais acheté, les diffusions nocturnes des émissions sur le people de Hollywood, et puis des feuilletons, des films : tout ce qui pouvait me dépayser. Je sortais manger et passais la plupart de mes nuits au tapin. Je n'avais pas de projets personnels, rien pour me stimuler. Je voyais ce que je convoitais à la télévision et je savais que ça m'était inaccessible. Tout le reste n'avait aucune importance.

Les missions proposées par le Latino étaient sporadiques. Peut-être une tous les dix jours. J'étais le dernier arrivé donc le dernier servi lorsqu'il y avait des demandes. Sur le trottoir, je liais connaissance avec quelques putes, elles me parlaient quand je passais, je buvais un café en leur compagnie à l'occasion. Les jeunes types qui prélevaient le loyer ne faisaient pas de sentiments. Ils pensaient que mon âge était un problème. La tolérance était à l'avenant. Je m'en branlais. Je n'étais pas là pour me faire des amis. J'étais uniquement motivé par l'argent et par l'intensité de ce que l'on ressent lorsqu'on monte dans la voiture d'un gus qu'on n'a jamais vu, sans savoir ce qui nous attend. On se doute que ce sera sexuel, mais il est impossible de prévoir le bon déroulement des événements.

Le fantasme puéril de traquer l'assassin de Karen, cet objectif qui allait de pair avec le besoin de cash et l'excitation du tapin, s'estompait à chaque passe — prétextes à fuir l'ennui — sur le siège passager. Je guettais toujours l'homme à la Jag, je demandais après lui de temps en temps, mais même s'il n'avait pas existé, j'aurais été là, à vendre mon cul.

C'est environ à cette époque que Ryan refit surface.

Mal rasé, les dents serrées, son périple furieux l'avait mené de Santa Monica à Hollywood.

Début de soirée. Le tapin n'était pas encore effectif. Les putes étaient dehors, mais la plupart restaient désœuvrées. Elles se contentaient d'être présentes, parlaient, fumaient, s'appropriaient leur bout de trottoir pour la nuit.

J'étais là depuis presque une heure, dans un cinéma porno. Les films étaient aussi consistants que ceux que l'on pouvait trouver sur le marché vidéo : purges, scatologie, fist-fucking. Ils me faisaient peu d'effet. Tout bougeait trop vite et prenait trop de temps. Je les regardais parce qu'ils me permettaient de me sentir moins seul. Ils représentaient d'autres personnes en train de fuir le monde.

Dehors dans la rue, en quête d'un burger équipé d'un guichet sécurisé, sur un trottoir incrusté d'excréments. Pas d'engagement de la part du Latino. Apparemment, Pedzouilleville serait l'attraction de la soirée.

J'avais tout faux.

Une main pâle sur mon épaule, de longs doigts étrangement boudinés, des ongles limés. Encore lui. Tandis que je pivotais pour lui faire face, le monde se fractionna, genre « la vie qui défile en deux secondes ».

« Pas malin, de quitter Venice comme ça, Jackie. Tu croyais que je ne te retrouverais pas ? »

Je réfrénai l'envie de m'enfuir.

« Bon sang, je devais contacter le commissariat d'abord ?

— Je suis encore en rogne, pour la poursuite en voiture. N'aggrave pas ton cas.

— Oh, merde, c'était vous ? Je pensais qu'il s'agissait d'un malfaiteur.

— Ne pousse pas le bouchon, Jackie. Où habites-tu ?

— Vers Emmett.

— Mince alors, j'adorerais vérifier les installations. »

Nous nous assîmes autour de la table, comme des cow-boys pour une partie de poker. Une bouteille de Southern Comfort entre nous, plus un pack d'une demi-douzaine de Bud et de la glace dans un bol : l'essentiel de mon réfrigérateur. Ryan avait ôté sa veste. Sa chemise était trempée dans le dos et sous les aisselles.

Il s'enfila une dose de Southern, goba une de ses pilules à la nitro, et décapsula une bière. Il était parti pour rester un petit moment.

« Alors, Jackie, comment ça va ?

— Bien.

— Bien ? C'est super. Comment tu payes ce logement ? J'ai vérifié chez monsieur donut, il m'a expliqué que tu étais parti.

— Je me débrouille. »

Ryan sembla réprimer un sourire.

« Tu veux me dire quoi ? Que tu fais le tapin ? Merde, et moi qui pensais que tu te promenais. Tu deviens de plus en plus bizarre.

— Comment ça, bizarre ?

— Ta femme meurt. Une ou deux semaines plus tard, tu t'installes à Kiffe-la-Merde City, et tu vends ton cul pour payer le loyer. Qu'est-ce que c'est ? Une espèce de traumatisme ? Tu te sens tellement coupable que tu essayes d'être Karen ?

— Qu'est-ce que vous voulez, Ryan ? Vous avez trouvé où j'habite. Vous n'avez, de toute évidence, rien d'autre contre moi, sinon vous m'auriez alpagué en pleine rue. Cette manière de tourner autour du pot, c'est de la connerie.

— Oh, Jackie, tu me fais du mal. »

Il extirpa un flacon de Dexédrine de sa poche et fit glisser dans sa paume quelques tablettes jaunes identiques à des comprimés de Valium 5 mg. Sauf que les effets étaient opposés, bien entendu.

« Voilà.

— J'aimerais bien dormir, à un moment ou un autre.

— Tu dormiras quand tu seras mort. » Il avala deux cachetons. « Tu devrais te servir, Jackie. J'ai quelque chose à faire cette nuit, et ce serait épatant si tu m'accompagnais.

— De quoi s'agit-il ?

— Ne t'inquiète pas, ça va t'intéresser, promis.

— Et si je refuse ?

— Oh, Jackie, ne dis pas ça. » Il agita les pilules devant moi. « Allez, tu vas pas faire le mollasson pendant qu'on est ensemble. »

Je soupirai et en pris trois. Ryan n'était pas le genre de type à accepter un refus et plus tôt nous aurions terminé ce qu'il avait en tête, mieux je me sentirais. Je pourrais toujours contrebalancer les effets plus tard à coups de calmants.

« C'est ça, Jackie. Toi et moi, on trinque, on gobe. Plutôt convivial, qu'est-ce que tu en penses ?

— Tout ce que vous voudrez. »

Une heure du matin. La brise par les vitres ouvertes, douce et sèche, saupoudrée de dioxyde. Tous les deux alcoolisés et électrisés par le speed. Ryan conduisait d'une main. Deux sortes de véhicules dans les rues : les épaves conduites par les jeunes et les pauvres en quête de sensations fortes, et les coupés, les limousines, qui transportaient les riches à la recherche des mêmes plaisirs. Les voitures luxueuses avaient quelque chose d'attrayant, elles donnaient envie de les suivre, de voir où elles se rendaient, de rencontrer les gens vers lesquels elles allaient. Les citadines cabossées, avec leur peinture d'origine, gâchaient le tableau.

Je regardais les palmiers. Ils étaient omniprésents, indispensables contre le ciel mauve. Nous nous dirigeâmes vers l'est, à travers Hollywood Freeway sur Santa Monica Boulevard. À l'est de la voie rapide, et au sud de Griffith Park, L.A. se transformait en une gigantesque merde d'un million de kilomètres carrés. Sauf si on était un supporter des Dodgers en route pour le stade Chávez Ravine. Je n'avais jamais aimé le sport.

Aux environs de Silverlake, Ryan franchit un dédale de rues entrecroisées jusqu'à atteindre une espèce de zone industrielle : un ensemble d'entrepôts à un étage en parpaings, surmontés de toits en tôle ondulée, entourés de grillages rouillés par endroits. La zone n'était pas éclairée et les allées d'asphalte crevassé entre les entrepôts devenaient des tunnels obscurs au bout de quelques mètres.

Ryan avait l'air de connaître le chemin. Nous longeâmes l'enceinte jusqu'à une entrée qui ressemblait plus ou moins au reste de la clôture. Un appel de phares fit émerger du noir un type assez balaise. Il observa Ryan avec attention, grogna de manière déplaisante, et ouvrit le portail.

Nous traversâmes calmement les zones d'ombre, passâmes devant des quais parsemés de flaques d'huile, devant de sinistres piles de cartons d'emballage détruits.

La Plymouth prit place au sein d'une rangée de voitures. Des rayons de lumière découpaient la porte de service d'un des bâtiments. Nous pénétrâmes, Ryan et moi, en pleine clarté, au milieu d'autres personnes. Du mobilier de seconde main était disposé pour un usage évident contre les murs et au sol : divans, couchettes, sièges rembourrés et scellés à accoudoirs sanglés. Velours bon marché, faux cuir, matériau taché : des meubles d'occase sur lesquels plus personne ne voulait poser ses fesses.

On avait dégagé un espace vide au milieu. Une vingtaine de mètres carrés, peut-être. Et tout autour, des gens debout, une cinquantaine de mecs dans l'attente de quelque chose. Bribes de conversations à voix basse. Ils fumaient et buvaient des bières à la canette.

Un gars, surveillé par un autre type armé d'un fusil à pompe, encaissait l'argent et filtrait l'entrée. Lorsqu'il vit Ryan, son regard se durcit mais il ne dit rien. Il se contenta d'acquiescer et de tendre une liasse de billets préparée à l'avance dans la poche de son blouson de survêtement. Ryan lui fit un clin d'œil, glissa l'argent dans sa veste comme si ce n'était pas la première fois, et me conduisit, par un passage étroit entre les divans, à l'endroit où tout le monde était réuni.

Dans un coin de l'espace aménagé, il y avait un lot de packs de douze, sans doute destinés à étancher la soif. Ryan s'empara de deux canettes et m'en offrit une. Elle n'était pas fraîche, mais au moins, c'était une Bud. Je la sifflai. L'environnement, combiné au stress typique de la Dex, me mettait les nerfs à vif. Je n'arrivais pas à me faire une idée du climat qui régnait. Il y avait cette ambiance de machisme couillu, mais elle était accompagnée d'une espèce de tension sous-jacente qui n'avait pas sa place dans une simple réunion virile autour d'un verre.

Un marteau piqueur était posé sur un canapé. L'arrivée d'air comprimé était invisible, mais, quelque part derrière le foutoir, un compresseur résonnait d'un bruit sourd.

« C'est quoi ? Un combat à mains nues ?

163

— Relax, Jackie. Tout ce que tu as à faire, c'est de regarder. »

Je scrutai les hommes autour de moi, essayai de deviner ce qu'ils attendaient. Ce que je vis ne me rassura pas vraiment. Visages de pierre, ravinés par le souffle du vent mauvais, lorsque les sentiments disparaissaient. Bouches figées, regards plats où rien ne transparaissait, qu'ils observent un enfant en train de jouer ou qu'ils démolissent quelqu'un dans une ruelle. Des fils de pute fiers d'être des fils de pute. Et, judicieusement employés par les organisateurs, une poignée de gars armés, bien visibles, chargés de surveiller ces enculés.

« J'aime pas ça. Je veux partir.

— Tu sais combien ça coûte d'entrer ici ? Mille, minimum. Je te fais un cadeau, mon garçon, fais pas ta chochotte. »

Deux minutes plus tard, un des gardiens sortit du carré et disparut derrière le mobilier. Tout le monde se tut. Les secondes s'égrenaient. Quelques-uns des gros durs avaient des gestes fébriles. Ils se passaient la main dans les cheveux, soulevaient le T-shirt de leur poitrine.

Puis le gars revint. D'une prise ferme, il tenait le poignet d'une fille qui gloussait avec nervosité. Elle avait environ vingt-trois ans, portait une jupe courte et un T-shirt bleu Coca-Cola. Un mec baraqué, torse nu, dont le visage était caché par une cagoule de bourreau, les suivait.

Je songeai à une espèce de spectacle à caractère sexuel et me détendis.

Le type cagoulé était bâti comme un taureau. Pas très sec, mais une grosse masse musculaire. Il se planta comme un roc au milieu du carré. La fille regardait le sol et vacillait d'un pied sur l'autre. Elle était à l'évidence shootée, mais pas à l'héroïne, elle se tenait trop droite pour ça. Une fois que le gardien eut quitté la scène, Taureau grogna et la fille s'exécuta : elle baissa le pantalon de treillis qu'il portait, et se mit à le sucer jusqu'à ce qu'il soit dur. Grosse queue, bien sûr. Épaisse comme un poignet de femme.

S'ensuivit le plan habituel : doigter, baiser, pomper dans des positions différentes. À la fin, Taureau se retira et désigna le sol. Je supposai qu'il s'agissait d'un code, mais elle eut l'air contrarié et refusa de bouger. Taureau la frappa sur le côté de la tête. Elle fit mine de vouloir dire quelque chose et il la frappa de nouveau. Certains mecs, dans l'assemblée, poussèrent des grognements éloquents. La fille geignit puis fléchit les jambes comme si elle se préparait à s'asseoir sur une chaise. Au bout d'une ou deux secondes, l'urine dessina un filet jaunâtre qui allait de sa chatte au plancher. Elle éclaboussa le béton et souilla ses chevilles. Une flaque sombre s'étendit sous elle. Lorsqu'elle eut terminé, elle se baissa encore et je vis son visage s'empourprer. Deux petits pets, et un étron luisant se fraya un chemin hors de son anus. Il tomba, inerte et lourd, dans la pisse. Je pouvais le sentir d'où j'étais.

« Très instructif. On peut s'en aller maintenant ? »

Ryan semblait subjugué. Il parla sans me regarder.

« C'est l'enfant de quelqu'un, tu peux le croire ?

— Hein ?

— Contente-toi d'admirer ce putain de spectacle. »

Sur scène, on la menotta à un anneau fixé au sol. Allongée sur le dos, les bras tirés au-dessus de la tête, elle criait que ce n'était pas prévu. Deux hommes lui tinrent les jambes : un de chaque côté, qui levait et écartait en arrière. Taureau avait une fiole d'essence à Zippo et un briquet dans les mains. Ce n'était pas une plaisanterie. Il y alla franchement : envoya des giclées partout sur sa chatte et mit le feu. Les bruits qu'elle fit n'avaient rien d'humain. Les mecs tout autour hurlaient comme s'ils assistaient à un match de foot. Taureau ne laissa pas le supplice se prolonger, malgré tout. Une fois que tous ses poils pubiens furent cramés, il étouffa les flammes sous son pied.

L'odeur, dans l'entrepôt, était immonde : pisse, merde, poils brûlés, chair calcinée. Un des mecs qui la tenaient avait le nez en sang. Il avait lâché prise une fraction de seconde lorsqu'elle avait commencé à se tordre.

« C'est un truc de malades.

— Possible, Jackie, mais ce genre de choses arrive tous les jours dans chaque pays du monde. Ça peut arriver à n'importe qui de ta connaissance. Quelques mauvaises décisions, il n'en faut pas plus. Prends-en de la graine. »

J'allais continuer à l'emmerder pour qu'on se casse, mais Taureau était occupé à traîner le marteau piqueur sur le sol, et j'eus le sentiment que nous ne partirions pas avant un petit moment.

La fille reniflait et suppliait. Taureau n'en avait cure. Il posa la mèche du marteau piqueur par terre, entre ses jambes. Il donna un coup de démarreur. Le bruit fut assourdissant, des morceaux de béton filèrent dans l'air et la fille lâcha une coulée jaune-brun.

Quand Taureau relâcha la gâchette, le silence fut lourd. Voilà pourquoi les hommes avaient payé. Et ils entendaient bien en profiter. Bouches haletantes, yeux fixes, une toute autre réalité.

La gonzesse bredouillait, promettait n'importe quoi à n'importe qui, mais ce n'était pas ça qui l'aiderait. Tout le monde le savait. Y compris elle.

Taureau exhibait sa queue raide. Il attendait qu'elle se calme. Quand ses plaintes ne furent plus que de faibles reniflements, il souleva le marteau piqueur, fit signe aux deux hommes de lui écarter encore plus les jambes, et glissa le burin en profondeur dans sa chatte.

Il appuya sur la gâchette.

L'engin la broya de l'intérieur, une brume de sang enveloppa le piston d'acier. Taureau le guida de façon à ce que la pointe émerge dans le dos. J'entendis les grincements quand le métal heurta le béton. Il ressortit et replongea, sous un autre angle. Cette fois, la pointe surgit sur le côté de la hanche. Le sang gicla par les orifices, aspergea la mèche et les avant-bras de Taureau. Le menton de la fille fut inondé de vomi, ses yeux se révulsèrent.

Taureau attaqua ensuite la bouche. Les dents claquèrent quand il introduisit la pointe.

Lorsque le rugissement reprit, la tête se détacha.

Rouler vers l'ouest, parmi les vagues de sodium. L'heure calme. Un moment de répit entre la voracité de la nuit et les bâillements matinaux. De rares voitures, des routes désertes. Une douce brise porteuse d'optimisme et d'opportunités. J'avais vu une fille mise en pièces, mais la ville était toujours la même. Le dieu argent demeurait intact malgré les garde-meubles.

Et dans quel état j'étais ? À peu près dans le même que celui de la ville. Des choses advenaient, d'autres continuaient dans l'indifférence. La gonzesse était morte. Elle aurait été tuée que je sois là ou pas. Un nouveau rebut éjecté du jeu. Dommage pour elle, mais quelle différence ça faisait, pour moi ?

Je conduisais. Ryan était sur le siège passager, en train de téter une bouteille de bourbon achetée chez un spiritueux à quelques rues de l'entrepôt. Le temps que nous arrivions à Hollywood Freeway, il était passablement éméché.

« Alors, tu as apprécié, Jackie ?

— Pourquoi vous m'avez emmené là-bas ?

— Je voulais te montrer que ce qui arrive aux gens leur arrive pour de vrai. Tu crois qu'il s'agit d'une plaisanterie, mais ce n'est pas le cas. Ça compte… Ça compte pour quelqu'un. »

Ryan secoua lentement la tête et fixa ses genoux. J'avais l'impression terrifiante qu'il avait les larmes aux yeux.

« Pauvre petite conne. Pourquoi elle a fait un truc pareil ?

— Je ne suis pas convaincu qu'elle ait eu beaucoup le choix.

— Mûrir et apprendre à surmonter… La vie n'est pas parfaite, mais elle n'avait pas besoin de faire ça. »

Il s'endormit peu après, retenu par sa ceinture de sécurité, et marmonna des paroles indistinctes. Puis il eut un haut-le-cœur. Je fis une embardée, mais il était trop tard. Il dégueula sur ses jambes et s'évanouit.

S'il avait été allongé, j'aurais peut-être pu larguer la voiture quelque part et espérer qu'il s'étouffe dans son propre vomi. Seulement, il était en position assise, il respirait. Il n'y avait aucune chance pour que cet enfoiré calanche et me facilite la vie. Je le fis enregistrer dans un motel sur le boulevard, payai avec l'argent de son portefeuille, et pris un taxi pour rentrer à Emmet Terrace.

Chapitre 14

Le Latino appela en milieu de matinée. Il proposait un plan d'escort gay pour cette nuit. Peu habituel car la plupart des agences faisaient dans l'hétéro, mais pourquoi pas ? C'était de l'argent et si ça venait du Latino, ce serait relativement classieux. Classieux à L.A. signifiait des gens de l'industrie audiovisuelle, de vraies gens.

Je sortis et louai un smoking. Puis, pour patienter jusqu'à l'heure de la rencontre, je me plongeai dans les dernières nouvelles. J'avais enregistré les émissions people de la nuit et de la mi-journée : infos sur les productions en cours. Stallone, Schwarzenegger, Douglas, Roberts, Stone, Willis, Moore... Et plus bas dans la hiérarchie. Les acteurs de seconde zone, les scandaleux, les vieilles gloires, les sensations du mois, télé et ciné, les poids lourds, les échecs commerciaux, les succès, les chutes, les luttes... Ils étaient tous là, dans cette piscine de la taille d'un verre où même le moins célèbre d'entre eux était convoité par le reste du monde. La qualité des films n'avait pas d'importance. Tout ce qui comptait était d'être à l'écran.

Je lus un magazine féminin. Je fis les jeux : QCM sur

les faits et gestes des stars, mots croisés avec des titres de longs-métrages récents et passés, quelle vedette ? Quel film ? Est-ce que Liz Taylor avait subi une hystérectomie ? Qui sortait avec qui ? Je connaissais tout : cent pour cent de bonnes réponses. Je devançais chacun de ces reporters écervelés qui croyaient avoir la science infuse. J'étais meilleur, je savais davantage de choses et j'étais beau gosse. Mais eux, ils avaient une vie.

Je sniffai une ligne de coke, puis pris une douche. Ensuite, séché bien qu'encore nu, je tournai dans l'appartement. L'air doux de la nuit glissait sur ma peau, colorait le ciel au-dehors. Une faille temporelle, une de ces pauses durant lesquelles tout s'arrêtait et on flottait, libéré de toutes les conneries triviales du quotidien. Tic-tac, le temps qui passe. Traîner, toucher les murs et les chaises, agencer mes maigres possessions. Aucune pensée, que du mouvement. Juste la paix.

J'enfilai mon costume de location et me coiffai. En général, ça n'avait aucune importance tant qu'on restait propre, mais dans l'optique d'une prestation, il fallait faire plus attention. Et puis, qui savait ce qui pourrait arriver en côtoyant les riches ?

Cette réflexion me rendit nerveux. Je me fis d'autres lignes, suivies de plusieurs Valium. Une bonne combinaison. Un « envoie-moi au ciel » et un « calme-toi » qui entraient en collision pour former une supernova d'assurance imperméable. Miam.

Le gars klaxonna vers dix heures. Je sortis de mon immeuble, en route pour un autre monde.

Mercedes 500. Toit ouvert. Dernier modèle, bien entendu. Étincelante, rouge, flambant neuve comme un modèle d'expo. Il déclara s'appeler Dean. Poitrine et épaules de salle de muscu, belle peau, belle chevelure. Il passait beaucoup de temps à prendre soin de lui et dépensait un paquet d'argent pour s'habiller. Mais rien de trop profond. On pouvait sentir qu'il portait ses efforts en surface : dans sa voiture, dans sa manière d'arriver.

Il s'appuya sur le dossier et me regarda tandis que je montais.

« Oh, tu conviendras très bien. »

Nous déboîtâmes en douceur et prîmes les boulevards en direction de Beverly Hills. La nuit était brillante : chromes, feux arrière, peintures sur métal lustré, néons pastel. La silhouette des palmiers, ciselée sur un ciel de velours chaud.

« Je vous ai déjà vu quelque part, non ? »

Dean sourit. Il était content. Il avait des dents saines.

« Allez, va. Je paye, tu n'as pas à faire ça. Tu n'as pas besoin de m'impressionner.

— Euh, oui… Mais je vous ai déjà vu, n'est-ce pas ?

— Pas assez souvent, mon chou.

— Vous vous en sortez bien. »

Je passai ma main sur le haut de la portière.

« Cette vieillerie ? Six semaines de travail l'automne dernier. Tu te souviens de Farrah Fawcett ?

— Oh là là !

— Qu'est-ce que tu as, comme voiture ?

— Une Prelude.

— C'est quoi ?

— Japonais.

— Genre Lexus ?

— Pas vraiment. C'est une Honda.

— Oh.

— Ça doit être génial d'être acteur.

— Le meilleur métier qui existe au monde. Bon, je

171

n'ai pas encore totalement percé, mais c'est toujours délicieux d'être reconnu par d'autres personnes.

— Et l'argent.

— L'argent ne sert qu'à acheter des choses, Jack. Ce n'est qu'un moyen d'évaluer ce que tu possèdes. La vie que tu mènes, voilà l'important. L'amour est important.

— L'amour ?

— Être aimé. C'est pour ça que chacun d'entre nous fait la pute à Hollywood. Nous sommes la génération de l'amour. L'amour, l'amour, l'amour. Il t'en faut ! C'est ta pitance.

— Je peux comprendre.

— Je pense que oui. »

Dean poussa un cri de joie et mit pied au plancher. Les reflets de lumière caressaient la peinture lisse du capot. De l'huile sur de l'eau.

« Je veux que tu m'aimes cette nuit, Jack. Que tu m'aimes vraiment, comme si je représentais tout pour toi. Comme si je représentais chaque chose infime de l'Univers. Tu peux faire ça ?

— Je suppose. J'ai suivi des cours de téléprésentation. Un peu du travail d'acteur, non ? »

Il tapota ma cuisse.

« Tant mieux pour toi. Tant mieux pour toi. »

Nous prîmes Beverly Drive pour commencer à monter vers une région où l'air devenait plus frais, plus pur.

Les routes se rétrécissaient à mesure que nous nous enfoncions dans les collines, comme si nous allions du cœur sourd de la bête vers la peau. Artères, veines, vaisseaux capillaires, toujours plus petits, toujours plus tortueux. Jusqu'à ce que l'on soit si haut que le flot d'argent dépasse celui des multimillionnaires au-dessous. Les maisons étaient plus en retrait, hors de vue. Le fourmillement ostentatoire des terrasses, désormais filtré par des hectares de pelouse ou de forêt, devenait, pour un pauvre garçon qui vendait son cul, un spectacle qui dépassait les rêves les plus fous.

La came que je m'étais administrée à l'appartement semblait soudain insuffisante. J'allais bientôt entrer dans un monde où tout serait supérieur à moi, des gens eux-mêmes jusqu'à leurs accessoires de salle de bains.

Nous quittâmes la route et empruntâmes une voie privée qui menait à un portail en métal blanc. Un homme en costume trois pièces s'inclina avec courtoisie et vérifia l'invitation de Dean sur une liste fixée à une planchette. Tandis qu'il s'affairait, Dean et lui échangèrent quelques réflexions pertinentes sur l'actualité. Puis, l'homme en costume parla dans un micro fixé à son poignet et le portail s'ouvrit.

Nous entrâmes au paradis.

Depuis l'allée, le sol déclinait en une série de planches vers un canyon. Entre les espaces verts, se trouvaient deux piscines, un jardin d'ornements, un verger, un court de tennis, des bâtiments de service. De la folie furieuse. Le tout scintillait d'une lueur dorée. Un manoir espagnol dominait l'ensemble. Bâti en fer à cheval, il grimpait en escalier sur trois niveaux, comme le terrain. Des fleurs avaient été tressées sur les balustrades des balcons et attachées à chaque fenêtre.

Sur la place centrale, une fontaine en céramique antique bleu marine était entourée de graviers rose corail. Quand nous sortîmes de la voiture, un type en livrée pourpre se chargea d'aller la garer.

Je ne pouvais pas dire que je n'avais jamais contemplé d'endroit pareil, car on en voyait tout le temps à la télé, souvent dans les téléfilms, et presque toujours dans les séries. Mais c'était quand même stupéfiant d'être ici. Dean et moi entrâmes main dans la main.

Spacieux. Un sol pavé infini. Un hall d'entrée qui faisait la taille du bâtiment et comportait une autre fontaine. Des arches en rang, l'une après l'autre, conduisaient aux autres pièces de la maison. Le plafond était voûté, comme dans les monastères européens.

Je m'arrêtai et regardai autour de moi. Je savourais, tandis que Dean me massait la nuque. J'imaginais comment ce serait, de vivre ici : se lever le matin, déambuler à travers ces étendues calmes et ibériques, douce brise, soie sur ma peau. Et puis le soir, après la douche, vêtu d'habits parfaits, une cigarette à la main sur le balcon de ma demeure où s'élevait, dans la nuit, le bruit d'une femme qui nageait dans la piscine juste sous moi et les fragrances du chèvrefeuille.

« Des biens matériels, Jack, uniquement des biens.

— Ouais, mais on doit être aimé avec beaucoup plus de facilité, si on possède un endroit comme celui-là.

— C'est vrai. Indiscutablement. Tu m'aimes comment, Jack ?

— Beaucoup ?

— Non, Jack. Fais ça bien. »

Je m'approchai de lui, passai ma main autour de sa taille et l'embrassai.

« Je t'aime plus que tout.

— Pour toujours ?

— Pour l'éternité.

— Toi, mon jeune ami, tu es bien parti pour avoir un bonus. »

Nous longeâmes le vaste corridor d'une des ailes de la maison en direction d'une série de pièces communicantes où semblait se tenir le gros de la fête. Loin devant nous, la cloison composée de vitrages français était rabattue en accordéon. La maison donnait sur une large étendue dallée en pierres de grès et sur une piscine de la

174

taille d'un navire de guerre. Des projecteurs immergés portaient les lueurs turquoise à incandescence. Quelque part, un quintet jouait du jazz West Coast.

Il y avait beaucoup de monde, mais les invités n'étaient pas animés de l'habituelle frénésie propre aux festivités. L'effervescence manquait. Elle était remplacée par une certaine douceur dans la manière de se déplacer à travers les pièces, l'allure avec laquelle les gens glissaient d'un amas de chair à un autre. Leurs membres bougeaient au ralenti avec finesse. Je pensai tout d'abord qu'il s'agissait d'une grâce affectée. Il arrive que l'on adopte le maniérisme des classes dominantes. Je réalisai plus tard que c'était la gloire et le succès qui donnaient à ces gens un meilleur contrôle d'eux-mêmes. Et ceci se retrouvait dans leur façon de se mouvoir.

Des serveurs circulaient, bien qu'il y eût également deux bars. Celui auquel nous nous accoudâmes était en marbre blanc. On aurait dit qu'il avait été importé de quelque salon italien fin de siècle. Eau minérale pour Dean, cocktail de vodka, Southern Comfort, et champagne pour moi. Dans un verre. J'aurais bien voulu m'isoler pour puiser le courage nécessaire dans le gramme que j'avais emmené, mais à défaut, je me contentai d'une autre drogue.

Je m'appuyai contre la pierre froide et examinai la foule. Il y avait des célébrités entourées de parasites, et aussi d'autres personnes que je ne reconnus pas. Je supposais que, pour l'essentiel, la fête était composée de gens de l'ombre : hommes d'affaires, producteurs, équipes de studios, petits réalisateurs, etc. Malgré tout, j'avais l'impression de parcourir les pages d'un magazine particulièrement glamour et, bon Dieu, je voulais en être. Je refusais de me contenter de regarder ces personnes, d'être à l'extérieur. Je désirais être eux. Je désirais que leur limousine, leur palace, leur insouciance pécuniaire deviennent une partie de moi. Je voulais porter des habits qui coûtaient le prix d'une voiture et que je pourrais jeter à la fin de la saison. Je voulais pouvoir entrer dans un restaurant et que les gens sachent qui j'étais. Pendant un instant, cette faim exclusive s'empara de moi avec une telle intensité que je crus défaillir.

Retour à la réalité. Siffler mon verre. En commander un autre.

« À qui appartient cette maison ?

— À un type.

— C'est secret ?

— Tu t'y connais en films ?

— Je sais tout.

— Vraiment ?

— Eh bien, tout à propos de certains domaines.

— Tu as entendu parler de Peter Laratin ?

— Non.

— Gros producteur. Télé, ciné. Beaucoup de taf.

— Oh.

— Il a besoin d'un gay pour jouer le rôle d'un hétéro qui jouerait le rôle d'un gay. C'est une sitcom. Il pense que ce sera plus réaliste.

— Alors tu travailles, ce soir ?

— Pas moi. Je joue.

— Écoute, Dean, il faut que j'aille pisser. Je reviens tout de suite.

— Retourne sur tes pas. C'est en haut, au deuxième étage. »

Je finis mon verre et partis en exploration. Ressortir vers la réception, à travers des nuages de parfums à plusieurs centaines de dollars. Des femmes partout, belles sans exception. Je fantasmais. Baiserais-je celle-ci ou celle-là, ou bien elle, ou encore elle ? Aucun doute possible. Si elles n'étaient pas elles-mêmes fortunées, elles connaissaient quelqu'un qui l'était. Blondes, brunes, rousses, sur leur trente et un, pétées de thunes. Chacune d'elles pouvait me faire gravir quelques échelons non négligeables.

Les toilettes du deuxième étage étaient garnies d'urinoirs, de carrelage noir et de miroirs teintés. Je sniffai mon rail dans une des trois cabines et restai assis, à me lécher les gencives et à attendre la montée. Derrière la porte, des hommes allaient et venaient. Leurs conversations, par-dessus les bruits de miction, avaient trait aux voitures importées, aux actions à gros rendement, aux films et aux femmes. Ils se racontaient des plaisanteries que je ne comprenais pas.

Alors que je retournais au travail, je croisai une femme debout devant la balustrade. Elle était seule et observait les personnes attroupées autour de la fontaine d'intérieur. Elle se tourna au moment où je m'éloignais et c'est là que tout commença. Dans *Le Parrain*, ils appelaient ça le coup de foudre. Clac, clac, clac. Une série d'arrêts sur image, les regards qui se cherchent, se verrouillent l'un à l'autre. Contact établi, commutateurs actionnés. Tous les débouchés, tous les objectifs, tout l'abattage émotionnel dont nous aurions jamais besoin étaient là. Elle avait des yeux gris et portait une combinaison deux pièces couleur bronze. Plus âgée que moi, sa beauté ne sautait pas tout de suite aux yeux. Cependant, son corps était parfait et elle jouissait, à l'évidence, d'une situation très confortable. Je descendis l'escalier. Elle ne me quitta pas du regard. Je jetai un œil par-dessus mon épaule et ses lèvres s'entrouvrirent. Puis quelqu'un vint s'intercaler et je ressortis du hall.

Lorsque je regagnai le bar, Dean était en pleine discussion avec un chauve d'âge moyen qui arborait une paire de lunettes non cerclées. Il était habillé avec décontraction, pantalon couleur fauve, pull en laine délicate. Il se maîtrisait à la perfection.

« Jack, laisse-moi te présenter Peter.

— Peter Laratin ? »

Le type me serra la main et sourit : « Le seul et l'unique.

— Sensationnel. »

Peter s'approcha.

« Nous étions en train de parler, Dean et moi. Vous devinez de quoi ?

— Euh…

— Nous devisions de l'amour. De combien vous êtes amoureux de lui. »

Je dévisageai Dean. Il me regardait tendrement.

« Oh, je l'aime plus que tout.

— Et lui aussi. Pouvez-vous m'expliquer ce que l'amour représente, pour vous ? Comment vous… voyez les choses ?

— Eh bien, je ne sais pas…

— Je vais vous dire ce que ça représente pour moi. Je vois ça comme une faim. Je vois ça comme un bon gros steak saignant que je vais dévorer. Le fait est qu'on n'en a jamais assez. On n'est jamais rassasié. Et ceci est tellement rapide. En particulier l'amour asiatique, hein ? »

Il lâcha un petit rire.

« L'amour asiatique ? »

Mais il n'écoutait plus. Il avait passé un bras autour de mes épaules, un autre autour de celles de Dean, tel l'oncle préféré.

« Tu sais, Dean, j'aimerais beaucoup que nous allions

tous les trois discuter de tout ceci à l'écart. Toi et Jack êtes un exemple si rare. Je suis certain que vous pourriez m'apprendre des choses.

— Oh, je pourrais te parler de Jack pendant des heures. »

Nous laissâmes tous les bohémiens de Hollywood, tous les millionnaires et les stars de ciné, et reprîmes le chemin des toilettes que j'avais déjà emprunté. À partir de la galerie, je crus apercevoir la femme en combinaison métallisée, debout dans un coin du rez-de-chaussée, mais n'en étais pas certain.

La pièce dans laquelle nous emmena Laratin était aveugle. Un grand lit couvert d'un drap plastifié couleur crème était installé au milieu. Sur les murs, du sol au plafond, étaient suspendus des agrandissements de trous de balle. Pas le genre d'images léchées de postérieurs qu'on voit dans *Playboy*, mais des anus en gros plans, présentés sans fard : poils, irritations, boulettes de merde et tout. Une caméra était fixée à un trépied en face du lit.

« Bien sûr, j'aimerais encore discuter, Jack, mais je me demandais si tu ne voudrais pas me rendre un petit service, d'abord ? »

Laratin était en train de tripatouiller la caméra. Je pus entendre le sifflement aigu du flash qui se charge.

« Baisse ton pantalon et penche-toi là-bas, au bout du lit, veux-tu ? J'adore garder un souvenir de mes nouveaux amis. »

Je défis mon pantalon et posai les mains sur mes genoux.

« Non, non, non. Ce n'est pas bon. Ce n'est pas assez ouvert. »

Je ramenai mes mains en arrière et écartai mes fesses. Je sentis un léger souffle : Laratin avait approché son nez aussi près que possible sans me toucher. Il inhalait les effluves de mon arrière-train. Il se redressa lorsqu'il s'aperçut que je le regardais.

« J'avais l'habitude de faire ça quand j'étais gosse. On disait : reniflage de cul. C'était à celui qui pourrait s'approcher le plus. Je gagnais toujours. Tu sens le cerf. »

Il amena la caméra à une cinquantaine de centimètres et actionna le flash deux fois.

« Et voilà. C'est dans la boîte. »

Ensuite, nous nous assîmes tous les trois dans des fauteuils en cuir à accoudoirs et sirotâmes du brandy et des sodas.

« C'est troublant de s'exposer ainsi, non ? C'est comme une intrusion.

— Ça ne me dérange pas, si c'est ce que vous voulez. »

Dean tapota ma cheville de la pointe du pied, l'air mécontent. Laratin fit semblant de ne rien remarquer.

« Non, je pense que ça te dérange. Ça dérangerait n'importe qui. C'est si intime. Tu réserves ce genre de choses à des gens particuliers. Des gens que tu aimes. Par exemple, ce que tu fais avec Dean et ce qu'il fait avec toi, tu ne le partages pas avec le premier venu, si ?

— Eh bien, on doit quand même garder ça pour des moments et des endroits appropriés.

— Tout à fait. »

Dean intervint : « Le sexe est une représentation des émotions.

— Bon point, Dean. Si tu apprécies une personne, tu la laisses entretenir une relation sexuelle normale avec toi. Si tu l'aimes… Eh bien, il y a mille et une manières de faire la différence, hein ? Différents degrés d'amour, pour ainsi dire. Jack, comment sais-tu quand quelqu'un t'aime ?

— Il fait des choses pour moi.

— Presque. Mais je pense qu'on peut formuler ça mieux. Il s'abandonne à toi. C'est en cela que consiste l'amour : la volonté de s'offrir corps et âme.

— Oh, c'est ce qu'on fait, pas vrai Jack ? » Dean haussa les sourcils et j'en déduisis que je devais être explicite.

« Bien sûr, corps et âme. »

Laratin poussa un petit gémissement et pressa ses cuisses l'une contre l'autre.

« Voilà qui paraît intéressant. Voilà qui paraît vraiment formidable. »

Dean s'adossa et donna l'impression de vouloir tout à coup modérer l'émerveillement suscité.

« Bien entendu, Peter, tout ceci reste assez routinier.

— Vous n'avez pas touché le fond.

— Jack voudrait tant me donner. Il m'accorde une importance particulière. Je dois m'en contenter. »

Il devenait évident qu'il s'agissait d'une sorte de jeu, mais il m'était difficile d'en évaluer la teneur. La seule chose dont j'étais sûr, c'est que j'avais hâte de passer aux affaires sérieuses et qu'on en finisse. Que je puisse retourner à la soirée et revoir cette bonne femme.

« Si Dean veut vous montrer ce qu'il fait avec moi, je n'y vois pas d'inconvénient.

— Vraiment, Jack ? Ce serait un privilège pour moi d'observer deux amoureux. Je dois avoir une bouteille d'huile quelque part, je pense. »

Dean et moi nous déshabillâmes. Il m'enduisit de l'huile que Laratin avait dégottée, me souleva comme une fiancée et me déposa sur le lit plastifié. Nous nous allongeâmes et il se frotta contre moi. Il y avait beaucoup de baisers. Avec lui, ce n'était pas trop désagréable. Ses mouvements étaient doux. Laratin se contentait de rester assis et de nous regarder. Lorsque Dean me retourna et approcha son visage de mon cul, Laratin eut un regain d'intérêt.

« Oh Dean, il doit t'aimer, s'il te laisse faire ça. Dis-lui comme tu l'aimes, Jack. Dis-lui comme tu l'aimes. »

J'obéis. Ce n'était qu'une nouvelle étape le long de la route qui me conduirait, le cas échéant, à sortir d'ici. Ce n'était pas difficile.

« Mais tu sais, Dean », et maintenant, Laratin avait la braguette ouverte, « je pense que Jack aurait pu trouver quelqu'un qu'il aime encore plus ».

La tête de Dean émergea d'entre mes fesses. Il regarda Laratin avec sérieux.

« Je ne crois pas que ce soit possible, Peter.

— Oh, et moi je suis convaincu que si. Tu ne vas pas le nier, n'est-ce pas, Jack ? »

Je sentis une pression de la part de Dean sur ma cuisse pour m'inciter à répondre. L'enjeu de la soirée devenait clair.

« J'aime Dean, Peter.

— Bien sûr. Mais tu m'aimes aussi. Je peux le voir dans tes yeux.

— Oui, vous avez raison, c'est vrai. »

La prise de Dean se relâcha. Laratin se leva et commença à ôter ses vêtements. Son corps était ferme et bronzé.

« Allez, montre-moi à quel point. »

Dean me donna une poussée et je roulai hors du lit, à genoux devant Laratin. Je le suçai un moment. Il faisait des petits bruits de joie, me susurrait des mots tendres, mais ne bandait qu'à moitié. Il passa ses mains dans mes cheveux.

« Tu vois, Dean, il m'aime. Tu n'es pas en colère,

n'est-ce pas ? Après tout, on peut éprouver des sentiments pour deux hommes à la fois.

— Ça ira, je suppose.

— Ça va ? C'est bien, Dean. C'est très bien. »

Il donna encore quelques coups de reins, puis retira sa queue de ma bouche.

« Et s'il m'aimait plus que toi ?

— Je pense qu'il nous aime à égalité.

— Non Dean. Ce n'est pas le cas. Tu as eu une petite gâterie, j'ai eu une petite gâterie. Même Stevens. Mais je n'ai pas terminé. Il vaudrait mieux qu'on lui montre, Jack. Ça rendra les choses plus faciles pour lui, sur le long terme. »

Il sortit un spéculum en métal et un tube de lubrifiant d'un tiroir sous le lit.

« À quatre pattes, Jack. »

Je fis le chien. Laratin réchauffa l'écarteur d'une manière professionnelle. Comme un docteur, il roula l'extrémité entre ses paumes.

Alors ce fut le moment de se laisser lubrifier.

Puis d'ouvrir la porte de derrière.

À l'introduction, le spéculum parut énorme. Laratin y allait doucement, il essayait de ne pas faire mal, le maniait comme un tire-bouchon. Mais comme je n'étais pas encore un maître absolu de la décontraction anale, il s'impatienta.

Une fois les premiers centimètres introduits, il pesa de tout son poids et acheva sa manœuvre avec un mouvement brusque. La douleur fut telle que je criai.

Ce fut encore plus douloureux lorsqu'il commença à dévisser la poignée qui écartait les deux parties du dispositif. L'air qui entrait à l'intérieur de mon côlon pour la première fois constituait une expérience singulière.

Mais cette nouveauté était éclipsée par la certitude que mon rectum allait céder.

Je criai encore et tournai la tête, sur le point de lui dire d'y aller mollo. Mais je restai coi, car, adossée à la porte, se tenait la femme aux cheveux noirs, dans sa combinaison deux pièces. Dean et Laratin étaient au courant de sa présence, néanmoins ils agissaient comme si elle n'était pas là. Elle nous observait avec une distance critique. On aurait dit qu'elle venait de tomber par hasard sur un spectacle dont nous faisions partie.

J'aurais voulu me redresser, trouver un moyen de renverser la vapeur. Faire comprendre que c'était des conneries, que j'étais au-dessus de ça. Mais Dean payait, et j'avais besoin du fric. Je fis mon deuil de l'espoir stupide de la conquérir — espoir que j'avais chéri toute la soirée —, je baissai la tête et pensai, allez merde, en scène.

« Tu vois, Dean, ce qu'il fait avec toi et ce qu'il va faire pour moi est sans commune mesure. »

Laratin remuait sa bite molle entre ses doigts.

« Accepte-le : il m'aime plus que toi. Et il vient à peine de me rencontrer. »

C'est à ce moment-là qu'il montra à Dean à quel point il était certain de mon amour : il se soulagea d'un long jet de pisse dans mon anus écartelé. Ça ne piquait pas. C'était juste chaud et épais. Il envoya quelques giclées sur mes fesses, mais le principal coula à l'intérieur. Lorsque je fus plein et qu'il fut vide, il referma le spéculum et le retira.

Dean était allongé sur le lit, en train de tirer sur sa queue en érection. Il envoyait des baisers à Laratin.

« Moi aussi je t'aime, Peter. Regarde ça. »

Sur les indications de Dean, je grimpai sur le lit et me positionnai au-dessus de lui. Mes couilles caressaient son menton. Il sortit la langue et les lécha. Je jetai un coup d'œil en direction de la porte, désireux de voir comment la femme prenait ça, même si je craignais de croiser son regard. Je ressentis un soulagement indescriptible quand je m'aperçus qu'elle n'était plus là.

Dean déchargea en l'air. Le foutre se dispersa en quelques contractions sur son ventre et sa poitrine. Et je lâchai un torrent de pisse — la pisse de quelqu'un d'autre — directement de mon rectum sur son visage.

Je l'entendis gargouiller tandis qu'une partie du liquide entrait par son nez.

Ensuite : serviettes disposées partout, vêtements à enfiler, puis un verre.

« Je parie que tu es émerveillé par mon self-control, pas vrai, Jack ? Tu te demandes comment je peux me contenir.

— Si vous n'avez pas besoin de tirer votre coup, ça me va.

— Oh, mais si. Je me délecte juste par anticipation. Je garde mon vrai plaisir pour la fin de la nuit.

— Oh.

— Pourquoi ne pas retourner là-bas, et te distraire pendant une heure ou deux ? Je dois parler affaire avec Dean. Je l'ai assez fait attendre. Mais souviens-toi, Jack, ne sympathise pas trop avec mes invités. Je n'ai pas besoin de commérages. »

Dean me raccompagna à la porte. Hors de vue de Laratin, il me glissa une liasse de billets.

« Pour service rendu.

— J'espère que ça va marcher pour toi.

— Merci. C'est un enragé, mais qu'est-ce qu'on peut y faire ? Tu vas rester dans le coin et le laisser te baiser plus tard, hein ? Il y a assez pour te dédommager.

— Bien sûr, mec.

— J'espère que je peux te faire confiance. Tous nos efforts seront réduits à néant si tu t'esquives. Tu saisis à quel point c'est important pour moi. »

Il m'embrassa sur la joue et retourna dans la chambre où étaient exposés les gros plans d'anus.

Je n'étais pas d'humeur à faire grand-chose. La perspective de traîner dans l'attente que Laratin mette la vapeur n'avait rien de réjouissant. Je me sentais fatigué, j'avais mal, je voulais rentrer chez moi. Mais j'aimais bien Dean et je n'avais pas envie de le laisser tomber. Aussi, je projetais de me trouver un coin discret où sniffer une ligne ou deux, puis de flâner un peu.

C'est alors qu'une main se glissa dans la mienne et elle était là, la femme, devant moi. Elle m'entraîna le long d'un couloir, m'adressant un petit sourire par-dessus son épaule. Nous n'échangeâmes aucune parole. Impossible. Tout bougeait trop vite autour de nous. Notre monde, celui dans lequel nous nous tenions tous les deux, se situait hors du temps, dans une autre dimension où les explications étaient superflues, où la seule obligation consistait à accepter la course du désir.

Nous progressâmes plus avant dans la maison : lumière indirecte, murs soyeux, objets d'art. Agencés pour susciter l'envie. Elle ne portait aucun parfum, cependant son odeur m'enivrait : ses cheveux, sa peau, même la fragrance piquante de son entrejambe. Nous accélérâmes, incapables d'attendre une seconde de plus, presque jusqu'à courir : des chiens à la curée, des requins au sang. Primaire, instinctif.

Dans une pièce à la lumière aveuglante, une jeune domestique mexicaine était en train de s'occuper d'une pile de linge à repasser. Elle leva les yeux lorsque nous entrâmes, puis retourna à son labeur, réduite au silence par la puissance émanant de la femme.

Au fond de moi, j'aurais préféré un endroit plus sympa, mais la femme avait déjà ses lèvres collées aux miennes. Le souci de confort devint très vite secondaire. La bonniche fit de son mieux pour nous ignorer. Elle se concentrait sur une chemise blanche étalée sur la table tandis que nous luttions. Lorsque ma bite bien dure sortit de mon pantalon, elle glapit et s'enfuit de la pièce.

La femme avait relevé sa jupe à hauteur des hanches. Son chemisier était ouvert sur ses épaules, il dévoilait une paire de seins fermes et blancs aux tétons noirs. Je passai ma main entre ses cuisses. Elle était trempée, ses poils pubiens étaient soyeux sous ma paume. Nous nous empoignâmes, tels des lutteurs. La conviction qu'elle y mettait était incroyable. On aurait dit que nous nous aimions ou quelque chose comme ça.

Je la soulevai sur une grande étagère le long du mur. Elle s'assit, le corps en arrière, appuyée sur ses bras, jambes écartées. Elle se hissa de sorte que ses talons touchent le bord. Je m'avançai. Elle s'empara de ma queue et la guida. Je la pénétrai en douceur : pas de poils coincés ou d'accrochage. Intromission docile à l'intérieur d'un autre corps.

Nous baisâmes comme des malades, comme si notre désir commun se nourrissait de la copulation, comme s'il nous conduisait sans cesse plus profondément l'un dans l'autre. Depuis le début de mon histoire avec Karen, je retrouvai pour la première fois une sensation qui se rapprochait d'un engagement affectif.

Elle haletait, me chuchotait des obscénités. Ça ressemblait aux trépidations d'un voyage en hyperespace, le temps replié autour de nous à nouveau. Elle se contracta, gémit, puis vint. J'étais prêt à cracher autant que possible, mais la réalité nous rattrapa de manière cruelle. Des mains agrippèrent mes épaules et m'arrachèrent à elle. J'éjaculai sur son ventre, à l'extérieur de son con.

Laratin. Furieux. Accompagné de deux balaises en uniforme de serveur. Ils se bousculaient l'un l'autre. C'était à celui qui aurait la meilleure prise sur moi.

« Sale petit salaud. Sale… petit salaud. Tu disais m'aimer. Je t'ai cru. »

J'aperçus une veine enfler sur son crâne chauve. Derrière lui, à l'entrée, la bonniche mexicaine risqua un regard, puis disparut aussitôt. La femme termina de s'essuyer avec un mouchoir puis réajusta ses vêtements. Cette interruption semblait la laisser totalement indifférente.

« Vraiment, Peter… »

Laratin se tourna vers elle : « C'est ma maison ! Ma maison ! Tu as une idée de combien je suis en colère ? Avec tout le monde qui sait maintenant qu'il ne m'aime pas ?

— Bien entendu qu'il ne t'aime pas, imbécile. Personne ne t'aime. »

Laratin poussa un cri perçant et se boucha les oreilles.

« C'est faux, c'est faux. Tu ne peux pas dire ça. » Puis aux serveurs : « Virez-le. Je ne le supporterai pas dans ma maison une seconde de plus. »

Je parvins à remettre mon pantalon et ils me traînèrent hors de la pièce. La femme resta muette et ne fit rien pour les arrêter. Elle rattachait un bouton de son corsage : ce fut la dernière vision que j'eus d'elle. Laratin sortit dans le couloir et resta planté à me regarder tandis qu'on me poussait dehors.

« Petite pute ! Petite pute de merde ! »

Il donnait des coups de poing dans le vide au moment où les types me faisaient tourner le coin.

Lorsque nous arrivâmes à proximité de la fête, les

serveurs m'offrirent de marcher jusqu'à la porte sans aide ; sous surveillance, bien entendu. Ainsi, l'embarras ne serait pas trop grand. Je me sentis mal, malgré tout, quand je vis Dean, effondré sur un divan, la tête entre les mains.

À l'extérieur. Je restai un peu dans le coin avec l'espoir de revoir la femme. Elle ne réapparut pas. Je scrutais la maison ainsi que le domaine, les voitures ouatées qui arrivaient encore. Une partie du monde derrière un écran de télé : directement issue des rêves. Juste devant moi. Toujours aussi loin.

J'étais fatigué. J'allai à la fontaine et m'aspergeai le visage. J'observai mon reflet troublé, à la recherche d'un message. Manque de pot, les messages étaient pour les poivrots et les fous. Je le savais depuis que j'avais conduit le long d'Ocean Avenue, l'autre nuit. Pourquoi ça aurait changé ?

Je redescendis l'allée. Le gars à l'entrée me laissa sortir mais refusa de me parler. J'entamai la longue marche vers le bas des collines, d'où je pourrais appeler un taxi.

Chapitre 15

Le crépuscule. Rex avait une heure de libre avant son prochain engagement. Ils avaient apporté de petites modifications à son traitement et il était un peu plus calme que la dernière fois où je l'avais vu. Nous sortîmes pour conduire sa Porsche cabriolet jaune. Sur les boulevards, des arcs-en-ciel de néon scintillaient. Les stars du box-office baissaient les yeux sans prêter attention à ce qu'elles voyaient, trop loin des interminables vicissitudes de la rue pour en comprendre quoi que ce soit, de toute manière.

Les trottoirs regorgeaient de gonzesses bien disposées à l'égard d'un mec dans une bagnole rapide, mais si elles ne payaient pas, ça ne m'intéressait pas. Des nichons californiens, des culs dans des fringues moulantes, c'était sympa à regarder, pourtant seul un pour cent d'entre eux vous mènerait quelque part. Et je n'avais pas l'énergie de faire le tri. Rex n'y faisait même pas attention.

« T'as tout foiré, avec le Latino.

— Je sais.

— Il ne veut pas que tu rappelles.

— Écoute, je suis désolé si ça te retombe dessus.

— Je t'ai juste présenté. Si tu veux tout envoyer balader, c'est ton problème.

— Je ne veux rien envoyer balader, je n'ai pas eu le choix. Parfois, ce qui doit arriver arrive.

— Bon Dieu, ne me dis pas que tu as une vue cosmique des choses, maintenant.

— Juste une vue de la Californie.

— Aucune autre agence ne voudra de toi.

— Il reste le tapin.

— Putain, j'espère qu'elle en valait la peine.

— Elle était blindée, mec. Blindée. Si tu avais vu.

— Ne cherche pas une vie clef en main, mon pote, ça n'existe pas. Sortir du bourbier n'est pas si facile. Et tu sais quoi ? Quand tu crois t'en être enfin extirpé, tu regardes autour de toi, et rien n'a changé. »

Nous roulâmes encore un peu, puis Rex dut partir. Je me fis déposer à un drugstore sur La Brea. C'était un quartier fameux, avec un tas d'expositions : des photos de présentation pour les shampooings et les parfums. Un environnement de rêve, presque mieux que les films. Les mannequins étaient toujours parfaits, l'air heureux, avec leurs beaux vêtements, dans des décors exotiques. D'un seul regard, vous pouviez avoir une idée du genre de vie qu'ils menaient : jet-set, appartement de millionnaire, fiestas, bises sur les joues, entre gens de bonne compagnie, restaurants, première classe, cinq étoiles, dehors, devant une voiture étincelante, top caméra pour payer tout ça, oh là, quel vertige, et ça continuait…

Ouais, les pubs pour les parfums étaient ce qu'il y avait de mieux. Des beaux ténébreux, des nanas ébouriffées, des vies dans des endroits comme Malibu et Beverly Hills et Paris et Londres. Bien entendu, je savais que ces photos étaient des mises en scène, mais les gens dessus vivaient effectivement ainsi. Les pubs ne mentaient pas. Elles étaient une représentation fidèle de la marche du monde pour ceux qui avaient de la chance.

De retour à Emmet Terrace, je participai à un jeu radiophonique sur les anecdotes des gens du ciné. Je gagnai haut la main. Le prix était un abonnement à un magazine. Je sortis ma photo et me branlai dessus.

Le trottoir, à nouveau. Pour l'argent, clair et net. Je bouffais des bites et défonçais des culs : Super Pedzouille. Je sombrais dans une espèce de train-train : lever tardif, traîner dehors jusqu'à avoir quelques dollars, acheter à manger, de la gnôle, parfois de la drogue, retourner à l'appartement, et me griller le cerveau devant la télé. Et puis me lever et recommencer. Plaisirs simples. Mais une nuit, il y eut du changement.

J'étais à quelques pas d'un magasin de dépannage, à attendre que quelqu'un loue ma queue, lorsqu'une Jag noire se gara le long du trottoir. J'étais dans la lune, alors un surfeur ravagé me devança. Il s'appuya sur la portière et papota un moment avec le conducteur à la chevelure d'argent. Je m'approchai, comme si je m'ennuyais à force de rester immobile, et observai la suite des événements. Quelques billets changèrent de main. Trop peu pour une quelconque relation sexuelle. Je restai perplexe, jusqu'à ce que le surfeur se rende au magasin. Une bouteille, pour tenir compagnie.

Avant même que la porte à freinage pneumatique ne se referme, j'étais à côté du surfeur au rayon boissons. Pour donner le change, je fis semblant d'examiner les bouteilles d'alcool fort pendant quelques secondes. Puis, je passai à l'action et entamai une petite discussion à cœur ouvert, de tapin à tapin.

192

«Dis, c'est toi que j'ai vu avec ce gars dehors ? Dans la Jag noire ? »

Surfeur me prit pour un confrère. Sa réaction ne fut donc pas de m'envoyer me faire foutre, comme on aurait pu s'y attendre en cas normal.

« Ouais, la salope a un faible pour la gnôle. »

J'attendis qu'il choisisse avec soin : meilleur rapport qualité/prix, la monnaie directement dans la poche.

« C'est un vieux type avec une chevelure argentée, non ? Tu devrais faire gaffe, mec.

— Hein ?

— T'as pas entendu parler de lui ? Putain, on l'appelle le Découpeur Argenté.

— Quoooi ? »

Surfeur avait du mal à y croire car un mec dans une Jag représentait à coup sûr un paquet d'oseille. Mais le tapin était une profession à risques. Trop de garçons trouvaient la mort dans les terrains vagues. On ne pouvait pas se permettre de prendre un conseil à la légère.

« Je rigole pas, mec. Je suis monté avec lui une fois, et j'ai eu de la chance de m'en tirer. J'étais en train de le pomper, d'accord, et cet enculé sort un rasoir et me taillade derrière les épaules. À travers ma putain de chemise.

— Sans déconner ! »

Surfeur avait les yeux exorbités, la bouche ouverte comme dans les dessins animés.

« Tu veux voir la cicatrice ? » Je fis mine de sortir ma chemise du pantalon. Il m'arrêta aussitôt.

« Non, mec, je veux pas voir ta cicatrice. Il est peut-être en train de nous observer à travers la vitrine. Il saura que je sais.

— Et s'il sait, t'es baisé. Il sera là chaque fois que tu regarderas par-dessus ton épaule. C'est ce qui va arriver, mec, c'est ce qui va arriver. Regarde-moi, il essaye de m'achever depuis que je me suis barré avec le dos charcuté.

— Le fils de pute.

— Ouais. Ça facilite pas les choses, je peux te le dire. Mais merde, j'ai eu de la chance, je n'ai pas eu droit à la totale du Découpeur.

— La totale… »

Surfeur ne savait plus où donner de la tête, il imaginait tous les scenarii possibles sur la manière de tuer du Découpeur.

« Ouais, la putain de totale. T'as entendu parler de ce gosse retrouvé derrière le spiritueux, sur De Longpre ?

— Quel gosse ?

— Le jeune Mexicain qui bossait par ici.

— Ouais, mec, je crois que je vois.

— Le Découpeur, mec. La putain de totale. Il a coupé sa bite en bandes, l'a pelée comme une banane. Il a pelé son corps entier comme une saloperie de banane.

— Le fils de pute. Je monte pas dans cette bagnole.

— Merde, ne sors même pas dans la rue. Reste là, il y a de la lumière, c'est bien. Et prie pour qu'il ne se sente pas d'attaque.

— D'attaque ?

— Une nuit, il m'a poursuivi dans un McDonald's.

— Bon Dieu de merde, un McDonald's… » Pendant un instant, Surfeur fut à court de mots, puis : « Je sors par-derrière, mec. Tu viens ?

— Impossible. C'est à cause de moi qu'il a pris goût au sang. J'étais le premier. Je te dois au moins ça. Je vais rester là et le ralentir s'il arrive. Échappe-toi. Et bois… Bois un coup à ma santé si je termine à la rubrique faits divers. »

Surfeur agrippa mon avant-bras. Il plongea son

regard dans le mien, comme s'il s'agissait d'une version réelle des *Douze Salopards*.

« Merci, mec. »

Puis il dégagea, des nuages de poussière sur ses talons. J'étais déjà redevenu le cadet de ses soucis.

Dehors, devant la Jag, l'air grave, animé par l'unique envie d'aider.

« Euh, excusez-moi. Vous venez de donner de l'argent au type blond ? »

Carrosserie anglaise, cuir fin marron, tableau de bord en noyer, lecteur LCD encastré. Le gars assis à l'intérieur était celui que je cherchais. Soixante ans peut-être, bien conservé. Bronzage discret, une chevelure d'argent épaisse ramenée en arrière, un visage dur aux traits nobles, un regard clair avec une lueur étrange sous les lumières de la rue, moins alerte que ce à quoi on aurait pu s'attendre. Il portait un costume noir de facture classique et une cravate.

Il leva les yeux vers moi, pas le moins du monde déconcerté par un nouveau visage à sa vitre, même dans cette partie de la ville.

« Je vous demande pardon ?

— Le type genre surfeur, celui qui vient d'entrer dans le magasin. Vous lui avez donné de l'argent ?

— Je désirais quelque chose à boire. Je lui ai confié dix dollars, oui.

— Je ne veux pas être indiscret, mais dans ce quartier et tout, vous espériez sans doute l'emmener quelque part, non ?

— J'avais l'intention de lui parler de quelque chose. Bien qu'il ne s'agisse peut-être pas de ce que vous pensez.

— Quoi que ce soit, vous ne pouvez plus le faire. Il s'est tiré avec l'oseille. Il y a une porte, derrière. »

Pas de colère. Juste un petit « Oh ».

« Ouais, je l'ai déjà vu faire ça une centaine de fois.

— Vous le connaissez bien ?

— Je ne sais pas son nom, mais si vous traînez ici un certain temps, vous voyez des trucs. »

Cheveux d'argent pigea. Il sourit.

« Alors vous passez beaucoup de temps dans les rues ?

— Il faut bien bouffer.

— Vous venez d'où ?

— Detroit.

— Ah. C'est là qu'est votre famille ?

— Ils sont tous décédés.

— Et vous vivez de la prostitution ?

— C'est le lot commun par ici.

— Bien entendu. Je me renseigne juste pour savoir si je suis susceptible de vous offrir une aide quelconque.

— Une aide ?

— J'étais sur le point de faire une proposition à notre ami assoiffé, avant qu'il ne s'esquive. Je vois que vous êtes dans la même situation, alors c'est à vous que je fais la proposition. Voulez-vous monter dans la voiture afin que nous puissions en discuter ?

— Bien sûr ! » m'exclamai-je comme si j'étais persuadé qu'en réalité il voulait du cul. J'ouvris la portière.

« Je préférerais que vous preniez place à l'arrière.

— Euh, d'accord. »

Cheveux d'argent déboîta. Il parla sans cesser de rouler.

« Je travaille pour un médecin dont la fonction principale est de contribuer à la richesse de notre société, mais il arrive que nous fassions œuvre charitable. Pour redistribuer cette richesse, en quelque sorte. À cet effet, je parcours les rues, à la recherche de candidats idéaux. Ça vous intéresse ?

— Qu'est-ce que je dois faire ?

— Rien. Nous prenons en charge le bilan médical, les petits traitements dont vous pourriez avoir besoin, les injections de vitamines, le lit propre, et deux cents dollars pour vous.

— Je dois rester combien de temps ?

— En général, il faut deux jours au médecin pour procéder aux examens et établir le traitement.

— Pas de sexe ?

— Pas du tout. Dur à croire, de nos jours, je sais, mais tout ce que nous désirons, c'est aider les gens.

— Ce, euh, traitement médical, je ne suis pas obligé de le suivre si je ne veux pas, n'est-ce pas ?

— Bien entendu. Il est à votre disposition uniquement si vous le souhaitez. »

Je respirai un grand coup et me demandai ce que j'étais en train de foutre.

« D'accord. Je saurai quoi faire de deux cents dollars. Allons-y. »

Nous avions tourné en rond sans but pendant la conversation. À présent, il se dirigeait hors de Hollywood, vers les quartiers calmes de Beverly Hills. Juste après Sunset, il se pencha sur le côté de son siège avant de tendre la main comme s'il se préparait à me faire un cadeau.

« Vous devriez regarder ça, avant que nous arrivions. »

Je m'inclinai pour voir de quoi il s'agissait. Il tenait une espèce d'aérosol comparable à ces petites bombes de déodorant. Quand je m'aperçus que le bec était pointé vers moi, je compris qu'il n'était pas judicieux d'approcher la tête. Mais il était trop tard. Une pluie de minuscules gouttelettes partit de la main de Cheveux d'argent pour se répandre sur mon visage.

Je me jetai en arrière. Ce n'était pas douloureux, mais le spray avait un goût chimique. L'effet fut immédiat. Joey, au Bar Ramsès, avait selon toute vraisemblance oublié de me raconter une partie de l'histoire : celle où l'on vous drogue sur le chemin de la clinique. J'essayai d'atteindre la poignée de la porte. Devinez quoi ? Fermeture centralisée. Je tirai faiblement dessus une fois ou deux mais mes capacités motrices étaient déjà trop altérées. Mon corps se détendit malgré moi. Des vagues de chaleur anesthésiante ondoyaient à partir de mes hanches et le long de ma colonne vertébrale en direction des tissus cellulaires. Dans une autre situation, je me serais laissé aller au bien-être, mais en route pour un endroit où les gens se faisaient amputer, j'étais paniqué, c'était le moins que l'on puisse dire. Je m'effondrai comme une carpette sur le siège. Je songeai à crier, puis me rendis compte que je ne connaissais plus la signification de ce mot. Respirer semblait être le mouvement le plus élaboré que j'étais désormais capable d'effectuer. Aussi, je me concentrai là-dessus et laissai tomber les trucs du style vocalisation ou coordination musculaire.

« Tu aimes ça ? La plupart d'entre vous ont l'air d'apprécier, une fois que vous arrêtez de vous affoler. Dans une minute, tu sombreras dans l'inconscience. Ne t'inquiète pas, il ne t'arrivera rien. Tu vas bientôt te réveiller dans des draps propres… »

Ses paroles ne me rassuraient pas. J'arrêtai d'écouter. Puis tombai dans les pommes.

Paf. De pas de pensée du tout, à trop. Trop de sensations, du moins. Asphalte rugueux sous moi, la joue et les épaules râpées. Fringues humides, mal de la tête aux pieds. Et quelque chose en train de me tirer par les fesses, de distendre l'étoffe du jean.

J'ouvris les yeux. Lumière de l'aube sur le sol d'une ruelle. De l'herbe dans les crevasses. À plat ventre entre les poubelles. Et ces putains de tractions…

Je grognai et bougeai les bras. Les tractions cessèrent. Quelqu'un derrière moi s'exclama : « Cet enculé est encore vivant. » Et un autre individu : « Dépêche-toi alors, putain. » Voix éraillées : trop de temps passé dans les rues à éructer. Ils recommencèrent avec mes poches arrière. Le tissu se déchira. J'avais les idées brumeuses, mes yeux étaient encrassés, mais mes tripes prirent le relais et réactivèrent mon corps.

Je roulai sur le dos et envoyai un coup de pied à l'aveugle. Léger souffle. Deux clodos pouilleux avec des manteaux pouilleux : des gabardines, peut-être, à l'origine. Désormais, c'était juste des chiffons qui servaient à absorber la pisse et la transpiration.

Ils reculèrent de quelques pas et restèrent plantés là, avec leur visage couperosé. Leurs yeux encroûtés, baissés sur moi, ne reflétaient aucune culpabilité d'avoir été pris sur le fait, mais plutôt de la méfiance. Ils attendaient une nouvelle opportunité qui leur permettrait de faire main basse sur le contenu supposé de mes poches.

Des corbeaux.

Des hyènes.

Je me sentais décalé, comme si je me réveillais trop tôt d'une nuit sous speed, mais les poivrots étaient vieux, délabrés. Ils seraient faciles à choper. D'abord, ils crurent qu'ils auraient droit à une raclée pour la forme, comme les clodos s'en prennent tous les quinze jours : nez en sang, œil au beurre noir, ce genre de trucs. Lorsque je les attrapai, ils commencèrent à m'injurier. Ils cessèrent très vite.

Le premier s'écroula après que je lui eus allongé un coup de poing sur la pomme d'Adam. Il tomba à genoux et s'étouffa. Sa bouche se tordait tandis qu'il tentait de faire passer de l'air par la boule de nerfs et de sang qui grandissait dans sa gorge. Le deuxième s'adossa au mur. Il en encaissa deux-trois au ventre, se pencha comme un imbécile, et écopa d'un genou en pleine figure. Son nez explosa et son crâne rebondit contre le coin d'une clim'.

Ensuite, je fus trop fatigué pour continuer. Je quittai la ruelle qui donnait sur une route secondaire, puis me mis en quête d'un café matinal. Je devais réfléchir.

J'étais à Hollywood, pas très loin d'Emmet Terrace. Je trouvai ce dont j'avais besoin à un pâté de maisons à l'est du Chinese Theatre. Un boui-boui crasseux, ouvert vingt-quatre heures sur vingt-quatre : vagabonds, putes, camés, cinglés, pupilles en tête d'épingle et teint cadavérique, chacun essayait de faire croire qu'un autre jour ne commençait pas.

« Je veux mon hamburger, et je le veux MAINTE-NANT ! J'ai dit je le veux MAINTENANT ! »

Un Noir, complètement jeté et pas d'humeur à plaisanter, avait maille à partir avec le service. Il se tenait devant le comptoir, roulait la tête, suait, plaquait ses paumes sur l'acier laminé et le verre soufflé.

« J'ai payé pour cette saloperie et je la veux. Tu m'entends ? Tu trouves ça drôle, de garder mon hamburger là-derrière ? Tu trouves ça drôle ? Je le vois, mec. C'est mon hamburger, là-bas. Qu'est-ce que tu racontes ? J'ai besoin de QUOI ? QUOI ? Si, tu l'as dit, espèce de fils de pute, tu as dit NÈGREBURGER ! »

Il commença à grimper sur le comptoir, mais deux flics arrivèrent pile à ce moment-là. Ils le gazèrent et le traînèrent jusqu'à leur véhicule. Ensuite, ce fut plus calme.

Je commandai un café et découvris que les clodos n'avaient pas été les premiers à s'occuper de moi dans la ruelle. Petite monnaie, clefs et portefeuille : disparus. Embêtant, mais pas vital. Le portefeuille ne contenait que vingt dollars et la carte de visite du Latino. J'avais un double de la Prelude à l'appartement et le gardien en aurait un pour la porte d'entrée. Je réglai avec un billet de cinquante planqué dans ma chaussette en prévision de ce genre d'urgence, puis tapai une cigarette à deux putes. Ensuite je me dégottai une table sous un rayon de soleil. Dehors, les poulets avaient menotté le Black et l'avaient enfermé dans la voiture. Ils lui donnaient des morceaux de hamburger par la vitre.

Assis seul, en train de fumer, je mélangeais le sucre dans mon café.

C'était quoi, cette histoire ? À un moment, j'étais à l'arrière de la Jag, il faisait nuit, j'étais en route pour le Royaume des reins, et l'instant d'après, je me retrouvais face contre terre, à l'aube, avec des clodos qui me faisaient les poches. Je vérifiai mon abdomen. Pas de cicatrice, aucune coupure. À l'évidence, je n'avais pas été victime de la convoitise du toubib. Mais alors, le traitement médical gratuit ? La défonce à l'œil et l'infirmière canon ? Tout ceci avait-il eu lieu avant d'être effacé de ma mémoire par des substances chimiques ? Ou les opérations avaient-elles été interrompues pour une raison quelconque avant le coup de scalpel ?

Je m'enquis de la date d'aujourd'hui auprès de la table voisine. Ouais, le lendemain matin. J'étais parti, merde, même pas six heures. Peut-être beaucoup moins, selon la durée de mon séjour au fond de la ruelle. Sacrément bizarre.

Je tentais de me souvenir d'une image, d'une odeur, d'un son. N'importe quoi. Mais il n'y avait que le spray

de Cheveux d'argent suivi de quelques propos confus...
Et puis aussi un truc qui ressemblait à une réminiscence diffuse, l'empreinte d'un rêve lointain. J'essayais de le ramener à la surface, mais il m'échappait. Des lèvres sur moi... une bouche... qui suce... ma... ma queue ? J'avais été drogué, balancé dans une ruelle, fouillé par des cloches et ce qui me hantait était le souvenir impossible d'une pipe ?

J'avais besoin de décompresser.

Mais d'abord, je devais me taper la corvée d'aller chercher le gardien pour avoir ma clef. Pas de problème. Vu la propension des anti-couche-tard à faire chier, je ferais bon usage des gogues.

Au lavabo des toilettes pour hommes, une Mexicaine était occupée à se laver la chatte : minijupe relevée sur les hanches, culotte sur le haut des cuisses. Sa main, qu'elle passait d'avant en arrière, faisait des bruits de succion. Elle était ailleurs, bébé. Sur une autre planète où ce genre de chose était autorisé. Elle chantonnait pour elle-même une mélodie qui ressemblait à « Lover Man », les yeux fixés sur un point loin derrière le miroir.

Un type en taille basse et maillot de surf australien était affalé dans une cabine ouverte. Il la regardait d'un air absent. Je lui empruntai une feuille et m'envoyai la dose au-dessus du distributeur de PQ.

Bang. Dehors, dans la rue. La coke avait été méchamment coupée, cependant elle comportait assez de substance active pour me permettre de retourner à la maison et d'obtenir les clefs sans trop d'emmerdes. Je traversai la brume et le soleil matinaux à la vitesse d'un avion à réaction. Sur le béton rose et les étoiles sales ; celles avec le nom des célébrités inscrit dessus. Je pensai à la manière dont ces gens devaient se lever, dans des endroits beaucoup plus propres que Hollywood Boulevard, aux frissons qu'ils devaient éprouver à la perspective de venir ici pour une première ou quelque chose de ce genre.

Chapitre 16

Le Latino appela. J'avais fermé les rideaux pour me préserver du soleil de l'après-midi. La lumière dans la pièce était douce, elle m'isolait. La sonnerie du téléphone me fit sursauter. Les appels étaient rares.

« Tu as un engagement.

— Oh, salut.

— Ne te méprends pas sur ma clémence. La seule raison pour laquelle je te donne le job c'est parce qu'elle a insisté.

— Je comprends.

— Nettoie la porcherie dans laquelle tu dois vivre. C'est elle qui passera.

— Qui ?

— Quelqu'un qui a de l'argent, au moins une chose d'acquise. De l'argent que tu ne toucheras pas. Disons qu'il s'agit d'un dédommagement pour les préjudices que tu as causés à mon commerce.

— Elle ressemble à quoi ?

— Je ne sais pas : elle a téléphoné. Je voulais envoyer Rex, mais elle a donné ta description. Elle est restée inflexible. »

Dehors, l'après-midi était pourri. Je demeurai allongé

et me rappelai de quoi la fille, dans l'entrepôt désaffecté, avait l'air. Pas sa mort, en fait, mais la façon dont son corps était couché : si tranquille, si lourd sur le sol après qu'ils s'étaient débarrassés du marteau piqueur, comme une poupée de caoutchouc. Je m'imprégnai de l'image et, si je n'avais pas eu un engagement, je me serais branlé.

Elle se pointa aux alentours de neuf heures.

J'ouvris la porte et, l'espace d'un instant, le monde sembla vaciller en une sorte de vertige horizontal. Je n'arrivais pas à appréhender ce que je voyais. Puis tout se remit en place et je la laissai entrer. La femme de la soirée, bien entendu.

Elle marcha jusqu'au milieu de la pièce. J'avais essayé de ranger, mais en sa présence, l'appart' était aussi séduisant qu'une fracture ouverte.

Elle tourna lentement sur elle-même, le regard scrutateur. Son chemisier léger était tendu sur sa poitrine. Son visage n'exprimait aucun dégoût, aucune surprise, rien que l'enregistrement froid de ce qui l'entourait.

Tout était écrit et parfait sur le plan cinématographique. Nos regards qui se captent, la douce brise par la fenêtre ouverte, jusqu'à la manière dont la lumière du soir éclairait le sol et dessinait un trait sensuel sur son pied.

Elle fit glisser son sac Chanel rembourré le long de son bras. Elle ôta une petite barrette en or et libéra ses cheveux. Puis elle se déchaussa. Elle ouvrit sans accroc son chemisier. Les boutons de ce dernier étaient semblables à ceux d'une télévision : ils entraient en fonction pour cette scène précise. Le chemisier était en soie. Il mit un temps infini à venir effleurer le sol.

Trois enjambées, et j'étais sur elle. Elle enfouit son

visage dans mon cou. Mes vêtements et les siens volèrent. J'étais bien dur, elle était trempée, nous étions tous les deux dans une sorte de dimension paradisiaque où les sens, goût et toucher, soupirs et odeurs, ne constituaient qu'un seul mégasens global. Une jambe s'enroula autour de ma taille. Je la soulevai sur ma queue. Nous baisâmes debout. Contractions, mouvements de balancier, gémissements, l'un contre l'autre, raidis dans la tiédeur du soir. La sueur serpentait entre ses seins et sur mon ventre. Nos visages dégoulinaient de salive. Elle m'enduisit de baisers du front au menton.

J'introduisis aussi loin que possible mon majeur entre ses fesses. Elle eut une convulsion et nous chutâmes presque. J'éjaculai, puis l'allongeai par terre et la surplombai, les yeux baissés. Les dernières gouttes de sperme tombèrent sur son ventre.

Plus tard. Au lit. La nuit à L.A., les lampes au sodium éclairaient la chambre. L'air sec semblait avoir été tout juste lavé. Il gardait cependant, comme toujours, ses parfums caractéristiques : eucalyptus, gaz d'échappement, pizza, donuts, café, et, même si loin à l'intérieur des terres, l'odeur de la mer qui complétait le tout.

Elle s'appelait Bella et avait un peu plus de trente ans. Sa peau était entretenue à grands frais, ses vêtements aussi. De toute façon, sa richesse sautait aux yeux depuis le début.

En filigrane, j'éprouvais un sentiment indéfinissable : un pouvoir, une singularité émanaient d'elle comme une sombre fragrance. Présents et pourtant assez vagues.

Les draps étaient moites. Ça sentait l'animal. J'envoyai un nuage de fumée de cigarette vers le plafond.

« Comment m'as-tu retrouvé ?

— Ton ami m'a donné le numéro de l'agence.

— Mon ami ?

— L'homme avec qui tu étais.

— Il me payait.

— Manifestement.

— Tu as dû être impressionnée.

— Je peux m'offrir le luxe d'agir selon mes désirs.

— Qui sont ? »

Elle ne répondit pas. Elle examina la pièce puis :

« Tu es vraiment si pauvre ?

— Et même plus.

— Pourquoi ?

— Parce que c'est comme ça. Qu'est-ce que tu veux dire ? »

Bella se tourna pour redresser son coussin avant de s'adosser au mur. Ce faisant, je vis qu'elle avait un tatouage en bas des reins. Dans la lumière diffuse, il ressemblait au scarabée que Karen portait à l'épaule. Elle désigna l'appartement.

« Tu es beau gosse, tu es malin. Tu pourrais faire mieux.

— Tout le monde est beau gosse et malin en Californie. Tu sais ce qu'on dit, à propos des souhaits ?

— Non, quoi ?

— Avec des "si"…

— On mettrait Paris en bouteille ?

— Ouais, c'est ça. Tu as de l'argent, apparemment.

— Oui.

— Qui te vient d'où ?

— La famille de ma mère, il y a plusieurs générations. Eau et huile. Mais je ne parle pas d'une telle situation, j'évoque juste la possibilité d'avoir mieux que maintenant.

— Avec des "si", on mettrait Paris en bouteille.

— Tu veux rester prostitué ?

— C'est un passe-temps. Mais après l'autre nuit, je ne pense plus avoir beaucoup d'engagements.

— Un passe-temps. C'est important, pour toi ?

— Pour tout le monde, non ? Parfois ?

— Jusqu'où tu es prêt à aller, pour l'assouvir ? »

Au moment où elle posa la question, l'expression dans ses yeux me déstabilisa un peu.

« Oh, les perversions habituelles, sans plus.

— Je pense qu'il n'y a rien d'habituel en toi. Tu mènes une petite vie, mais tu vises plus haut, je le sais. Et c'est possible, Jack. Ça peut arriver. Il suffit de trouver le courage d'aller plus loin que le reste du troupeau. »

Peut-être se rendit-elle compte qu'elle s'était trop emportée, car elle s'arrêta pendant une seconde, puis reprit d'un ton badin :

« Qu'est-ce que tu ferais, si tu pouvais choisir ton travail ?

— Je bosserais pour la télé, je crois.

— Quoi précisément ?

— J'aimerais bien présenter une émission sur les stars de ciné, dans le genre de "Hollywood Report". J'ai suivi des cours de téléprésentation.

— Je ne regarde pas beaucoup la télé.

— Pas assez intellectuel pour toi ?

— Non, ce n'est pas ça, c'est juste que les gens ne m'intéressent pas. »

Elle partit plus tard dans la nuit.

Et cinq minutes après, Ryan se pointa. Il ouvrit la porte avec son passe-partout et entra d'autorité. Je ne pris pas la peine de me lever. Il s'assit sur un coin de la table.

« Qu'est-ce que vous voulez, putain ?

— On s'est si bien marrés ensemble, la dernière fois.

— Je suis pas d'humeur à assister à un autre spectacle de fillette.

— Aujourd'hui, ça se rapporte plus au boulot. J'ai parlé à quelques putes qui travaillaient dans le même secteur que Karen, il se trouve qu'elle était plutôt copine avec deux d'entre elles. Tu veux essayer de deviner ce qu'elles m'ont raconté ? Non ? Eh bien, il semblerait qu'elle était blindée, juste avant de disparaître. Tu vois de quoi je parle ? Je veux dire qu'elle était en possession d'une énorme somme en liquide. Elle n'a pas révélé comment elle l'a eue, mais elle ne s'est pas gênée pour l'exhiber. Ne me dis pas que tu n'étais pas au courant.

— Nous n'étions plus très proches, sur la fin. L'argent qu'elle possédait ne regardait qu'elle.

— Parlons alors de cette guimbarde rutilante que tu conduis.

— Quoi, ce que je conduis ?

— Jackie… »

Ryan arbora une expression menaçante et fit craquer ses doigts.

« O.K. D'accord. Cette voiture était un cadeau. Elle me l'a achetée.

— Ouais. Le registre des immatriculations pointe ton nom à peine huit jours avant son décès. Tu n'as jamais pensé que ce pouvait être important ? Genre que ça pouvait avoir un lien avec ce qui lui est arrivé ?

— Je ne vois pas en quoi l'achat d'une voiture…

— Je parle de l'argent, espèce de trou du cul. Où l'a-t-elle obtenu ?

— Je l'ignore. La dernière fois que je l'ai vue, elle s'est barrée parce que j'insistais pour savoir. On a eu une violente dispute à ce sujet. »

Ryan secoua la tête et vint prendre place à côté de moi sur le matelas. Je m'éloignai vers le mur.

« Jackie, on dirait que chaque jour, je découvre quelque chose qui joue en ta défaveur. Tu aurais dû me parler de l'argent. »

Il souleva le drap pour observer mon corps. J'enlevai sa main d'une petite tape. Il fit un sourire narquois et se leva.

« Tu as un truc à boire ?

— Bon Dieu, ça vous arrive jamais de vous acheter vos propres boissons ?

— Pas quand j'ai des amis comme toi. »

Il se rendit à la cuisine et revint avec du Southern et deux verres. Il les remplit et m'en tendit un. D'abord, je ne le pris pas. Il resta ainsi jusqu'à ce que je m'exécute.

« Je t'en dois une pour m'avoir enregistré à l'hôtel. »

Je ne répondis rien. Je me contentai de fixer la fenêtre derrière lui. Elle donnait sur une nuit sans profondeur : un drap noir. On aurait dit qu'il allait rester accroché là pour l'éternité. Ryan sirota son verre un moment, puis s'éclaircit la voix avec délicatesse.

« J'ai vu un petit truc la nuit dernière, au tapin. Peut-être que tu vas pouvoir m'aider.

— Ah ouais ?

— Toi et quelqu'un d'autre, dans une Jaguar noire.

— Une Jag noire ? Je ne me rappelle pas…

— Bien sûr que si. Vous avez discuté une minute ou deux, puis tu es monté et vous vous êtes dirigés vers Beverly Hills. Ça ne ressemblait pas à une passe ordinaire avec une de tes tantouzes.

— Vous me suivez toujours ?

— Je mets du cœur à l'ouvrage. C'était qui ? Vous êtes allés où ?

— Si vous nous avez suivis, vous devez le savoir.

— Une patrouille de Beverly Hills a trouvé que j'avais l'air suspect, à suivre cette splendide voiture. Ils m'ont fait garer, et le temps que nous tirions les choses au clair, je vous avais perdus.

— Bon Dieu, vous êtes tellement atteint que même les autres flics ne vous reconnaissent plus.

— Fais attention, Jackie.

— Eh ben putain, vous trouvez pas ça ridicule ? »

Ryan haussa les épaules.

« Ils bossaient pour une compagnie privée. Réponds à la question.

— Merde, c'était juste un type qui voulait une pipe. On s'est garés près de Sunset, je l'ai sucé, et puis il s'est barré. Point.

— Nom ? Description ?

— Je ne passe pas beaucoup de temps à regarder leur visage, vous savez ? Pourquoi vous vérifiez pas le numéro d'immatriculation ?

— Je l'ai fait. Inconnu. Ce qui signifie que les plaques étaient fausses. Ce qui signifie que je veux en apprendre davantage.

— Qu'est-ce que je peux vous dire ? Montrez-moi sa queue et peut-être que je l'identifierai.

— D'accord. Et ça : qui est le vagin sur pattes qui est passé chez toi ? Arrivé vers neuf heures ?

— Vous êtes là depuis si longtemps ?

— Je te l'ai dit, je mets du cœur à l'ouvrage.

— Elle aurait pu aller voir n'importe qui d'autre dans l'immeuble.

— Mais ce n'était pas le cas. Trop d'oseille pour traîner dans un endroit pareil. Quelque chose de bizarre. Et si c'est bizarre et que c'est dans cet immeuble, ma main au feu qu'il s'agit de toi.

— Je travaille pour une agence. Ils me l'ont envoyée. Je ne sais rien d'elle.

— Elle avait l'air d'être un bon coup.

— Elle l'était.

— Tu l'as prise comment ?

— Putain.

— Allez, Jackie. Par-derrière, comme un couple de chiens ? Ouaf, ouaf, ouaf. Alors ? Ne me dis pas que tu n'as fait que le missionnaire.

— On l'a fait un peu de toutes les manières.

— C'est-à-dire ?

— Bon Dieu. Debout, penchés sur la table, dans le lit, elle au-dessus.

— Voilà qui est mieux. Et quand elle t'a sucé ? Elle a avalé ou elle t'a fait lâcher la purée sur ses seins ? J'aime bien quand ça dégouline sur le menton.

— On peut pas laisser tomber, Ryan ?

— Je parie que j'en sais plus sur elle que toi.

— Certainement.

— Tu connais sa chatte, mais je connais son nom et son adresse. Tu vois le véhicule qu'elle conduisait ? BMW, série huit. J'ai filé le numéro des plaques au Service Central Automobile. Une nana de Malibu, adresse cotée. Tu voudrais bien avoir cette info, Jackie, hein ?

— Pourquoi ? C'était que le boulot. »

J'aurais aimé avoir l'adresse, bien entendu, mais j'étais baisé si je demandais quoi que ce soit à ce gros lard.

« Qu'est-ce que tu dirais si j'avais son téléphone et que tu la rappelais pour un extra ? J'arrange ça et on fait une petite vidéo ?

— Allez vous faire foutre.

— Cette salope a l'air de pouvoir allonger pas mal. »

Je collai ma tête contre le mur et fermai les yeux. J'entendis Ryan se resservir un verre. J'aurais aimé être assez célèbre pour avoir des avocats et des gardes du corps qui le tiennent à distance.

« Peut-être que tu as raison. Un plan pareil, ça demande un minimum de préparation. »

Je gardai les paupières closes, sans répondre. Au bout d'un moment, il s'en alla.

Tôt le matin. Dans ma chambre, les rideaux complètement tirés. De la fumée de cigarette dans l'air et un silence horrible à l'extérieur. Allongé sur le dos, lumières éteintes, je souhaitais à toute force percevoir les bruits de la circulation : une sirène de police, un coup de feu, n'importe quoi qui m'aurait confirmé que le monde extérieur existait et que j'en faisais encore partie. Que je n'étais pas aussi désespérément seul que je le croyais.

J'avais du foutre sur les mains, les cuisses, le ventre. La photo de la fille au pied-de-biche était par terre, près du matelas. J'avais perdu le compte du nombre de fois où je m'étais branlé dessus. Tout ce que je savais, c'était que ma bite avait fini par refuser de bander et que les cinq Lorazepam que je m'étais collés sous la langue une heure plus tôt commençaient à faire effet. Je n'arrivais plus à voir l'image avec clarté, mais elle était marquée au fer rouge dans mon esprit : la chair blanche, pesante, l'acier noir enfoncé dans son cul. Sans les pilules, je n'aurais pas supporté le désir de voir à quoi son corps ressemblait maintenant. Je l'imaginais froid, lisse et calme.

Une heure plus tard, je sombrai dans le sommeil.

Chapitre 17

Rex était gonflé à bloc. À bloc. Une énergie fragile et surpuissante le poussait à se trémousser sur le siège de sa Porsche, comme si ses jambes étaient douées d'une volonté propre. Le crépuscule était pourchassé par la brûlure jaune des phares à travers les quartiers résidentiels chichement éclairés, vers la sortie de Burbank. Nous avions ouvert le toit et allumé la radio. Le vent soufflait au-dessus de nous, comparable à un rêve en accéléré. Tous les ingrédients pour une scène tirée d'un film pour ados : des copains de fac, en train de se déchirer après le bal de fin d'année. Mais nous n'avions rien de leur innocence indomptée. Je vivais dans un monde parallèle. Et Rex était brinquebalé, en déséquilibre constant entre deux états émotionnels paroxystiques.

Nous allions chercher de la came. Du moins, Rex. Je voulais juste me balader, peut-être en tâter un peu. Sur les côtés, des rangées de maisons à clin défilaient, propres et bien tenues. Cependant, vous saviez que chaque heure vécue à l'intérieur était gâchée par la lutte pour joindre les deux bouts : le jardinet avec son pauvre gazon poussiéreux, son eucalyptus bizarre et desséché, ses clôtures en fil de fer à mi-hauteur, ses petites voitures garées dans la minuscule allée bétonnée, les gosses ici ou là, foutus à la porte pour que papa et maman puissent avoir une heure de paix avant l'horreur du dîner.

Rex conduisait vite, prenait les virages à fond, pas parce que nous étions à la bourre d'un quelconque rendez-vous, mais parce qu'il n'avait pas d'autre moyen d'enrayer l'angoisse fébrile qui le dominait.

« Le gars ferait mieux d'être là, mec, il ferait mieux. J'ai l'impression que je vais exploser.

— J'ai des calmants, chez moi.

— Pas assez fort pour cette nuit, trop peu d'anesthésiant.

— Le Prothiaben n'a pas marché ?

— Ça fonctionne, mec, ça fonctionne. Pourquoi tu crois que je suis dans ce putain d'état ? Ça te retourne la tronche. En haut. En bas. Je sais plus.

— Arrête d'en prendre.

— Aucune différence. Avec ça, par contre, oui. »

Il tendit le bras et remonta la manche de sa chemise. Il avait de petits hématomes au creux du coude. Pas ce qu'on pouvait appeler des saignées, mais j'étais quand même surpris de les voir.

« Tu devrais prendre des seringues plus effilées.

— Ouais, mec, c'est ce que je veux. Des seringues plus effilées, de plus gros sacs de came, un truc qui me pompe le cerveau, qui le nettoie à sec avant de le remettre en place. Je veux un million de choses, mec, un million de choses et une seule à la fois. Je veux juste que ça s'arrête. »

J'aurais bien aimé trouver une réplique intelligente, mais je n'en eus pas l'occasion. Rex venait de tourner comme une flèche dans une rue apparemment déserte et flanquée, pour la plus grande part, de bâtiments vides. Il s'escrimait sur le levier de vitesses et faisait des mouvements désordonnés avec sa tête, la secouait comme si un asticot était en train de lui bouffer le cerveau. Soudain, un gosse d'environ neuf ans à la poursuite d'un ballon de volley traversa. Si nous avions conduit à une allure normale, nous aurions peut-être pu freiner à temps. Dans le cas présent, Rex n'atteignit la pédale qu'après l'impact.

Le garçon passa par-dessus le pare-chocs, heurta le pare-brise et fut projeté en l'air. J'eus la vision absurde du gosse, à travers le toit ouvert, qui tournait dans le ciel obscur, la tête en bas, ses cheveux blonds en éventail autour de son visage. Lorsque les freins entrèrent en action, les roues ne se bloquèrent pas, nous avions l'ABS. Rex ralentit le long du trottoir. Pendant un moment, il resta là, les mains agrippées au volant, les yeux fermés, comme s'il pouvait, avec assez de volonté, annihiler toute sensation. Puis nous fûmes dehors, à courir dans l'autre sens en direction du corps.

L'enfant, si incroyable que ça puisse paraître, était allongé bien droit, le visage vers le ciel, les jambes serrées. Le seul élément qui laissait supposer qu'il n'était pas juste en train de faire une sieste était la façon très nette dont son bras était tordu derrière son dos.

Mais il n'y avait aucun doute, il était mort.

Une foule de pensées me traversait l'esprit. Je regrettais qu'une vie à peine commencée soit interrompue de la sorte, j'essayais de me faire une idée des sanctions pénales, je me demandais comment ses parents réagiraient, s'ils crieraient lorsqu'ils le découvriraient. Par-dessus tout, j'étais vraiment soulagé de savoir que ce n'était pas moi qui conduisais.

J'observai Rex. Je me sentais mal pour lui. Il avait le teint cireux. Le sang, la vie ou quoi que ce fût, avait reflué de son corps. Il se tenait debout avec la tête baissée. Il regardait le garçon, les bras ballants, vidé de toute substance. Je crus qu'il allait se mettre à vomir et hurler, mais il se contenta de rester là. Puis il soupira. On aurait dit, à son souffle, qu'il allait pleurer. Ce ne fut pas le cas. Au lieu de ça, il fit demi-tour et regagna la voiture. Nous nous en allâmes.

Personne ne sortit dans la rue. Personne ne nous avait vus. Et d'une certaine manière, nous savions tous les deux que rien n'arriverait. Que ça nous glisserait dessus. Rex conduisait à une allure raisonnable, pas comme si nous nous enfuyions. Nous sortîmes du quartier, non pas sous les hurlements accusateurs et les gémissements de douleur, mais au bruit du moteur allemand, et à celui du vent dans les feuilles mortes.

Nous ne parlâmes pas, nous ne fîmes pas demi-tour pour rentrer chez nous. Nous partîmes chercher notre came.

Chapitre 18

Je commençai la journée en vomissant. Rex et moi avions passé la moitié de la nuit à nous shooter. Lorsque la drogue avait fait effet, il avait évoqué l'accident. Il avait prétendu qu'il ne s'en remettrait jamais. J'avais essayé de le réconforter, mais que faire ? C'était son fardeau et il était le seul à pouvoir le porter. Dans une telle situation, les points communs qu'on peut se trouver avec un autre être humain sont plutôt minces. Au bout d'un moment, je m'étais évanoui. Il était parti quelque temps après. Maintenant, je me réveillais, malade au point que chaque cellule de mon corps était devenue mon propre ennemi.

Je rampai en direction de la salle de bains et régurgitai dans les toilettes jusqu'à ce qu'il ne reste plus que de la bile noire accrochée aux bords de la cuvette. Je ne pus me mettre à genoux qu'à la mi-journée. Je trouvai un emballage de codéine 30 et me débrouillai pour prendre une poignée de calmants. Il fallut longtemps avant que les analgésiques agissent. En attendant, je restai près des chiottes. Environ deux heures plus tard, j'émergeai avec des marques de carrelage sur les joues et les épaules. Même si je n'en eus pas conscience, ce dut être bénéfique car je fus capable de tituber jusqu'à la cuisine pour me préparer un café.

J'étais debout près de la fenêtre ouverte avec une tasse, je respirais lentement, en lutte contre mon estomac, quand Bella téléphona. Elle voulait me voir cette nuit pour une soirée médiatique, dans le centre-ville. Je devais venir en costard. La bonne nouvelle était qu'elle allait me faire parvenir la somme nécessaire. La mauvaise, que je devais affronter le monde extérieur presque tout de suite si je voulais être dans les temps.

Rodeo Drive. J'avais pris un taxi. J'aurais pu aller dans un quartier moins cher, mais Bella m'avait envoyé un paquet de thunes et j'aurais été stupide de ne pas en profiter au maximum. Je trimbalais un sac en plastique avec moi en cas d'urgence.

Je n'avais encore jamais acheté de costume. On parlait de Versace dans tous les magazines, aussi, je trouvai l'enseigne et entrai. Beaucoup d'espaces vides au sol, en marbre principalement, quelques meubles design, et un éventail de très belles vendeuses. En temps normal, je n'aurais jamais eu les couilles de venir ici. Dans ce cas précis, l'horrible mal de crâne et les pilules me tenaient à distance des pires aspects de mon sentiment d'infériorité.

Une rousse avec un pantalon en cuir qui lui rentrait dans le minou choisit plusieurs ensembles et me conduisit dans une cabine d'essayage de la taille de mon appartement. Chaque fois que je la zieutais, elle avait ce genre de regard qui donnait l'impression de vouloir vraiment être serviable. Comme elle l'aurait fait avec n'importe quelle personne qui n'aurait pas eu l'air d'avoir ingurgité une assiette de déjections canines. C'était un effort louable que j'appréciais. De loin préférable à un dédain affiché.

Elle me précisa de l'appeler en cas de besoin et referma la porte. Je voulais me recroqueviller dans un coin et ne plus jamais ressortir. Je transpirais et toute cette agitation faisait battre mes tempes. Je fis l'erreur de me pencher pour délacer mes chaussures. Mon estomac rugit. Heureusement, je ne m'étais pas séparé de mon sac providentiel et je parvins à recueillir le jet d'acide gastrique avant de tout saloper. Malheureusement, la rousse arriva au moment où j'avais le visage enfoui dans le plastique. Tandis que je relevais la tête dans l'espoir de plaider l'indigestion, je sentis quelque chose collé au coin de ma bouche. Elle battit en retraite et je ne la revis pas avant d'aller régler.

J'avais choisi un costume sombre trois attaches, en soie. Il m'allait plutôt bien, mais le pantalon était trop long. Une vendeuse proposa de le raccourcir, si je voulais bien patienter une vingtaine de minutes. C'était une idée grotesque. Je pris l'ensemble tel quel, allongeai le plus gros de la somme fournie par Bella et retournai dans la rue où le taxi m'attendait.

J'eus des renvois durant la plupart du trajet dans Beverly Hills. Je compris que je ne parviendrais pas à la fin de la soirée sans une quelconque béquille chimique. Je fis faire un détour au chauffeur par les rues transversales au tapin. Lorsqu'il pigea ce que j'avais en tête, il commença à faire chier. Je lui promis une part de la livraison et il devint très vite assez coulant.

À huit heures et demie, j'étais dans le centre-ville. J'attendais devant le Bradbury Building. C'était un quartier paumé dans le meilleur des cas, mais après les heures de bureau, une fois que les zombies étaient rentrés chez eux, il se transformait en une espèce de désert flippant qu'il valait mieux éviter si l'on n'était pas armé. J'étais en sécurité, malgré tout. Ils avaient aménagé une entrée sous une marquise, très bien éclairée. En outre, de nombreux gars en uniforme patrouillaient sur les parkings et surveillaient les portes pour effrayer les déchets humains qui, sinon, se seraient entassés sur les trottoirs.

Je me sentais mieux que tout à l'heure. Les vomissements avaient cessé et mon mal de crâne était retombé à un niveau de pulsation raisonnable. Néanmoins, entre la codéine que je m'étais enfilée et la coke que j'avais sniffée tandis que je m'habillais pour mon troisième rendez-vous avec Bella, j'étais plutôt à l'ouest. Je n'avais pas réalisé qu'il y aurait un parking pour les clients. J'avais préféré venir en taxi pour ne pas prendre le risque de laisser la Prelude en pleine rue. Maintenant, je n'avais nulle part où attendre qu'elle se pointe avec les invitations. Je poireautais et regardais les voitures arriver.

Limousines noires, limousines blanches, quelques deux-portes qui dépareillaient. Les gens qui en sortaient étaient auréolés de gloire. Les femmes arboraient des perles, des colliers autour du cou, leur corps était souple et chaleureux. Elles bougeaient avec grâce, très droites, conscientes de leur importance. Les hommes marchaient en cadence au bras de ces dernières, ils ressemblaient à des oiseaux de proie, imbus du pouvoir de posséder tout ce qu'ils désiraient en ce monde. Ils appartenaient à une race en costume sur mesure, bichonnée, spécialement entraînée. Une race qui avait rabaissé les sommes gagnées, ces sommes qui auraient fait s'étouffer n'importe quel homme normal, au score d'un jeu qu'ils se livraient entre eux.

Un coup de klaxon discret. Je me tournai pour voir Bella qui sortait de voiture. Un chauffeur lui tenait la porte. Elle portait une jupe courte sombre. Et, comme elle décroisait les jambes pour prendre pied sur le trottoir, j'eus la vision très brève d'un slip blanc à franges, entre ses cuisses, avec les poils noirs.

« Salut Jack. Tu m'as manqué. »

Elle m'embrassa. Je sentis la chaleur de ses seins à travers ma veste.

Le Bradbury Building était un des plus beaux immeubles de L.A. Haut de cinq ou six étages, il avait été bâti cent cinquante ans plus tôt avec un genre de pierres brunes qui lui donnaient un cachet Art nouveau. À l'intérieur, tout était disposé autour d'un atrium qui s'élevait jusqu'au sommet du bâtiment. Chaque étage était constitué d'une coursive dégagée. Tout le long, les portes donnaient sur des bureaux d'avocats et d'experts comptables. Bois sombre, fer forgé, et un ensemble d'ascenseurs grillagés que vous pouviez regarder monter et descendre. Ridley Scott avait tourné la séquence finale de *Blade Runner* ici.

Cette nuit, les bureaux étaient fermés, mais le rez-de-chaussée ainsi que les deux premiers étages étaient ouverts et décorés dans le style *Alice au pays des merveilles*. Des horloges de grand-père en polystyrène avaient été insérées dans des coins improbables, une chenille automatique à quatre pattes aspirait la fumée d'une pipe à eau au sommet d'un champignon, des bouteilles estampillées « Buvez-moi » étaient disséminées alentour sur de petites tables. Derrière le buffet, le personnel de restauration était déguisé en personnages du roman. Je trouvais ça sympa, mais Bella ne semblait pas impressionnée.

« Tu bois ? Pas moi. Sers-toi, si tu veux. On n'est pas obligé de s'asseoir. »

Je pris deux vodkas à un serveur habillé en gros écolier anglais, les versai dans un verre, et suivis Bella dans les escaliers, jusqu'au deuxième étage. Tout en haut, nous étions presque seuls.

« On ne va pas avec les autres ?

— Avec ces gens ? »

Au rez-de-chaussée, hommes et femmes papotaient par groupes, se servaient à manger, buvaient, riaient, prenaient du bon temps.

« Je trouve qu'ils ont l'air bien.

— Levée de fonds pour une chaîne câblée. Tu ne trouves pas qu'ils ressemblent à des porcs dans une bauge ?

— Tu penses vraiment qu'ils sont si moches ?

— Tu ne les connais pas. Avec tout l'argent qu'ils possèdent, pas un seul d'entre eux n'a le courage de se regarder en face. Ils prennent de la cocaïne, ils couchent peut-être avec plus d'une personne à la fois, et ils croient savoir ce que c'est de tester les limites. »

Nous observâmes les invités un moment, puis Bella me demanda si je désirais un autre verre. Je n'étais pas trop chaud pour continuer à boire. La vodka m'avait brûlé l'estomac et je n'avais pas envie de vomir à nouveau, mais j'acceptai car nous étions de retour au cœur de l'action.

Nous retournâmes au rez-de-chaussée, direction le bar. Je commandai un Coca.

« Si tu n'aimes pas ces personnes, pourquoi sommes-nous venus ?

— Pour toi. Tu sais ce que font ces gens ? Ceux qui peuvent tout ?

— Je reconnais un ou deux acteurs.

— Ce sont pour la plupart des actionnaires et des gestionnaires. Tu disais que tu voulais présenter une émission sur les films, j'ai pensé qu'il te serait utile de croiser les responsables.

— Bon Dieu, je me contentais de rêver.

— Où est la difficulté, parler en face d'une caméra ? »

Bella scruta les invités.

« Tu vois la fille, là ? Celle avec la jupe blanche ? Ils l'ont trouvée dans une pâtisserie. Maintenant, elle fait ce que toi tu veux faire. »

La gonzesse que Bella désignait était Lorn, de *28 FPS*. Minijupe blanche, haut échancré, coupe ébouriffée. En chair et en os, elle était toujours aussi canon, mais la réalité avait gommé la clarté de certains de ses traits. Là où l'aura de Bella était tranchante et sombre, le charme de Lorn penchait plutôt du côté garçon manqué typique de la Californie, genre Heather Locklear dans *Dynastie*, avant qu'elle ne se fourvoie dans *Melrose*.

« Eh, je ne loupe aucune de ses émissions. Tu la connais ?

— Vaguement. J'ai investi de l'argent dans la chaîne. »

Bella regarda sa montre.

« Il se fait tard. Nous devons rencontrer quelqu'un.

— Il est à peine dix heures.

— Je dois retourner à Malibu.

— Pas Beverly Hills ?

— Les seules personnes qui vivent à Beverly Hills sont celles qui n'ont pas les moyens de partir et celles qui n'ont pas la volonté d'avoir mieux. »

Bella fit signe à un mec trapu doté d'une chevelure grise ondulée, en pleine discussion avec ce qui ressemblait à un groupe de subalternes. Il tapota aussitôt quelques épaules, et se fraya un chemin à travers la petite troupe pour nous rejoindre.

« Bella, quelle surprise. »

Il avait une voix chaude qui m'évoquait les cigares. Il ne fit pas la bise traditionnelle.

« Salut Howard.

— Qu'est-ce que tu penses de la déco ? On a mis le paquet.

— Je ne pouvais pas imaginer moins original. Comment se porte la chaîne ?

— De mieux en mieux, ma belle. On gagne des points d'audience chaque semaine.

— Bien. Howard, voici Jack. Il aimerait bien travailler sur une émission de cinéma. »

Howard me serra la main et jeta un coup d'œil à mon revers de pantalon.

« Ravi de te rencontrer, Jack. Le petit écran est un milieu difficile à pénétrer. Beaucoup de jeunes qui attendent devant la porte. Tu as de l'expérience ?

— Eh bien, j'ai pris des cours de télé… »

Bella m'interrompit et désigna Lorn du menton.

« Cette fille s'occupe d'une émission.

— Bien sûr. *28 FPS*. De bons scores, beaucoup de potentiel. Elle pourrait être titularisée l'année prochaine.

— Elle est séduisante, mais penses-tu vraiment qu'elle fasse l'affaire ? Elle ne me semble pas très… éveillée.

— Qui a besoin d'être éveillé, à la télé ? Elle est jeune, elle a une belle paire de nichons, elle sait parler. C'est déjà pas mal.

— Je me demande ce qu'elle apporte réellement, malgré tout.

— Eh, fais-moi plaisir. » Et Howard me fit un clin d'œil. « Je suis dans le circuit depuis toujours. Je pense que je sais choisir mes collaborateurs. Des personnes charmantes, délicieuses telles que toi participent aux finances, ce dont je te suis éternellement reconnaissant. Mais diriger une chaîne, eh bien, c'est ce que je fais le mieux. C'est, comment dit-on ? Mon point fort. »

Bella continua comme si elle n'avait rien entendu.

« Il s'agit de mon sentiment, Howard. Elle devrait bénéficier d'un peu d'aide. Peut-être un coprésentateur pour cette émission.

— Tu veux parler de Jack, ici présent ?

— Tu devrais y réfléchir.

— Bella, Bella, ma chère, la nana donne satisfaction comme elle est. Le mieux est l'ennemi du bien. Tu saisis ?

— Je me contente d'exprimer le fond de ma pensée, Howard. J'espère que tu en tiendras compte. »

Une voix calme, mais la menace était palpable. Je pouvais en voir les effets sur le sourire crispé de Howard. Je me demandais à quel niveau de richesse se situait Bella, pour qu'elle puisse faire chanter de manière si ostensible quelqu'un qui, de toute évidence, occupait de larges responsabilités au sein de la chaîne.

« Bella, tes idées me sont ô combien précieuses. Donne-moi du temps, je vais y réfléchir. Nous en reparlerons bientôt, ma chère, hein ? Très bientôt. »

Sur ce, il nous quitta et s'enfuit parmi les groupes d'invités.

« Waouh. Je crois qu'il n'a pas apprécié. C'était qui ?

— Howard Welks, gratin de la chaîne. Je dois m'en aller. Accompagne-moi à la voiture, veux-tu ?

— On ne part pas ensemble ?

— Désolé, Jack. Pas cette nuit, mon père est à la maison.

— Quoi ? Il te rend visite ou quelque chose comme ça ?

— Il passe certaines nuits chez moi, d'autres à son appartement du centre-ville. Cette nuit, c'est chez moi.

— Et tu ne peux ramener personne ? On pourrait aller à mon domicile.

— C'est compliqué, Jack. »

À l'extérieur de l'immeuble, Bella sortit un petit portable de son sac, et indiqua à la limousine de venir la chercher. J'avais la nette impression que je n'allais pas dégorger le poireau cette nuit. Ma déception dut se lire sur mon visage car Bella m'embrassa et me serra le bras.

« Ça t'ennuie beaucoup ?

— C'est-à-dire que je pensais… »

La limousine arriva. Le chauffeur patienta, la porte ouverte. Bella jeta un coup d'œil à l'intérieur, puis elle m'observa.

« Viens t'asseoir quelques minutes avec moi. »

Nous montâmes et le véhicule se mit en route. Bella ordonna au chauffeur de descendre un peu la rue avant de se garer, puis actionna la séparation. Le plafonnier jetait des reflets dorés sur le cuir marron clair et les vitres fumées nous reflétaient à l'infini.

Bella enleva sa veste et sa jupe. Je m'emparai de ses seins un instant. Elle me les fit lécher. Le siège crissa doucement lorsqu'elle s'allongea pour ôter sa culotte. Sa fente luisait. Elle passa ses mains entre ses cuisses et les ouvrit.

« Regarde. »

Avec lenteur, elle commença à enfouir ses doigts entre ses petites lèvres, procéda par cercles calmes autour de son clito. Ma queue, contre l'étoffe de mon pantalon, était douloureuse. Je le déboutonnai et sortis mon outil. La main de Bella bougea plus vite entre ses jambes. Au bout d'un moment, son dos se cabra et elle glissa un doigt dans son anus. Elle gémit et frissonna. La main ralentit à nouveau, sur son ventre, ses seins. Les muscles de ses membres inférieurs se relâchèrent. Elle s'assit et m'embrassa.

« Peut-être que je peux te jeter hors de la voiture, maintenant.

— Tu plaisantes. »

Elle rit et mit sa tête entre mes genoux. C'était étrange. Chaque femme suce d'une façon différente et une pipe amoureuse est aussi spécifique que la voix, l'odeur ou les cheveux. Bella ne s'était jamais prêtée à l'exercice lors de nos deux précédentes entrevues, toutefois, d'une certaine manière, ses mouvements, la sensation de sa bouche sur moi me paraissaient familiers. Il s'agissait d'une réminiscence ténue que je ne pouvais relier à aucun moment, aucun endroit précis, mais qui existait. À cet instant, malgré tout, mes sens étaient mobilisés par autre chose et je ne me souciais pas de mes souvenirs. Je mis ça sur le compte d'une impression de déjà-vu et me concentrai sur la bite qui emplissait sa bouche. Quand j'éjaculai, elle en avala une partie et laissa le reste dégouliner le long de mon chibre. Je dus m'essuyer avec un pan de chemise.

Lorsqu'elle s'était penchée, j'avais vu avec plus de clarté le scarabée à la base des reins.

« J'aime bien ton tatouage.

— Oh, ça… Je l'ai fait faire par un ami dans un de ces moments d'euphorie un peu stupide. Remets ton pantalon, je dois y aller. »

Je restai sur le trottoir. Tandis que la voiture repartait, Bella baissa la vitre et m'interpella :

« Qu'est-ce que tu penses de l'amour, Jack ? Tu crois que ça peut arriver aussi vite ? »

Puis elle ne fut plus qu'une paire de feux arrière qui

rapetissaient sur la grand-route. Je les regardai s'éloigner jusqu'à ce qu'une Sedan prenne la même file et me bouche la vue.

Emmet Terrace. Chez moi. L'appartement bruissait de la solitude nocturne. Je matai les potins mondains en vidéo jusqu'à ce que le spectacle de ces vies meilleures que la mienne m'achève et que j'éteigne la télé. L'obscurité dévora la pièce. Une minute plus tard, alors que mes yeux s'habituaient, elle fut suivie par la lueur orangée qui filtrait à travers le tissu des rideaux. Je percevais le contour des objets, le croisement des hachures ocre sur les meubles, les angles des murs. Je dérivais, épuisé. Les pensées se bousculaient dans mon crâne.

La fellation de Bella… La fellation de Bella… Sa manière de prendre mon sexe en entier et de le pousser vers le haut de façon à ce que je bute à l'entrée de sa gorge. Pourquoi cela me semblait-il familier? Tandis que je sombrais, à demi inconscient, la sensation de ma queue dans son gosier me tarabustait. Je m'abandonnais à mes impressions, essayais de me concentrer dans l'espoir de trouver une explication. D'autres images s'immisçaient et je n'arrivais pas à les écarter: une portière de voiture qu'on ferme, des fragments de Hollywood à travers une vitre, une chevelure d'argent, le gravier contre ma joue… Au moment où les deux clodos faisaient leur apparition, j'émergeai avec un début de réponse. Je savais d'où venait le souvenir de sa bouche: la pipe effectuée par Bella me rappelait l'inexplicable réminiscence de caresses buccales avec laquelle je m'étais réveillé dans la ruelle, après ma tentative avortée pour trouver Docteur Reins.

Étrange, à tout le moins. Tellement étrange, en fait, qu'un ou deux autres éléments me frappaient maintenant l'esprit. Son tatouage, par exemple. Bien entendu, les tatoueurs travaillaient d'après modèle et, rien qu'en ville, des centaines de personnes devaient arborer le même motif. Mais il était singulier que ma femme et la première relation non rémunérée depuis sa mort portent toutes deux le même signe distinctif. Et puis aussi, elle s'était pointée à mon appartement sitôt après que je m'étais fait droguer et larguer dans la ruelle.

Je me repris. Un jour entier de mal de crâne m'avait manifestement affecté. Je laissais les coïncidences virer à la paranoïa. J'espérais entamer une relation avec une femme à même d'améliorer ma vie de façon considérable et je n'avais vraiment pas besoin de ce genre de délire.

Pour me changer les idées, je me rappelai de quoi elle avait l'air quand elle s'était doigtée dans la limousine. Cette image me démoralisa. Sans doute était-ce absurde, après deux séances de baise et une fellation, mais j'avais cru qu'elle m'emmènerait chez elle après la soirée au Bradbury. Elle m'avait mis sur la touche avec des conneries sur son père.

Pas besoin d'être un génie pour comprendre que si je voulais obtenir plus qu'un peu de thune pour un costard, je devais renforcer mes liens avec elle. Cela impliquait que je devais m'incruster dans son monde, plutôt que de l'autoriser elle à s'infiltrer dans le mien.

Je m'éveillai en pensant à Daryl Hannah et à quoi ses matinées pouvaient ressembler. Comment elle était allongée sur un grand lit au milieu d'une pièce immaculée de la taille d'un court de tennis, la lumière du soleil qui baignait la moquette. Et, tout près derrière la baie vitrée, à quelques mètres peut-être, s'étendrait la mer sous un ciel bleu et d'imposants nuages blancs.

Un domestique viendrait, chargé d'un petit déjeuner léger composé de café et de croissants. L'arôme des grains torréfiés et de la pâte feuilletée se mélangerait à la pureté de l'air marin. Ces trois odeurs simples et la brise de l'océan sur votre peau suffiraient à vous rappeler que vous étiez l'égal d'un dieu.

Je sortis du lit, bus une canette de Pepsi et trouvai le numéro de Ryan dans un jean sale qui faisait partie, avec mes autres fringues, d'un tas crasseux à même le sol. J'hésitai. Contacter délibérément Monsieur Flippant n'était pas chose facile. Mais je voulais que mes réveils ressemblent à ceux de Daryl Hannah et il n'y avait pas d'autres moyens d'obtenir l'adresse de Bella.

Nous convînmes d'un rendez-vous dans l'après-midi. Je ne lui précisai pas pourquoi. Ryan semblait content de lui au bout du fil. Il songeait sans aucun doute que j'étais disposé à lâcher des infos sur Karen.

À la nuit tombée, l'obscurité et l'éclat aveuglant des néons jetaient un voile trompeur sur le tapin. La patine du sang, du sperme et de la merde qui jonchait le trottoir était dissimulée, les immeubles, le quartier étaient amalgamés en un tout. En plein jour, néanmoins, ce n'était qu'une plaie à vif. Les tas d'ordures étaient entassés contre les murs, comme des dunes sur une plage. La puanteur des flaques de vomi en train de sécher se mélangeait à l'odeur acide de la pisse qui s'étendait dans chaque recoin, à chaque début de ruelle. Les modestes atours dans lesquels le quartier parvenait à se draper durant les heures d'activité nocturne étaient impitoyablement arrachés dès le lever du soleil.

Sous la lumière, les putes se faisaient plus discrètes. Mais les plus motivées ou les plus désespérées étaient là, de sortie pour une passe de mi-journée avec un zombie de bureau qui privilégierait un coup rapide dans un box pas plus grand qu'une cabine d'essayage à une salade dans un restaurant d'entreprise.

J'avais pris des brochettes d'agneau à la grecque et un café au comptoir. Je regardais les putes arpenter la rue d'un air morne et me demandais quel genre d'appât convaincrait Ryan. Une simple baise ne suffirait pas. Il pouvait avoir une passe gratuite à la demande. Il n'avait qu'à exhiber sa carte et n'importe quelle fille serait prête à les écarter rien que pour éviter de perdre une nuit au commissariat. Non, pour obtenir l'adresse de Bella de la part d'un mec qui regardait des gonzesses se payer des marteaux piqueurs, j'avais besoin d'un truc plus vicieux.

Pendant les mois où j'avais traîné dans le coin, j'avais récolté quelques infos sur certaines filles : une discussion autour d'un verre entre deux passes, un ragot rapporté, des éléments que vous glanez juste quand vous observez ce qui se déroule dans la rue. Pas le genre de révélation qui vous élève particulièrement, mais un bon moyen de passer la nuit.

J'avais entendu parler de Rosie comme ça. Une brune, la quarantaine, qui bossait plus par plaisir que pour l'argent. Elle aimait bien que les gars lui chient dans la bouche. La rumeur prétendait qu'elle avait un mari et deux enfants quelque part. Cependant, elle passait tellement de temps au tapin, nuit et jour, qu'à mon avis ce n'était pas vrai.

Je la trouvai à son endroit habituel, devant la porte d'une corsèterie abandonnée, dans une rue perpendiculaire à deux cents mètres du tapin, comme si sa passion désintéressée l'avait mise au ban. Elle portait une minijupe en latex noir. Son corps paraissait flasque, en léger surpoids. J'avais mis le costard que Bella m'avait payé au clou et avec le reste de l'argent, je disposais de trois cents dollars. Je savais que j'allais en dépenser une grande partie pour la traîner à Santa Monica avec moi, mais c'était inévitable. Sa bouche affectait une sorte de tic nerveux qui lui faisait retrousser les lèvres lorsqu'elle parlait.

« Alors, c'est qui, le client ?

— Un type.

— Ouais, mais il fait quoi ?

— Quelle importance ? Je paye.

— Bien sûr que c'est important. J'accepte tout, mais il y a une différence. Par exemple, le style de vie est capital. Un homme qui passe sa journée assis sur son cul à bouffer des mets raffinés a de fortes chances de ne rien expulser de fameux. Crois-moi, je connais l'utilité des fibres. Donuts au petit déjeuner, burrito au déjeuner et des nuggets de poulet au dîner, tu vas couler un bronze de quinze centimètres, si tu as de la chance. Et puis il sera mince. Quelqu'un qui mange du muesli et s'entraîne, eh bien, c'est une autre paire de manches. Il sera capable de sortir trente centimètres de bonne grosse merde, au minimum.

— La taille compte ?

— La matière est plus consistante. Mais l'avantage est à double tranchant, parce que les excréments qui proviennent d'un côlon en mauvais état ont une odeur plus forte. Si on me donnait le choix, malgré tout, neuf fois sur dix, j'opterais pour la taille. Peut-être sept fois sur dix.

— Ne t'en fais pas, ce type est rempli de merde.

— C'est un jeu de mots, hein ? »

Nous roulâmes tranquillement jusqu'à Santa Monica Boulevard.

Ryan s'était garé devant le Centre de loisirs pour personnes âgées. Il était assis sur un banc, sous un palmier. Il n'y avait aucun SDF à trente mètres à la ronde. L'un d'eux avait sans doute déconné avec lui et s'en était mordu les doigts. Je laissai Rosie dans la voiture et allai prendre place à côté de Ryan.

« Jackie, comme c'est bon de te revoir. Parle-moi de la limousine devant le Bradbury Building.

— Le Bradbury Building ?

— D'où j'étais, on aurait dit qu'il s'agissait de la même gonzesse que celle qui est passée chez toi. »

Je me souvins de la Sedan grise qui m'avait bouché la vue après le départ de Bella.

« Je vous échange les infos sur la limousine contre une adresse.

— Jackie, j'ignore si nos relations ont atteint le stade de l'échange. Quelle adresse ?

— La femme qui était à mon domicile, la femme du Bradbury Building. Elle a oublié de me payer. »

Ryan se mit à rire.

« J'ai vu qu'elle t'avait laissé sur le trottoir. Qu'est-ce qui s'est passé ? Un retard à l'allumage ?

— L'adresse ? Vous l'avez obtenue par le Service Central Auto, vous vous souvenez ?

— Oh, j'ai obtenu plus que ça. Mais raconte-moi ton histoire d'abord. »

Je ne voulais rien lui lâcher sans garantie, mais Ryan avait la main et je ne pouvais pas faire grand-chose.

« Elle m'a appelé pour m'inviter à une soirée.

— On dirait que ça devient sérieux.

— Elle avait besoin qu'on l'accompagne, c'est tout.

— Et ces quinze minutes, à l'arrière de la limousine ?

— Vous avez chronométré ?

— J'essayais d'imaginer à quelle sauce elle te bouffait.

— Bon Dieu…

— En échange de l'adresse, je veux les détails, comme si on était au téléphone rose.

— Vous savez ce que j'étais en train de faire, vous savez que je ne suis pas rentré avec elle. C'est suffisant. Vous voyez cette femme dans ma voiture ? Elle a été payée et ce n'est pas une pute banale.

— Je vois. Quel âge a-t-elle ?

— Elle jouit quand on lui défèque dans la bouche. »

Ryan sortit un tonicardiaque de sa poche.

« T'es rapide à la détente, Jack, mais je n'ai jamais considéré qu'il en était autrement en ce qui te concerne. On doit faire ça où ?

— On prendra une chambre.

— Mets-moi dans l'ambiance. Comment ça s'est déroulé, à l'arrière de la limousine ?

— Merde, Ryan. Elle me dira où elle habite bientôt, de toute façon.

— Mais tu ne peux pas attendre.

— Vous me fournirez l'adresse, si j'obéis ?

— Parole d'honneur. »

Alors, je racontai tout comme si on était dans un porno crade. Des précisions comme la trace de merde que j'avais vue lorsque Bella avait retiré le doigt de son cul, le bruit de déglutition qu'elle avait fait quand j'avais déchargé dans sa bouche. Une fois que j'eus terminé, Ryan se leva rapidement et se dirigea vers sa voiture.

« Allons-y. Pas la peine de la faire sortir, contente-toi de me suivre. Tu connais le Starway, sur Wilshire ?

— Donnez-moi l'adresse de Bella, et emmenez-la avec vous. Je vous file les sous pour la chambre.

— Oh non, Jackie, il faut que tu viennes aussi. »

L'hôtel Starway était un bouge situé au-dessus d'un détaillant de chaussures, à l'est de Santa Monica. C'était le genre d'hôtel où des Chevrolet Camaro version TransAm de dix ans d'âge pouvaient se garer pour la nuit et repartir avant l'aube sans que le gérant se pointe. Les chambres étaient ouvertes à tous vents : les fenêtres fermaient mal, les portes n'avaient pas de loquet. À l'intérieur, la moquette était crasseuse et les draps tachés. Néanmoins, la location n'était pas chère et, tant que les autres clients n'étaient pas occupés à essayer de vous dévaliser, chacun se mêlait de ses oignons.

Rosie prit un papier plastique d'environ deux mètres carrés dans son sac et le déplia au milieu de la pièce. Je grimpai sur le lit, et m'adossai dans un coin. J'étais furax. Je voulais l'adresse de Bella en main propre, je voulais partir la rejoindre. Au lieu de ça, j'étais bloqué ici, soumis au bon vouloir de Ryan sans garantie qu'il tienne sa promesse.

« Ce sera une expérience pour nous deux, Jackie. » Ryan jeta un coup d'œil à Rosie et secoua la tête. « Mon Dieu... Qu'arrive-t-il donc à certaines personnes ?

— C'est vous qui allez vous y coller.

— Il s'agit d'une opportunité. Qui refuserait ?

— La plupart des gens. »

Il s'assit sur le bord du lit et enleva ses chaussures. Il avait des petits pieds. Il rigola.

« Tu n'irais pas, si c'était cadeau ?

— Pas mon truc.

— Peut-être que ce n'est pas assez extrême.

— Ouais, O.K. »

Ryan avait baissé son caleçon. Il prit une enveloppe dans sa veste et me la lança sur les genoux.

« Je t'ai amené une autre surprise. »

Je zieutai à l'intérieur : plusieurs photos sur papier glacé.

« Vas-y, regarde. Je ne penserai pas le moindre mal de toi. »

Je laissai tomber l'enveloppe sur le lit. Ryan eut l'air déçu. Rosie était allongée par terre sur le dos, nue, jambes écartées. Elle parlait toute seule. Le plastique crissait sous elle. Ryan me fit un clin d'œil et se dirigea vers elle.

« C'est l'heure de s'y mettre. »

Vu de derrière, on aurait dit une espèce de limace géante à la recherche de sa nourriture. Il ne perdit pas une minute. Il n'avait pas besoin de ceinture, sa graisse aurait rempli n'importe quoi. Ses fesses étaient si grosses que sa raie n'était qu'une minuscule fissure entre les jambes et le bas des reins.

Il surplomba Rosie un instant et mit son pied dans sa chatte. Elle appuya dessus. Ensuite, il se mit à quatre pattes et rampa sur elle jusqu'à ce que son sexe en érection atteigne sa bouche. Il l'enfonça aussi loin qu'il put. Elle le prit jusqu'à être sur le point de dégobiller, puis elle lui dit de pivoter. Même dans cette position, ses fesses restaient collées l'une contre l'autre. Elle dut se servir de ses mains pour les écarter. Lorsqu'elle vit son anus, elle gémit et y colla son nez. Ses tétons durcirent et elle papillota comme en pleine défonce.

« Accroupis-toi sur moi, bébé. »

Les jambes tendues de Rosie étaient prises de tremblements. Ryan ressemblait à un petit sumotori, ramassé au-dessus de sa tête, les bras croisés sur les genoux. Sa bite était moche, noire contre la peau blafarde de sa bedaine. Rosie colla sa bouche où il fallait. Je regardai les côtés de ses lèvres onduler tandis qu'elle faisait marcher sa langue. Cela prenait trop de temps. Mon intérêt faiblissait, alors je sortis les photos de l'enveloppe et les examinai.

Cinq clichés, deux corps, sous plusieurs angles. Un mec sur le dos, une bonne femme écroulée sur lui, le bois d'amour encore planté dans sa fente. Emprisonnés tous les deux ensemble par la rigidité. Une chambre d'hôtel, des motifs sans prétention sur la tapisserie. Leur tête était recouverte de sacs plastique maintenus autour du cou par du ruban adhésif argenté. Je pouvais voir le logo d'une marque d'alcool sur celui que portait la nana.

Dément. De vrais morts en pleine copulation. Une représentation si choquante que, pendant un instant, j'eus du mal à me la figurer, je ne pouvais reconstituer l'amas de membres et d'orifices pour en faire deux corps entremêlés. Et lorsque j'y parvins, j'eus une érection. Je mis les photos de côté pour plus tard.

Rosie susurrait des trucs à Ryan.

« Tu es prêt, bébé ? Tu peux y aller maintenant ? Expulse-moi ce qu'il y a dans ce gros cul. Allez, bébé, allez. »

Ryan se concentrait. Il y eut un moment d'immobilité complète, son visage s'empourpra. Rosie restait inerte, la gueule ouverte. Puis il grogna et un flot de merde liquide émergea de son rectum, remplit le clapoir de Rosie, recouvrit son visage d'une nappe brune et grumeleuse, comme si on lui avait déversé un seau dessus.

Elle toussa, avala, toussa de nouveau. Les excréments lui ressortaient par le nez, elle s'essuyait les yeux. Elle se pourlécha une fois, dans l'espoir d'en absorber un maximum. Puis elle se détourna et vomit. Mais Ryan n'avait pas fini. Après une petite rafale de pets, quelque chose de plus consistant déboucha. Une déjection mince et courte qui chuta sur l'oreille et le côté du cou de

Rosie, telle la dépouille d'un serpent. Elle s'en saisit et l'écrasa entre ses seins. Ryan m'adressa un sourire moqueur, puis roula sur elle et l'encula. Il aurait pu faire ce qu'il désirait, Rosie planait au paradis des flux alvins.

Ryan prit une douche et s'habilla. J'ouvris la fenêtre, m'assis, et égrenai les minutes qui me séparaient du départ. L'odeur dans la pièce était épouvantable. Rosie était allongée sur son papier plastique, la tête dans une flaque de merde. Les yeux fermés, elle faisait des bruits qui ressemblaient à ceux d'un nourrisson assoupi.

« On dirait qu'elle a apprécié. » Ryan noua sa cravate. « Putains de tonicardiaques, j'ai pas chié solide depuis cinq ans. Tu crois que Mademoiselle Vernier donne dans ce genre de trucs ?

— Qui ?

— La gonzesse de la limousine. »

Ryan extirpa un petit carnet de notes, en arracha une page et me la tendit.

« L'adresse fournie par le Service Central Automobile. La même que celle à laquelle s'est rendue la limousine.

— Vous l'avez suivie jusque chez elle ?

— Je m'intéresse à tes fréquentations. Elle s'habille bien, c'est un gros lot. »

Ryan et moi laissâmes Rosie par terre, dans les vapes, et retournâmes dans le vrai monde. Fin d'après-midi. Le ciel était dégagé et une brise agréable soufflait en provenance de l'océan. La circulation commençait à reprendre sur le boulevard.

« Tu veux un café, Jack ?

— Non.

— Elle a oublié de te payer, hein ?

— C'est ce que j'ai dit.

— Bien sûr.

— Peut-être simplement que je l'aime bien. »

Ryan se mit à rire.

« Ne salis pas trop les photos. »

Puis il remonta dans sa voiture et s'en alla.

Chapitre 19

Dans les quartiers plats de Beverly Hills, les gens font tout pour exhiber leur richesse. À Malibu, ils essayent de la cacher. Les très grosses fortunes, néanmoins, sont établies sur les hauteurs. Plus d'espace, une meilleure vue, l'isolement effectif. Les routes sont étroites et sinueuses. Il n'y a pas de trottoir. Le seul signe de vie humaine réside dans les allées occasionnelles qui disparaissent derrière les écrans de végétation.

L'accès à l'adresse fournie par Ryan était bouclé par un portail en fer noir à double battant de trois mètres de haut scellé dans un solide mur de pierre. À travers la grille, je pouvais apercevoir des pins, des séquoias, et d'autres arbres d'origine européenne. Je me garai dans l'herbe sur le bas-côté et réfléchis. Comment expliquer que je connaissais son adresse ? Je ne pouvais pas lui révéler que je la tenais d'un flic. Je préparai un bobard à propos d'un gars que j'aurais connu au Service Central Automobile, ce qui n'était pas totalement faux. Lorsque ce fut bien clair dans ma tête, je sortis de la voiture et appuyai sur l'interphone à côté du portail. Personne ne répondit, mais il devait y avoir une caméra quelque part car, au bout d'un moment, le portail s'ouvrit. Je roulai le long d'une allée bordée d'arbres. Environ cinq cents mètres plus loin, le chemin s'ouvrait sur une aire tapissée d'herbes folles et entourée de forêt. Je m'étais attendu à quelque chose de mieux entretenu. Un parc aménagé, profilé. À ce qu'il semblait, Bella avait une conception minimaliste du jardinage.

La maison, au sommet de la montée, était grande mais pas ostentatoire. Vieilles pierres, toit en ardoise, vitres plombées : plus dans le style Nouvelle-Angleterre que Malibu. Je sonnai et regardai le chemin par lequel j'étais arrivé. Je pouvais entrevoir l'océan au-dessus des arbres.

Bella vint ouvrir elle-même. Elle n'eut pas l'air en colère de me voir. Tout le contraire, en fait. J'étais prêt à débiter mon histoire, mais ce fut inutile.

« Je pensais bien que c'était toi, la nuit dernière. Le chauffeur avait repéré tes phares. »

L'espace d'un instant, je fus largué, puis je compris. Elle m'avait confondu avec Ryan.

« Je n'aime pas dormir seul. »

Elle allongea le bras et passa sa main dans mes cheveux.

« Entre. »

L'intérieur de la maison était loin d'être aussi baroque que l'extérieur. Pas de vieilleries, pas de zones d'ombre, la déco était contemporaine. Il s'en dégageait un sentiment d'espace et de luminosité qui ne pouvait qu'être le fruit d'un remodelage complet et coûteux de l'agencement original.

Bella me conduisit en haut d'un escalier, le long d'un corridor en direction d'une série de pièces : chambre, salle de bains, penderie, et d'autres salles encore dont les portes étaient closes. Les fenêtres de la chambre se situaient au coin du bâtiment. Elles donnaient sur une grande piscine rectangulaire d'un côté et une étendue champêtre de l'autre.

« Jolie baraque.

— J'aime m'isoler. Un des avantages qu'offre la richesse est de permettre d'acheter de l'espace entre soi et les autres.

— Entre autres. »

Elle dégrafa mon pantalon. Je durcis dans sa main puis nous baisâmes une bonne heure. À la fin, j'avais mal partout et elle était maculée de foutre luisant.

Pendant qu'elle prenait une douche, je me baladai dans la maison. La déco des chambres était minimaliste : surfaces lisses et sobres, lignes claires de l'ameublement, le strict nécessaire. Dans une armoire qui prenait un pan entier du dressing, je trouvai ses vêtements. Ils étaient disposés avec la même méticulosité que dans un grand magasin : beaucoup de tailleurs courts, de couleurs sombres, pas de signes distinctifs, coupés dans les meilleurs tissus du monde. Ils avaient presque l'air austère sur la tringle, mais je savais à quel point le corps de Bella pouvait les transformer. La coiffeuse d'angle, sur la cloison opposée, était dénuée de produits cosmétiques, de bijoux. Il n'y avait qu'un poudrier en platine et un pinceau à paupières. Je fis courir mes mains partout, sur le bois massif poli, les pièces de menuiserie parfaites, sur les objets et les meubles que le reste de la planète ne pourrait jamais rêver de posséder. Je humais l'odeur de l'argent.

La porte fermée au fond de la chambre donnait sur un réduit aveugle équipé de matériel vidéo : deux caméras semi-pro sur tripodes, une table de montage VHS, trois moniteurs alignés au-dessus.

J'étais en train d'examiner les commandes de la table lorsque Bella arriva derrière moi et me toucha l'épaule.

« Tu t'y connais ? Ou es-tu seulement intéressé par le produit final ? Ce qu'on voit à l'écran ? »

Elle était drapée dans une serviette et le creux de son cou était encore humide.

« Je m'intéresse à tout ce qui se passe autour.

— J'ai parlé à Welks ce matin. Tu devrais l'appeler, il réfléchit à la possibilité d'un nouveau présentateur.

— Tu lui as mis la pression.

— Je suis une actionnaire. Je peux émettre des suggestions. Est-ce que ça t'a plu, de frayer avec ces porcs la nuit dernière ? C'est vraiment la vie que tu désires ?

— Ce sera toujours mieux que celle que j'ai maintenant. »

Elle m'embrassa et me sourit. Ce sourire me troubla. Aucune passion, pas de commisération ni de pitié ni d'amour… mais du contentement.

« Va te laver, Jack, on va bientôt manger. Je crois qu'il y a quelqu'un que tu seras curieux de rencontrer. »

La salle à manger se trouvait au rez-de-chaussée. Bella me prit le bras tandis que nous descendions les marches. Je m'attendais à entendre les cuisiniers et les domestiques s'affairer, mais la maison était silencieuse.

« Tu aimes les surprises ?

— Bien sûr.

— J'espère. »

Elle ouvrit la porte et nous pénétrâmes dans une espèce d'antichambre, une pièce réservée aux cocktails avec des divans et un bar. Un homme était posté devant la fenêtre et contemplait le paysage. Il nous tournait le dos mais fit volte-face quand nous entrâmes. Le mouvement dura deux secondes et je compris alors ce que Bella entendait par surprise.

« Jack, je voudrais te présenter mon père, Powell Vernier. »

Il y avait de l'amusement dans sa voix, comme si elle savourait une bonne blague. Mais ça me passa au-dessus de la tête. J'étais trop occupé à mesurer les consé-quences de ce que je voyais. L'homme en face de moi avait une chevelure argentée. Il m'avait fait monter dans sa Jaguar quand j'étais au tapin, et, plus tard, il m'avait largué dans une ruelle. Sa présence ici éclairait mes réflexions de la nuit passée, à propos de la fellation prodiguée par Bella et tout le bazar. Je passai de divaga-tions tardives et troublées émises par un esprit tordu, à quelque chose de beaucoup plus en phase avec la réalité.

Powell m'ignora et fixa Bella avec intensité.

« Est-ce bien malin ?

— Malin ou pas, il est là.

— Tu l'as invité ?

— On peut passer à autre chose ? »

Powell renifla et se détourna d'un coup. L'air hautain, il franchit les portes coulissantes qui menaient à la salle à manger proprement dite. Bella et moi le suivîmes.

Des verres en cristal et des couverts en argent étaient dressés sur la table, un bouquet de roses pâles disposé au centre. Au-dessous d'une rangée de fenêtres, des plats sous cloche reposaient sur un comptoir équipé de chauffe-assiettes. Je pensais voir arriver un employé pour faire le service, mais Bella et Powell s'en acquit-tèrent eux-mêmes. Bella perçut mon regard.

« Je n'aime pas qu'il y ait d'autres gens à la maison.

— Je n'ai rien dit.

— Nous avons des femmes de ménage, un cuisinier, et même un chauffeur. Mais aucun d'eux ne réside ici. Et lorsqu'ils sont là, ils doivent rester invisibles. »

Nous mangeâmes en silence pendant un moment.

245

Bella me jetait des coups d'œil. On aurait dit qu'elle attendait que quelque chose advienne. Je me contentais de rester assis et me demandais ce qui était en train de se passer.

« Tu ne dis rien ? »

Bella s'était arrêtée de manger et m'observait, incrédule.

« À propos de quoi ?

— À propos de Powell.

— Eh bien, je n'étais pas certain…

— Que je sois impliquée ? Je le suis. Que penses-tu de nos… préoccupations sociales ?

— Je n'ai pas beaucoup d'éléments pour en juger, n'est-ce pas ?

— Je suis désolée pour le spray. C'est une mesure de sécurité indispensable. La reconnaissance peut facilement se transformer en avidité. Nous ne t'avons pas traité car il aurait été malhonnête de travailler sur une personne que je convoitais. De plus, tu n'es pas un sans-abri.

— Tu es médecin ?

— Powell a plus d'expérience.

— Pourquoi ne vous êtes-vous pas contentés de me laisser me réveiller et de me renvoyer chez moi ?

— Je n'étais pas sûre de toi. J'ignorais comment tu aurais pu réagir. »

Powell leva les yeux de son assiette.

« Tu le connais assez bien, maintenant ? »

Il avait découpé son mets en petits morceaux mais n'avait pas ingurgité plus de deux bouchées. J'étudiai ses yeux et compris la raison de leur inexpressivité lorsqu'il m'avait embarqué sur le trottoir : ses pupilles étaient en tête d'épingle. Le type était défoncé. Bella ne lui prêta pas attention.

« Nous sommes en quelque sorte très soucieux de notre vie privée.

— Me laisser dans une ruelle était la seule solution ?

— Une ruelle ?

— Je me suis réveillé en compagnie de deux clodos qui essayaient de m'enlever mon pantalon. »

Powell se balançait lentement. Bella se tourna vers lui.

« Je t'avais dit de prendre des pincettes avec lui.

— Tu aurais fait quoi ?

— Je ne l'aurais certainement pas laissé dans une ruelle. » Puis à mon intention. « Où ça ?

— Hollywood.

— Hollywood ! Pour l'amour de Dieu, Powell, où avais-tu la tête ?

— Je pensais à notre sécurité.

— En es-tu sûr ?

— Qu'est-ce que tu sous-entends ? »

Powell affichait une expression mielleuse qui m'indiqua que quelque chose m'échappait. Bella changea de sujet.

« Dirais-tu que nous sommes des philanthropes, Jack ?

— Cette histoire de soins gratuits, c'est vrai ?

— Bien entendu. Ce ne sont pas toujours des soins complets : un bilan, quelques médicaments, un peu d'argent. Mais je crois que c'est utile.

— Je pensais que tu n'aimais pas les gens ? »

Powell produisit une sorte de jappement avorté. Je supposai qu'il s'agissait d'un rire. Bella lui jeta un regard noir.

« Juste certaines personnes. Ceux que nous aidons sont si insignifiants qu'ils ne valent pas la peine que l'on porte un jugement sur eux.

— Comme vous voyez, ma fille fait preuve d'un altruisme total. »

Bella lui adressa un sourire feint.

« Mais tu contribues tellement à la cause, Père, n'es-tu pas animé par l'altruisme toi aussi ?

— Tu sais pourquoi je participe.

— Oui, je le sais. » L'amertume dans la voix de Bella était évidente.

Elle se ressaisit et me regarda avec un air d'excuse.

« Il faut que tu nous pardonnes, nous avons travaillé tellement dur. »

Plus tard. En haut, dans son lit. Elle baisa comme une malade, griffures sur mon torse, sueur dans mes yeux. On aurait dit que quelque chose luttait pour sortir de son corps et fusionner avec mon cœur.

Ensuite, je fumai dans l'obscurité et fixai les traînées visqueuses de mon foutre qui brillaient au clair de lune sur ses jambes.

« Pourquoi Powell a-t-il agi comme un commis, quand il m'a embarqué ? Il n'a pas mentionné le fait d'être médecin.

— Il pense que cela cloisonne les activités. Une précaution au cas où quelqu'un le reconnaîtrait.

— Il ne m'aime pas.

— Il te hait. Il a haï tous les amants que j'ai pu avoir.

— Tu en as eu beaucoup ?

— Cela te chagrinerait ?

— Je veux juste me faire une idée du temps que je durerais.

— Tu dureras autant que tu le désires.

— C'est moi qui choisis ?

— Tu choisis tout. Comme chacun de nous. La volonté propre, c'est ce qui nous définit en tant qu'êtres humains.

— Si tu as assez d'argent.

— Si tu as la force de décider ce que tu veux vraiment, d'agir en conséquence et d'en faire une réalité.

— Ça a l'air simple.

— Seuls les faibles acceptent l'échec, Jack.

— De quoi voulais-tu parler, devant le Bradbury Building, quand tu as évoqué l'amour ?

— Je te demandais de faire un choix.

— En ce qui nous concerne ?

— En ce qui te concerne. Je peux t'offrir tout ce dont tu rêves. Mais il y a certains détails chez moi que tu pourras trouver inhabituels.

— Comme ?

— Oh, une chose à la fois, je pense. »

Bella sourit et glissa ses jambes hors du lit.

« Il faut que je t'avoue un truc, Jack. Je n'ai pas été très honnête avec toi.

— À propos de quoi ? »

Je retins mon souffle. Peut-être allait-elle faire quelque révélation sur les reins.

« À propos de la manière dont je t'ai trouvé après la fête, à Bel Air.

— Tu as parlé à mon client.

— Je ne crois pas qu'il aurait été disposé à te rendre le moindre service.

— Ouais. Comment, alors ?

— Lorsque Powell t'a pris, tu avais une carte dans ton portefeuille : l'agence d'escort.

— Oh.

— Te rappelles-tu les événements de cette nuit-là ?

— Entre le moment où je me suis fait gazer et celui où je me suis réveillé ? Non.

— Rien ?

— Eh bien…

— Viens avec moi. »

Dans la salle vidéo, elle appuya sur un pan de mur qui coulissa, dévoilant un stock de cassettes. Elle en attrapa une, la glissa dans le lecteur et la fit défiler. Je me vis, inconscient sur un brancard. Ambiance médicale : murs verts, tenues chirurgicales vertes. Mon pantalon était baissé sur mes genoux et Bella avait ma bite dans sa bouche. Au moment où je vins, elle laissa le tout gicler entre ses lèvres.

Elle arrêta la cassette.

« La drogue que nous utilisons préserve certaines capacités physiologiques. Dont celle-ci.

— Je croyais qu'il s'agissait d'un rêve.

— Est-ce que ça t'ennuie ?

— Pourquoi ?

— Profiter d'une personne inconsciente pourrait être considéré comme un abus de faiblesse.

— Mais seuls les faibles acceptent l'échec, pas vrai ? »

Elle rit.

« Je ne pouvais pas laisser passer cette opportunité. »

Elle me reconduisit dans la chambre et commença à se brosser les cheveux.

« Que fais-tu ?

— J'ai du travail.

— Quel travail ? Il est presque minuit.

— Des résultats d'examens qu'il faut que j'étudie avant demain. J'en ai pour quelques heures, ne m'attends pas. »

Elle prit une douche rapide et quitta l'appartement.

Je ne m'attendais pas à ça pour ma première nuit chez elle, mais bon, j'étais venu à l'improviste. J'allumai une cigarette et demeurai dans le noir, songeur.

Bella et Powell étaient tous deux impliqués dans cette histoire de soins médicaux pour SDF. Aucun d'eux n'avait parlé de reins, mais si les interventions étaient réelles, il était plus que probable qu'ils étaient également impliqués ensemble.

Un médecin qui prélevait des reins et qui était aussi un des clients avec lequel Karen passait du temps...

Joey avait prétendu avoir été examiné par une femme. Mais après l'anesthésie, il ne pouvait pas savoir qui avait effectué l'opération : Powell, avec son attitude de simple sous-fifre, avait pu le tromper comme ç'avait été le cas pour moi. Avec qui Karen baisait-elle ? Powell ? Ce n'était certainement pas son âge ni son aspect sinistre qui auraient pu la dissuader s'il y avait de l'argent à la clef. Cependant, je ne pouvais pas écarter Bella non plus : elle ne m'avait pas paru être le genre de femme à mettre des barrières à ses inclinations sexuelles. Et Karen, à rétribution égale, ne faisait aucune différence entre les bites et les chattes.

Le tatouage me turlupinait. Celui de Karen avait fait son apparition quand elle était revenue de son plan cul. Bella avait déclaré qu'un ami avait exécuté le sien. Même motif. C'était plus qu'une coïncidence. Vous ne sortez pas avec quelqu'un et vous n'arborez pas exactement le même symbole sans éprouver des sentiments puissants à son égard.

Si cela désignait Bella comme partenaire sexuelle, est-ce que ça supposait aussi qu'elle était mouillée dans le meurtre ? Même si les conflits entre amants étaient chose courante, je ne voyais pas pour quel mobile Bella aurait tué Karen. Après tout, elle avait déjà son rein. Et même si on admettait que Karen était revenue et avait commencé à l'emmerder à propos de l'opération, peut-être dans le but de lui soutirer un bonus, il suffisait d'un coup d'œil pour comprendre qu'elle n'avait rien à gagner à menacer d'aller voir les flics : ce n'était pas son genre, voilà tout. Néanmoins, il pouvait y avoir encore un tas de merdes sous le tapis dont je ne savais rien.

J'ignorais ce que pouvait être ce tas de merdes, mais j'avais deux éléments qui faisaient de Powell une meilleure option en tant que tueur. Il pouvait éjaculer, et, pour une raison inconnue, il haïssait les amants de Bella. Ce qui signifiait que la semence trouvée dans les tripes de Karen pouvait être la sienne et qu'il avait un prétexte pour la supprimer.

Bien sûr, ç'aurait pu être une action concertée : papa et fifille, complices à la suite d'une opération qui avait dégénéré. Cependant, d'après les vibrations que je sentais entre eux, je trouvais cette idée improbable. Les divergences et les piques vicieuses étaient trop nombreuses pour que le mot « complicité » leur soit familier.

Je tournai ces pensées dans ma tête pendant des heures dans le but de me faire une idée, mais je ne possédais pas assez d'informations pour arriver à en conclure quoi que ce soit. Le seul résultat fut une crise d'angoisse : si Bella était l'assassin, les choses pourraient sacrément mal tourner avant que je puisse tirer un quelconque bénéfice de sa fréquentation.

Chapitre 20

La lumière du matin me réveilla. Les fenêtres étaient ouvertes. Elles laissaient entrer un petit vent marin. Bella se tenait près du lit, habillée de pied en cap. Elle avait l'air trop frais pour quelqu'un qui avait travaillé toute la nuit.

« J'espérais que tu te réveillerais avant que je parte.

— Où vas-tu ?

— Je possède une clinique dans Brentwood.

— Là où m'a emmené Powell ?

— Non. Il s'agit d'un endroit plus orthodoxe.

— Tu travailles à plein-temps ?

— Un jour par-ci par-là. Ça m'entretient.

— Même si tu n'es pas obligée ?

— Il y a des compensations. » Bella me sourit d'une manière suggestive. « Tu restes jusqu'à mon retour ?

— Bien sûr. Je peux utiliser la piscine ?

— Évidemment. Et appelle Welks. »

Elle me tendit une carte de visite.

« À quelle heure rentreras-tu te coucher ?

— Tard. »

Environ une heure plus tard, je levai mon cul, pris une douche et errai au rez-de-chaussée jusqu'à ce que

253

je découvre une table avec petit déjeuner dans une pièce ornée d'une baie vitrée. Céréales, fruits, pâtisseries et café pour une personne. Je m'étais levé en dernier et cette opulence me donnait un léger sentiment de laisser-aller.

Je mangeai les pâtisseries, bus le café et fumai une ou deux cigarettes. Il n'y avait pas de télé dans la pièce. Au bout d'un moment, je commençai à m'ennuyer, aussi, je sortis par la baie pour admirer le paysage. De ce côté de la maison, le jardin se résumait à cinquante mètres carrés d'herbes folles bordés par la forêt. D'épaisses fougères poussaient au pied des arbres. Je me frayai un chemin parmi elles et me demandai si la propriété d'Arnold Schwarzenegger ressemblait à ça. J'avais vu les clichés de Leibovitz, où il montait un cheval blanc, et j'avais toujours pensé que sa maison se dressait au milieu d'une forêt de Bavière transplantée.

La rosée au sommet des fougères s'était évaporée au soleil, mais par-dessous, elles étaient à l'ombre et mes chaussures furent trempées lorsque je traînai les pieds. C'était un truc de gosses, comme quand on courait dans les feuilles mortes, mais qui était là pour le voir ? Je n'avais pas encore croisé un seul domestique et Powell était sans doute occupé à se préparer son fix matinal. Et puis j'aimais bien le bruit que ça faisait.

C'est alors que mon pied droit s'enfonça dans le cadavre d'un chien.

Je le tirai jusqu'à une zone de végétation dégagée et décoinçai mon pied de la masse spongieuse de chair et d'os qui avait jadis constitué sa cage thoracique. Une fois, lorsque j'étais enfant, j'avais trouvé la carcasse d'un chien noyé dans une crique. Quelqu'un s'en était déjà occupé avant moi et lui avait introduit un morceau de bois dans le cul. La peau à cet endroit était disloquée et les lambeaux flottaient, portés par le courant, semblables à du papier de soie. J'avais eu une érection car je savais que l'auteur de cet acte, qui qu'il fût, avait dû éprouver la même chose. Néanmoins, ce chien-ci était différent. Sa mort avait dû être douloureuse. L'épiderme de son museau était desséché et avait viré au noir. Ses yeux avaient été dévorés. Il devait se trouver dans les broussailles depuis un bout de temps.

Le corps de l'animal m'inquiétait. Les collines de L.A. abritaient des chiens sauvages et l'un d'eux aurait très bien pu considérer ce jardin comme le paradis des canidés. Mais selon moi, ce n'était pas le cas. Ce chien était un animal domestique et il n'avait rien décidé. Quelqu'un l'avait tailladé de l'aine à la poitrine et l'avait éviscéré.

Je le renvoyai à coups de pied dans les buissons et fis le tour de la maison. Powell était de l'autre côté de la piscine, vêtu d'un complet sombre de coupe classique, en train d'observer la course des nuages dans le ciel. Je le saluai, mais il ne répondit pas. Il se contenta de me fixer avec des yeux de merlan frit durant une poignée de secondes puis de relever la tête vers le ciel. Je n'allais pas m'emmerder avec ce genre de conneries si tôt le matin. Je pris place sur une chaise à proximité d'un des piliers qui entouraient la piscine et, face au soleil, fermai les yeux.

À peine deux minutes plus tard, une ombre s'interposa. Powell, bien sûr, planté là comme s'il envisageait de m'enfoncer un objet pointu dans le corps.

« Viens avec moi, je veux te montrer quelque chose. »

Dans une pièce au rez-de-chaussée, chacun assis de part et d'autre d'une table basse, un album photo fermé entre nous.

Powell effleura l'ouvrage avec la même fierté que s'il était en possession d'un trésor. Il avait de longs doigts fins.

« Tu t'attends à ce que ta relation avec Bella dure ?

— Pourquoi pas ?

— Regarde ça. »

Il ouvrit l'album et tourna les pages. Il les tenait de manière à ce que je puisse voir. Toutes les photos représentaient Bella. Les premières dataient du milieu de l'adolescence. Elle portait des jeans moulants et des maillots de bain. On ne s'attendait pas à ce genre de photo de la part d'un père sur sa fille. Certains détails étaient trop flagrants : les petites lèvres à peine pubères séparées par la couture de l'entrejambe, prises de derrière lorsqu'elle était penchée, quelques poils qui dépassaient d'un bikini, les tétons visibles à travers un fin T-shirt. Cependant, Bella avait l'air assez naturel. Elle semblait ignorer ce que l'objectif photographiait.

Sur la série suivante, elle était un peu plus âgée. Elle posait nue. Des imitations de photos pour magazines de charme sur lesquelles elle exhibait son corps tantôt avec insolence et provocation, tantôt avec ennui.

« C'est moi qui les ai toutes prises. Regarde les suivantes. »

Il poussa le volume vers moi. Je feuilletai les pages et pénétrai dans des territoires pornographiques : jambes écartées, chatte ouverte, anus offert, doigts et objets divers dans les deux orifices. De ses vingt ans jusqu'à aujourd'hui. Sur chaque cliché, Bella se comportait comme si elle brandissait une arme, comme si elle prenait le contrôle de la dynamique entre elle et Powell dès que les flashes crépitaient.

Powell reprit l'album et le ferma.

« Tu es choqué ?

— Il n'y a rien ici que je n'aie déjà vu. »

Ses mâchoires se contractèrent.

« Mais tu trouves ça bizarre que je prenne de tels portraits, n'est-ce pas ?

— Je dirais que ce n'est pas tout à fait normal.

— Bella était pleinement consentante, excepté pour les photos plus anciennes. Ce domaine, mon ami, n'est pas celui de la normalité. C'est un monde à l'intérieur du monde, un univers particulier où nous vivons en dehors des règles que tu respectes. Si tu crois que Bella est juste une nouvelle femme qui passe dans ton lit, quelqu'un qui se conduit de la même façon que les déchets auxquels tu es accoutumé, tu te trompes du tout au tout.

— Vous essayez de m'effrayer, pas vrai ?

— Je serais curieux de voir combien de temps tu garderas cette attitude bravache. » Powell se leva. « Je vais en ville. Tu veux que je te laisse les photos ? »

Je levai les yeux vers lui, vers son regard de pierre, empoisonné, camé, et je sus à quel point Bella avait raison, lorsqu'elle prétendait qu'il me haïssait.

Après son départ, je sortis la carte de Howard Welks et trouvai un téléphone. J'hésitai. La perspective d'appeler le patron d'une chaîne de télévision pour demander du travail me rendait nerveux. À la place, je composai le numéro de Rex.

« Devine d'où je t'appelle.

— C'est qui ?

— Jack.

— Oh. »

Rex avait la voix d'un homme qui n'a plus rien à l'intérieur de lui. Il paraissait de surcroît plus que défoncé.

« Je suis à Malibu, mec. Dans la maison de cette femme. Bon Dieu, tu devrais voir cet endroit.

— Quelle femme ?

— Celle à cause de qui je me suis fait virer de l'agence. Je l'ai suivie.

— Jack, c'est, genre, une plaisanterie ?

— Une plaisanterie ? Merde, non, c'est la vérité. Pourquoi tu dis ça ?

— Tu ne crois pas que c'est un peu déplacé, étant donné la situation ?

— Putain, mec, c'était un accident. Ce n'était pas ta faute.

— Je l'ai tué quand même.

— Ouais, je sais. Et personne ne prétend que ce qui est arrivé n'est pas un truc moche. Pour toi et pour lui.

— Mais je parie que ça ne t'empêche pas de dormir.

— Qu'est-ce que tu veux que je te dise, bon Dieu ? Je ne vais pas en faire l'événement capital de ma vie.

— Eh bien, c'est l'événement capital de ma putain de vie à moi.

— Peut-être que tu devrais en parler à un médecin. Tu sais, prendre conseil.

— Ça ne lui rendra pas sa saloperie de vie, si ?

— Tu vas faire quoi, alors ? Je veux dire, il me semble que tu dois réagir, mec.

— Tu sais ce que je vais faire ? Je vais m'enfiler une autre dose et puis je vais me comporter comme toi. Je vais faire comme s'il n'était rien arrivé. Qu'est-ce que tu en penses ? »

Il raccrocha avant que je trouve quoi répondre.

Le second coup de téléphone me rasséréna un peu.

Howard Welks était en réunion mais il avait laissé un message à sa secrétaire. Elle transmit l'appel à un type nommé Larry Burns qui se révéla être le délégué de production. Burns n'était pas fou de joie à l'idée de faire de la place à un nouveau présentateur, et en particulier quelqu'un qui n'avait pas d'expérience. Il essaya avec force de trouver un prétexte pour faire capoter le projet avant qu'il ne commence. Mais je connaissais trop la vie des stars. Aucune de ses questions ne me déstabilisa. À la fin, il me demanda de passer le lendemain pour faire un essai face caméra.

Quand je reposai le combiné, mes mains tremblaient. Deux mois plus tôt, je me démenais pour joindre les deux bouts, à servir des donuts aux routiers et aux ouvriers. Et maintenant, j'avais l'opportunité dont tout le monde rêvait à L.A. : l'exposition médiatique. L'opportunité de devenir celui que les autres voulaient être.

Je savais que je n'y étais pour rien. Si j'arrivais à passer à la télé, ce serait grâce au poids financier de Bella, c'est tout. Mais qu'est-ce que ça pouvait me foutre ? Tant que je possédais une voiture rapide, une maison dans les collines, et ma photo dans les pages des magazines, rien d'autre n'avait d'importance. Cependant, l'idée de marcher dans un studio rempli de techniciens et de cameramen me rendait clairement nerveux.

Mais pour ce genre de problèmes, la came avait sa pleine utilité.

Je nageai à poil dans la piscine, puis allai m'asseoir contre l'une des colonnes pour bronzer. Les nuages qui avaient intrigué Powell avaient disparu. Le ciel était du même bleu que les anciennes plaques d'immatriculation californiennes. Au-delà des arbres, une bande d'océan scintillait.

Plus tard, je m'habillai et me rendis à la Prelude

garée devant la maison. Le dernier jeu de photos que Ryan m'avait donné se trouvait toujours dans la boîte à gants. Je les emmenai à l'étage, dans les appartements de Bella, m'installai sur le lit et les examinai. Les amants aux sacs plastique, des cadavres caoutchouteux unis par une queue. Au bout d'un moment, je gagnai la salle de bains pour me taper une branlette au-dessus du lavabo.

Je passai le reste de la journée devant la télé. Je fumais, je me tenais au courant.

Après avoir survécu à l'ablation d'une tumeur cérébrale, Elizabeth Taylor devait maintenant faire face au diabète. Leonardo DiCaprio avait été photographié à la sauvette en train de manger du pop-corn bio pendant une pause sur le tournage de *Titanic*. Sur le plateau de *Michael*, Nicolas Cage avait participé à une fête surprise pour l'anniversaire de John Travolta. Ensuite, ce dernier avait allongé quatre mille sept cents dollars pour un manoir et vingt-cinq mille pour la soirée, en compagnie de Tom Hanks, Sean Penn, Sharon Stone, Priscilla Presley et Dustin Hoffman.

Bella rentra aux alentours de cinq heures. Après avoir baisé et dîné, nous nous installâmes près de la piscine.

« Powell et moi avons eu une petite discussion ce matin, après ton départ.

— Ça a dû être instructif.

— Il m'a montré des photos. »

Bella soupira.

« Sa collection privée, je suppose.

— J'imagine.

— Tu en as pensé quoi ?

— Sexy.

260

— Tu sais pourquoi il te les a montrées, n'est-ce pas ?

— Sans doute pensait-il que je serais dégoûté.

— C'est un salopard fini.

— Ça te dérange que je les aie vues ?

— Ce qui me dérange, c'est la manière dont tu les as découvertes. »

Dans le crépuscule, l'eau de la piscine était splendide.

« Tu as envie de nager ? »

Bella secoua la tête et leva la main vers moi.

« Viens. Cela ne se reproduira pas. »

À l'étage, dans la salle vidéo, nous prîmes place dans des fauteuils de cuir noir. Bella choisit une cassette dans la cache et alluma le moniteur. Une succession de programmes courts, chacun d'eux à l'évidence tourné dans la maison. Bella et Powell occupés à forniquer dans diverses positions, la plupart d'entre elles acrobatiques. Aucune tendresse : pas vraiment des viols, mais rien à voir avec l'amour. Plutôt des combats.

« Qu'en penses-tu ?

— Il en a une grosse.

— Bon Dieu, Jack, ces films sont récents. Ça se passe maintenant. Je ne travaillais pas, la nuit dernière. Je le baisais.

— Oh…

— Je fais ça depuis l'âge de seize ans.

— Il t'a obligée ? »

Ma naïveté fut accentuée par le sourire de Bella.

« C'était inutile. Ma mère est décédée dans un accident de voiture lorsque j'avais quinze ans. Powell conduisait. Il était sous l'emprise de stupéfiants, comme d'habitude, et il est rentré dans un camion. Il aurait pu tout aussi bien l'assassiner. Je ne pouvais pas laisser passer la chance de me venger.

— Je ne comprends pas.

— Je le laissais faire, puis le repoussais pendant des semaines, des mois parfois. Ça le rendait fou. Dès lors que j'avais goûté à cette forme de pouvoir, il n'était plus question d'abandonner. Il était réduit à l'impuissance. Il ne pouvait même pas me menacer financièrement car c'était ma mère qui avait l'argent. Elle m'en avait légué la plus grosse partie. Et par-dessus tout, j'y prenais du plaisir.

— Ça t'excitait ?

— Pas de la façon que tu crois. Mais j'ai toujours été stimulée par le fait de tester mes propres limites.

— Et à présent ? Le plaisir s'est sûrement émoussé.

— Manipuler l'autre est une addiction.

— Mais cette histoire dure depuis quoi, quinze ans ?

— Par intermittence. Cependant, tu as raison, contrôler pour contrôler ne sert à rien.

— Alors pourquoi ? »

La bande avait défilé en silence jusqu'à la fin. Bella appuya sur stop, éjecta la cassette de l'appareil et la rangea sur l'étagère. Lorsqu'elle se rassit, elle était songeuse.

« Cette conversation a lieu plus tôt que prévu. S'il te plaît, promets-moi que cette situation ne changera rien entre nous.

— Jusqu'à quel point cela peut-il être pire ?

— Pas pire... juste inhabituel. Tu pourrais me voir sous un jour nouveau.

— J'en doute. »

Ce que Bella désirait, elle le lut manifestement sur mon visage. Elle continua d'un souffle.

« J'ai ouvert la clinique dans Brentwood peu après l'obtention de mon diplôme. D'abord, c'était juste un passe-temps. Mais ça ne dura pas. Je fus très vite captivée par ce que je pouvais faire aux patients. Si je choisissais la bonne personne et lui racontais les mensonges appropriés, elle acceptait tout. Je commençais par des examens : touchers rectaux inutiles, curetages, coloscopies... Mais il m'en fallait plus et je passais à des protocoles chirurgicaux mineurs : de petites interventions qu'aucune raison médicale ne justifiait. Pas besoin de qualification. Je ne suis pas chirurgien.

— Comment savais-tu ce qu'il fallait faire, alors ?

— Au niveau où je me situais, ce n'était plus qu'une question de mécanique. Une fois qu'on maîtrise les fondamentaux de l'anatomie et les procédures de base, le reste est assez facile. J'adorais le défi que ça représentait.

— Il y avait une dimension sexuelle ?

— Bien entendu. Le sexe se résume à un corps qui opère sur un autre corps. La plupart des gens se contentent de ce qu'ils croient être normal. J'adhère à une vision plus complète du monde, voilà tout.

— Powell a travaillé à la clinique ?

— Non. Notre collaboration médicale est venue après, quand je me suis rendu compte que je risquais d'être démasquée. Une clinique n'est jamais à l'abri d'un contrôle, d'un côté ou d'un autre. Tôt ou tard, quelqu'un finirait par porter plainte. Si je voulais continuer à me faire plaisir, je devais rester dans l'ombre.

— D'où l'histoire des SDF ? Une manière de se lâcher sans risque ?

— Je rends aussi des services non négligeables.

— Mais en gros...

— En gros, oui, je le fais pour mon propre plaisir.

— Les "protocoles chirurgicaux mineurs", ils consistent en quoi ?

— Vasectomies, suppressions de grains de beauté, une appendicectomie à l'occasion. Le plus souvent, je ne vais pas au-delà du simple examen. Mais si je veux la totale, j'ai besoin de maintenir mon ascendant sur Powell, j'ai besoin de son assistance technique car il est chirurgien, et j'ai besoin de lui pour présélectionner les patients. Autrement, il refuserait.

— Alors tu vas continuer à entretenir des relations sexuelles avec lui ?

— Pour l'instant. Mais rien n'est éternel. Tu peux gérer ça, Jack, n'est-ce pas ? »

Sa question sonna comme si elle connaissait déjà la réponse.

« Je peux gérer à peu près n'importe quoi.

— Merci. Tu devrais venir me regarder avec un patient, une nuit, l'expérience te plairait. Nous avons un miroir sans tain. Ils sont capables des choses les plus improbables, pour de l'argent. Il m'arrive parfois de penser que l'Homme n'est défini que par sa cupidité.

— Qui a eu l'idée d'enregistrer les séances avec Papa ?

— Moi, bien sûr. Mais il se faufile ici et fait des copies de toutes les vidéos. Il a dupliqué ma collection entière. Il croit sans doute qu'elle lui permet en partie de voir en moi. »

Chapitre 21

Je conduisais la 850ci. Bella occupait le siège passager, vêtue d'une robe courte élastique couleur arc-en-ciel achetée dans un magasin ouvert de nuit sur Wilshire, à l'extrémité de la Troisième Rue sur le front de mer. La tenue n'était pas particulièrement aguicheuse, mais de toute façon elle avait coûté moins de cinq cents dollars. Elle voulait faire ça à plusieurs et nous étions à la recherche d'une proie.

Le tapin n'était pas un terrain favorable. Il était trop tôt : environ vingt heures. Nous nous garâmes dans les faubourgs et nous rendîmes dans un sex-shop. À l'intérieur, quelques gars bloquaient sur les jaquettes vidéo et évitaient tout contact entre eux. Bella se posta à côté d'un des types : quarantaine bien sonnée, maigre, les yeux rapprochés. Il émanait de lui une prégnante envie de baiser. Elle se saisit d'une cassette et s'attarda sur les photos en couverture. Le type la remarqua et, à mon avis, trouva ça plutôt bizarre. Une gonzesse dans un endroit pareil. Lorsqu'elle effleura son épaule, il manqua de se ruer vers la sortie. Mais elle lui fit un sourire, échangea quelques mots rapides puis me désigna. Il n'avait pas besoin qu'on le pousse beaucoup.

Nous nous rendîmes tous les trois en taxi dans un hôtel merdique du quartier chaud. Il s'appelait Rudy et pleurnicha à propos de sa femme qui ne l'avait pas laissé la culbuter depuis la naissance de leur enfant un an plus tôt. Il était malingre, graisseux, le genre à porter un imper. Nous eûmes une chambre au rez-de-chaussée, à l'arrière du bâtiment. Je tirai les rideaux, mais ils bâillaient un peu et je m'inquiétai pour le parking juste derrière. Tout le monde avait l'air de s'en foutre. J'en conclus qu'il valait mieux s'y mettre : satisfaire Bella le plus vite possible et rentrer à Malibu.

Nous laissâmes les lumières allumées et nous déshabillâmes. Le mec bandait déjà avant même d'avoir enlevé son pantalon. Selon les instructions de Bella, il s'allongea sur le lit, la bite au garde-à-vous, sombre et congestionnée. Bella prétendit avoir besoin de pisser d'abord et gagna la salle de bains. Elle ne ferma pas tout à fait la porte et, dans l'entrebâillement, je la vis remplir une seringue à l'aide d'une fiole transparente ornée d'inscriptions bleues. Elle la dissimula dans une serviette qu'elle laissa tomber au sol à côté du lit, juste avant de grimper sur Rudy et de s'empaler sur son chibre. Maintenant que Bella était installée, je me positionnai derrière elle, lubrifié, et me frayai un chemin dans son cul. Par-dessus son épaule, je pouvais distinguer la bouille extatique de Rudy : ce type de scénario devait le faire disjoncter toutes les nuits, quand il se branlait devant son miroir. Je sentais son sexe bouger de l'autre côté de la paroi rectale. Bella s'appuya sur lui un moment, ses seins se balancèrent sur sa figure, puis elle s'allongea, comme si elle voulait enfouir son visage au creux de son épaule. J'aperçus sa main plonger en direction de la seringue et, alors que le pauvre crétin avait les yeux fermés, elle la lui planta dans le cou.

Rudy n'eut que le temps de glapir. L'action du produit fut instantanée. Ses yeux se révulsèrent et ses traits se pétrifièrent. Mieux que tout, pour Bella du moins, il passa par une série de convulsions rapides. J'étais légèrement paniqué, ma queue commença à se recroqueviller. Je fis semblant d'avoir terminé et me retirai. Je regardai Bella secouer la tête et hurler pendant qu'il lui défonçait la chatte. Elle jouit dans un cri et se dégagea. Le membre viril, libéré, éjacula. La quantité de purée était incroyable.

Les soubresauts s'espacèrent, mais ils devenaient chaque fois plus prononcés. Les muscles restaient tétanisés et tardaient à se relâcher avant le spasme suivant. Jusqu'à ce que son corps se fige, cabré, uniquement soutenu par les épaules et les talons. On aurait dit qu'il venait d'être électrocuté. Sa bite était encore dure. Des traînées de foutre s'étiraient sur son ventre, en haut de ses cuisses. Bella s'essuyait avec la serviette d'un air absent.

« Je crois qu'il s'est arrêté de respirer. »

Elle étouffa un juron, comme s'il s'agissait d'un problème accessoire et fit pression sur son abdomen pour le redresser. Elle posa sa bouche sur la sienne et insuffla une ou deux fois. La sonorité de l'air dans ses bronches avait quelque chose de caverneux et triste.

« Voilà, fais comme ça, il lui faut un massage cardiaque. Cinq insufflations, et puis tu me laisses compresser. Ne t'inquiète pas, il va s'en sortir. »

Je m'exécutai. C'était comme souffler dans la cale d'un bateau : une cavité que je ne pourrais jamais remplir, même en restant accroupi dessus pour l'éternité. Nous y allâmes à tour de rôle. Je craignais de voir le gars clamser, mais Bella ne semblait pas le moins du monde perturbée. Ses mouvements étaient sûrs et professionnels. Au bout d'une minute, Rudy commença à bafouiller et à respirer, même s'il demeurait inconscient. Aussitôt, Bella se détourna de lui et entreprit de s'habiller comme s'il n'était pas là. Je chopai mes fringues en cinq secondes chrono et allai attendre sur le seuil. Bella prit tout son temps.

« Calme-toi. Il sera dans les vapes pendant encore au moins deux heures. J'espère que tu es fier de toi. Tu viens d'aider à sauver une vie.

— Contentons-nous de nous tirer d'ici.

— Quelque chose ne va pas ?

— Je ne m'attendais pas vraiment à ça.

— Il s'en remettra. Ce produit n'est dangereux que pour les insuffisants cardiaques.

— Comment tu sais qu'il ne l'est pas ?

— Il respire.

— Mais tu l'ignorais avant de lui administrer le produit.

— On ne fait pas d'omelette sans casser des œufs.

— Il ne faudrait pas appeler une ambulance ?

— Voilà, je suis prête. Allons-y, on trouvera un taxi au prochain pâté de maisons. »

Nous laissâmes Rudy où il était. Il ne bandait plus et avait l'air un peu pathétique, allongé là, couvert de sperme. Au moins, il était vivant. Une fois dehors, je songeai à retourner vérifier comment il allait, mais Bella avait déjà arrêté un taxi et j'avais trop peur de me faire alpaguer.

Lorsque le véhicule démarra, je demandai à être déposé à Hollywood. Bella parut en colère. Elle ordonna au chauffeur de s'arrêter. Nous sortîmes et parlâmes à voix basse sur le trottoir.

« Quel est le problème, Jack ?

— On a presque tué ce mec.

— Non, ce n'est pas le cas.

— Comment ça, "ce n'est pas le cas" ?

— Il était en assez bonne santé. Les probabilités de séquelles irréversibles sont très faibles.

— Ce n'est pas ce qu'il m'a semblé. Bon Dieu… J'ai cru qu'il allait se briser en deux.

— Tu ne rentres pas avec moi ?

— J'ai besoin de repos. Je veux dire, putain… En plus, je dois passer une audition pour Channel 52 demain. Burbank est plus près de chez moi.

— Tu as parlé à Welks ? C'est super. Tu aurais dû me prévenir.

— Je voulais attendre et voir d'abord.

— Viens à Malibu, tu pourras emprunter la limousine demain.

— Je ne préfère pas, vraiment. Juste pour cette nuit.

— Pardonne-moi, Jack. J'ai cru que cette aventure t'emballerait. »

J'étais tenté de revenir sur ma décision, mais je devais penser à l'avenir. Me faire un peu désirer pouvait me mener loin. De toute façon, le milieu de la télévision marchait comme ça. En plus, j'avais besoin de quelques pilules pour m'aider à passer l'audition et Malibu n'était pas le genre d'endroit où un pauvre gars pouvait se fournir.

« Tu passeras à la maison demain ? Quand tu auras terminé ?

— Bien sûr.

— Comment tu vas te rendre au studio ? Tu n'as pas ta voiture.

— En taxi, je suppose.

— Prends la mienne. Et ça aussi. »

Elle me tendit les clefs de la 850ci accompagnées d'une liasse de billets de cent.

Nous nous embrassâmes. Elle remonta dans le taxi et partit. Je la regardai s'éloigner sans savoir si j'avais bien fait. Je marchais sur des œufs.

J'allai en taxi jusqu'au tapin pour récupérer la BM.

Seul derrière le volant, je savourais l'odeur du cuir, j'éprouvais l'incroyable tenue de route de la voiture, convaincu à cet instant que je ne laisserais rien au monde gâcher mes chances avec Bella.

Ryan traça les rails directement sur le Formica de la table de la cuisine.

Il s'était pointé alors que je me garais sur le parking derrière l'immeuble et m'avait déclaré qu'il se sentait d'attaque pour faire la fête. À présent, nous étions penchés et nous sniffions avec deux billets de cent de Bella. Quand nous eûmes terminé, Ryan ne se donna pas la peine de me rendre le sien. Je restai muet. J'étais trop occupé à me demander à quel moment de la soirée il m'avait pris en chasse.

« Je suis intrigué par cette tire dehors, Jackie. En fait, cette nuit, il y a un tas de choses qui m'intriguent.

— Vous savez à qui elle appartient.

— Je connais sa propriétaire. Ce que je ne sais pas, c'est comment elle a atterri entre tes mains.

— Nous étions de sortie. Je voulais rentrer ici, elle non. C'était plus commode.

— Vous avez l'air proches. Vous vous êtes bien amusés ?

— C'était pas mal.

— Une femme comme elle, ce doit être plus que pas mal. Vous avez fait quoi ?

— Tout un tas de choses.

— Comme d'habitude, hein ?

— Ouais.

« — C'est un putain de calvaire avec toi, pas vrai, mon garçon ?

— Qu'est-ce que vous voulez dire ?

— Tu n'es pas le seul à t'être trouvé un nouveau jouet. »

Ryan ressortit de la pièce principale pour prendre un sac qu'il avait laissé à côté de la porte. Il en tira une petite caméra flambant neuve. Une de ces caméras de poche pour touristes, qu'on tient avec une main.

« Tu aimes ? Je l'ai prise à une pute qui avait l'intention de se lancer dans le porno amateur. J'ai pensé que ce serait bien pratique pour ce dont nous avons parlé la dernière fois.

— De quoi on a parlé ?

— Ta nana top classe à Malibu. Ne me raconte pas que tu as oublié.

— On n'a parlé de rien.

— Mais si : l'histoire du chantage.

— Vous en avez parlé, pas moi. Je ne veux pas participer à ce plan.

— Eh bien, maintenant, après cette nuit, tu n'as plus guère le choix. Tu as franchi une ou deux étapes décisives, dans cette chambre d'hôtel. »

Je voulais balancer une réplique fine sur un ton désinvolte, mais je me sentis soudain trop écœuré pour ouvrir la bouche.

« Laisse-moi illustrer mon propos. »

Ryan tripatouilla les branchements sur la télé puis introduisit une cassette dans la minicaméra. Sur l'écran, une trame de peinture écaillée devint floue tandis qu'on faisait la mise au point derrière une fenêtre, entre deux rideaux entrouverts. Une chambre d'hôtel miteuse, trois personnes sur un lit. Moi, Bella et Rudy.

« Merde.

— C'est le mot approprié, Jack.

— Écoutez, j'ignorais qu'elle allait…

— Regardons. Excellente définition de l'image, non ? Ces Japs fabriquent des machines étonnantes. »

Il arrêta la cassette après que Bella eut fini de se rhabiller.

« Sacré corps. Dommage que je n'aie pas pu faire un meilleur plan de ta queue en train de la pénétrer, mais j'étais un peu limité au niveau des angles de prise de vues.

— Je n'étais au courant de rien à propos de l'injection. Elle avait juste dit qu'elle voulait être prise en sandwich. Bon Dieu, je me suis presque chié dessus lorsque je me suis aperçu de ce qu'elle faisait. Si j'avais su…

— Calme-toi, Jackie. Il ne faut pas que ce soit un problème pour toi. On peut voir la situation de deux façons. Premièrement, j'ajoute ça à ton aventure avec le poivrot plus les autres conneries, et je me débrouille pour tout glisser dans le dossier de Karen, aux Homicides. Ou…

— Qu'est-ce que vous racontez ? Je n'ai rien fait.

— Tu étais présent. Et tu t'es bien gardé de l'arrêter.

— Mais on l'a réanimé. Si on avait voulu lui faire du mal, pourquoi on aurait fait un truc pareil ?

— Ouais, elle s'en est bien sortie sur ce coup-là. Ce mec, en train de partir à dache, ne l'a pas perturbée une seconde. Elle a une formation d'infirmière ou quelque chose dans le genre ? »

J'envisageai un instant de lui révéler que Bella était médecin, qu'il n'y avait aucun risque qu'elle laisse mourir quelqu'un, que le type n'avait jamais couru le moindre danger, mais si on tenait compte de la dimension chirurgicale du meurtre de Karen, je craignais de faire plus de mal que de bien.

« Comment je saurais ?

— Et la merde qu'elle lui a injectée ? C'était quoi ?

— Écoutez, Ryan, j'ignore tout d'elle. C'est juste une personne que je baise, O.K. ?

— Je suis content que tu le prennes comme ça, Jackie, parce que ça m'amène à la deuxième solution, en ce qui te concerne. »

Il marqua une pause, le temps de se faire encore des rails au-dessus de la télé. Après s'être pris sa dose, il arpenta la pièce. Je pouvais voir ses mâchoires se contracter sous la couche de graisse de ses bajoues. Il semblait assez allumé pour commencer à boxer dans le vide.

« Ouais, la seconde option serait un choix beaucoup plus judicieux pour toi. Prêt ? On montre la cassette à cette putain de Mademoiselle Vernier en personne. T'en penses quoi ? »

Il s'arrêta en face de moi. Il arborait une expression qui signifiait qu'il attendait vraiment que je sois d'accord.

« T'en penses quoi, Jackie ? Cette salope serait disposée à cracher un paquet de fric pour étouffer une telle affaire.

— Vous avez l'enregistrement, mon autorisation n'est pas nécessaire.

— Mais je veux que tu t'impliques. Tu ferais preuve de bonne volonté : ce dont tu manques cruellement en ce moment. En plus, je te donnerai un pourcentage.

— Bordel, personne n'a été blessé, personne n'a été arnaqué. Vous ne pouvez pas laisser tomber ?

— Jackie, j'obtiendrai quelque chose de cette histoire d'une manière ou d'une autre. Personnellement ? Je préférerais l'argent, mais…

— À quoi je peux vous servir ? »

— À expliquer la situation, à arrondir les angles. Tu lui expliques que tu as vu la cassette et que la menace est sérieuse. De cette façon, quand nous nous rencontrerons, il n'y aura plus besoin de finasser.

— Vous voulez la rencontrer ?

— Pas question que je te laisse négocier. Allez, ça va être amusant, ce sera une expérience partagée. Comme Karen.

— On n'a pas partagé Karen.

— Nos bites sont allées au même endroit. Je t'offre une opportunité, Jackie, tu devrais la saisir. Tout ce que tu as à faire, c'est d'organiser une entrevue. »

Il se plaça derrière moi et commença à me masser le cou.

« Oui ou non ? De l'oseille qu'une connasse peut se permettre de lâcher sans problème, ou un paquet d'emmerdes à cause du meurtre de ta femme ?

— Je ne sais pas quand je la reverrai. Ça peut prendre plusieurs jours.

— Hé, j'ai pas l'air décontract ? Je peux patienter un jour ou deux. »

Chapitre 22

Les locaux de Channel 52 se situaient à Burbank, sur les terrains qui appartenaient à la Warner. Des bureaux de prod' et quelques plateaux de taille réduite où l'on tournait en série des programmes à petit budget, assez excentriques pour les moins de vingt-cinq ans, sans toutefois négliger l'aspect grand public susceptible d'élargir l'audience à la ménagère de moins de cinquante ans, si d'aventure la chaîne parvenait à franchir le cap.

Je trouvai le bureau de Larry Burns au deuxième étage d'un préfabriqué. On aurait dit une de ces constructions destinées à être remorquées à l'arrière d'un camion. Escaliers extérieurs et passerelles, ventilations de clim' qui paraissaient avoir été ajoutées en catastrophe sous les fenêtres ornées de stores vénitiens. Je dus patienter une demi-heure en compagnie de la secrétaire avant que l'enfoiré daigne venir à ma rencontre.

Larry avait toutes les apparences d'un queutard. Il portait un pantalon en coton léger et je pouvais voir sa bite virer à bâbord. Elle était grosse, pas de doute, mais n'était pas raccord avec le reste de sa personne : une calamité. Silhouette molle en forme de poire, épaules constellées de pellicules. Il avait l'air d'avoir des problèmes de points noirs et avait dû tellement malmener les pores de son nez que le milieu de son visage ressemblait à une furonculose ambulante. C'était un scandale de voir quelqu'un comme ça en Californie. Dans l'industrie du film.

Lorsqu'il arriva enfin, il ne dit rien. Il se contenta de faire un mouvement de tête dans ma direction et de repartir à grandes enjambées. Je le suivis dans les passages étroits entre les hangars qui servaient de scènes et d'ateliers jusqu'à un plateau permanent utilisé pour une de leurs sitcoms : une sorte de vue en coupe d'une maison, sans toit ni façades extérieures. En ce moment, il était désert, à l'exception du salon où trois types et une caméra attendaient en bordure d'un faisceau de projo. Le sol était couvert de câbles et de vieux morceaux d'adhésif.

Les gars se présentèrent : réalisateur, cameraman et ingénieur du son. Ils ne prêtèrent aucune attention à Burns, mais furent plutôt sympas avec moi. Je devais me tenir dans la lumière, derrière le repère qu'on avait collé par terre, et parler à la caméra. Je supposai qu'ils n'étaient pas prêts à embaucher plus de monde pour cette audition.

Le réalisateur me conseilla de me décontracter et d'imaginer que la caméra était une personne. Je connaissais tout ça par cœur depuis mes cours de téléprésentation. Je savais faire comme si l'objectif était une fenêtre ouverte sur le salon de Monsieur Tout-le-Monde. De cette façon, vous restiez avenant sans pour autant céder à une familiarité malvenue.

Je me sentais bien. J'étais convaincu d'y arriver. Convaincu de devoir y arriver. À l'écran, la confiance en soi est primordiale. Et j'essayais de tout mon cœur.

En plus, le cocktail de pilules que j'avais ingurgité ce matin pour me calmer faisait effet à la perfection.

Au bout de dix secondes, je constatai que le texte sur le prompteur était celui de Lorn la semaine dernière, dans l'émission *28 FPS*: un reportage sur les différents types de serviettes hygiéniques utilisées par les vedettes féminines. Burns me faisait sans doute une blague, mais je me rappelais en partie le contenu et la tâche fut plus facile que si j'y étais allé à froid. Ensuite, ils bougèrent la caméra et je recommençai.

Burns était assis dans l'ombre. Il m'observait à l'aide d'un moniteur. Lorsque ce fut terminé, il aboya au réalisateur de lui envoyer une cassette, puis ressortit à toute allure à la lumière du jour comme s'il devait s'occuper d'affaires bien plus importantes que moi. Quand il se rendit compte que je le suivais, il ralentit un petit peu.

« Ce n'est pas totalement nul. Nous en discuterons et nous vous tiendrons au courant. Le parking est dans cette direction, et puis à droite. »

Il ne dit pas au revoir, ne m'attendit pas non plus, d'ailleurs. Je le regardai tourner sèchement pour se diriger vers son bureau. Ensuite, je fis exprès de me perdre et passai environ une heure à traîner dans le coin, à savourer l'odeur de bois fraîchement coupé sur les nouveaux plateaux. J'essayai de m'imprégner pour toujours de l'histoire des lieux, de la présence, à travers les âges, de générations dont l'existence avait façonné le périmètre cloisonné de Hollywood. Des gens persuadés que rien au monde n'égalait ce site.

Dans l'une des rues factices, ils tournaient une scène devant un magasin. Un gars devait marcher jusqu'à la porte, dire son texte à une bimbo en train d'attendre, puis se figer, le regard au loin. J'assistai à une demi-douzaine de prises. Ça devint ennuyeux, mais l'acteur me fascinait. Ses vêtements restaient impeccables, sa coiffure ne bougeait pas, aucune transpiration. Le soleil qui brûlait le reste de l'équipe était sans effet sur lui.

Je scrutai son visage avec attention à la fin de chaque prise et je sus qu'il n'était pas réellement là. Il était déjà dans sa limousine, en route vers les collines, de la coke dans les narines et une gamine de dix-sept ans sur sa queue.

Et tout ce qu'il avait à faire était de franchir des portes dans un petit téléfilm. Je ne connaissais même pas son nom.

Plus tard, deux types de la sécurité me raccompagnèrent au parking dans une voiture de golf.

Je passai les semaines suivantes à Malibu. En plus des privilèges évidents, cela me permettait de rester à distance de Ryan. Je savais qu'il brûlait d'impatience d'obtenir le rendez-vous pour faire chanter Bella, et plus je retarderais le moment de lui avouer que je ne m'étais occupé de rien, plus je retarderais l'avoinée. C'était un salopard de pitbull, mais je doutais qu'il se pointe à la maison si prématurément.

Bella mettait un point d'honneur à me montrer combien avoir de l'argent pouvait être agréable. Le temps s'égrenait dans un univers rempli de merveilles consuméristes. Nous nous rendîmes à Rodeo pour acheter une garde-robe : des costumes taille haute et des pantalons au tomber impeccable, une série de vêtements de sport à la mode dans les magazines, des jeans à des prix insensés, du cuir qui semblait vivant, des chaussures, des chemises, des sous-vêtements... Assez de fringues pour toute une vie, même si elles seraient remplacées la saison suivante.

Elle voulait que je porte une montre. J'optai pour un

modèle en platine. Elle voulait que j'aie une nouvelle voiture. Nous commandâmes la dernière Mustang sur le marché : une décapotable. Pas le choix le plus avisé pour circuler dans L.A. mais à son niveau de richesse, les aspects pratiques ne constituaient pas le souci majeur.

Avec ce nouveau train de vie, j'aurais pu revendre la Prelude, mais je n'en fis rien. Karen avait abandonné une part d'elle-même pour l'acquérir. C'était un point trop important pour moi : il symbolisait la limite entre la fin d'une ancienne vie et le début d'une autre. Je la laissai plutôt dans un dépôt près de l'UCLA.

Chaque matin, Bella et moi étions enrobés de foutre luisant, nous glissions l'un sur l'autre dans des draps qui puaient le chacal. Elle disait qu'elle m'aimait. Je lui répondais pareil du tac au tac et, à mon avis, elle me croyait. Elle était belle, c'était un bon coup, mais la seule chose que j'aimais chez elle, c'était sa faculté à me rendre la vie meilleure. Nous n'avions pas d'atomes crochus, simplement. Peut-être que nous venions de mondes trop différents, peut-être que les sentiments qu'elle bradait pour se tenir au-delà de la morale traditionnelle étaient trop nombreux. Qui sait ? Comment comprendre pourquoi on aime quelqu'un ou pourquoi on ne l'aime pas ? Et est-ce que ça compte vraiment, à partir du moment où on simule assez bien pour donner le change ?

Powell dormait à la maison la plupart des nuits. Bella m'avait affirmé qu'en général il restait dans son appartement du centre-ville, alors cette conduite ressemblait plutôt à une tentative évidente de marquer sa présence. C'était plutôt efficace. Quand Bella sortait du lit pour qu'il puisse lui planter sa vieille bite fripée, j'étais fou de rage. Cela me rappelait en permanence combien mon influence sur Bella était en réalité minime.

Néanmoins, la belle vie avait des vertus apaisantes sur moi. En fait, j'étais tellement occupé à recevoir des accessoires et des services onéreux que, pendant un moment, j'oubliai même le lien éventuel entre nos duettistes de Malibu et le meurtre de Karen.

Et puis Powell s'était fait livrer deux chiens à domicile. Des labradors noirs. J'ignorais où il les gardait, je ne les vis nulle part sur la propriété, mais, deux jours plus tard, je trouvai l'un d'entre eux dans les fougères, en lisière de la forêt. Il avait été tué et éventré de la même manière que celui sur lequel j'avais marché lors de ma première journée à la maison.

Larry Burns appela Bella sur son portable alors que nous déjeunions sur Beverly Drive. Il ne demanda pas à me parler, mais elle me transmit le message, bouillonnante d'excitation :

« Tu es coprésentateur sur *28 FPS*. Ça fait quoi ?

— Génial. »

Et c'était vrai. Ce coup de fil suffit à tout changer. J'émergeais de l'obscurité et posais le pied sur le premier barreau d'une échelle menant à une vie digne de ce nom. N'importe qui à L.A. aurait tué pour obtenir une occasion pareille. Et j'y étais parvenu au terme d'une simple audition de vingt minutes. Ça semblait surréaliste. Deux mois plus tôt, j'étais fauché, sans avenir, et maintenant j'étais assis dans un restaurant luxueux, vêtu d'un costume dont le prix dépassait quatre mois de loyer, à savourer le fait que, très bientôt, je cesserais d'être insignifiant.

« Une chose quand même, Jack, tu ne dois parler à personne de mon intervention. Le népotisme fait mauvais ménage avec la probité.

— Ouais, bien sûr. C'est payé combien ? »

— Je prends en charge ton salaire. Une compensation en échange de ton manque d'expérience. Qu'en penses-tu ? Dix mille par mois ? Tu auras aussi besoin d'un endroit où habiter.

— Tu veux que je déménage ?

— Non, mais je veux que tu aies un autre point de chute si nécessaire. La télévision est un milieu grégaire et tu pourrais avoir besoin de te socialiser, ce qui serait impossible à Malibu. Powell serait aussi un peu plus calme, si tu partais de la maison de temps en temps. »

L'achat d'un quatre-pièces avec piscine dans Laurel Canyon fut le résultat de cette conversation.

À présent, mon seul souci était que Ryan ne bousille pas tout avec son projet de chantage foireux.

Chez Bella. Je répondis au téléphone. Elle faisait une demi-journée à la clinique de Brentwood et Powell, Dieu merci, était à son appartement en train de mater ses films incestueux, de se shooter ou que sais-je encore. Quelqu'un pour moi. Pas Bella qui aurait été prise d'un élan de tendresse pornographique avant de rentrer à la maison, mais, curieusement, Rex. Curieusement car je ne lui avais pas donné le numéro.

« Hé, mon pote. »

Sa voix était sinistre : traînante, nasillarde. Défoncé, comme de juste, et même pire que ça, dépouillé de la moindre trace d'espoir ou d'énergie. Avec l'embellie que je connaissais, je pouvais me permettre de compatir.

« Comment tu as eu ce numéro ?

— Tu ne me l'avais pas donné ? Je ne sais plus… »

Il était complètement d'équerre. Ses mots mouraient dans des murmures. Je m'attendais à ce qu'il s'endorme au bout du fil.

« Tu n'as pas l'air trop bien.

« — Ça va. Qu'est-ce que tu veux dire ?

— La dope.

— Oh, ouais, un peu.

— Tu es où ?

— Chez moi… Tu peux passer ? C'est pour ça que j'appelle. Pour savoir si tu peux passer.

— Qu'est-ce qui cloche ?

— Rien. Mais tu peux amener de l'argent ? »

Rex louait une petite maison décrépite sur l'une des routes à voie unique qui s'enfonçaient dans les collines de Hollywood Ouest. La Mustang avait été livrée le jour même, alors je ne m'étais pas trop fait chier pour aller là-bas. Il mit un moment à répondre lorsque je frappai. Et quand il arriva, il n'était pas beau à voir. Sa tête était au diapason de sa voix. Teint blême, pupilles en tête d'épingle, boutons d'acné crevés. Il était torse nu, son jean était douteux. J'avais garé la Mustang devant et il la considéra quelques instants.

« La tienne ?

— Pas mal, hein ?

— De la part de la gonzesse ?

— C'est mieux que de tailler des pipes. »

Rex grogna et fit demi-tour. Je le suivis le long d'un couloir quasi vierge, jusqu'à un salon quasi submergé par la merde. La moquette tapissée de vêtements, d'allumettes brûlées, et de canettes de Coca vides. Un des coussins du canapé avait cramé et la mousse à l'intérieur avait fondu. Des éclaboussures de sang causées par les seringues sur la cloison, du côté intact du divan, des verres à moitié remplis d'eau sur une table basse, du matos usagé, cuillères carbonisées, morceaux d'ouate, une petite flaque de vomi sous une photo d'Ansel Adams à moitié arrachée du mur. La pièce était

282

sombre et étouffante, comme si un animal était venu y mourir.

« Tu as apporté de l'oseille ?

— Ouais. »

Je lui tendis cinq cents dollars.

« Un sacré petit changement, pour quelqu'un de fauché.

— Je suis désolé que ce soit si dur.

— Je n'ai pas dit que c'était dur. Je suis juste surpris. »

Rex compta le fric et l'empocha.

« Ils ont récupéré la Porsche. »

Un craquement résonna vers la terrasse, de l'autre côté du salon. Je ne pouvais pas voir ce que c'était, les rideaux étaient rabattus sur les vitres coulissantes.

« T'as l'air au bout du rouleau.

— C'est amusant parce que je ne sens rien du tout.

— Il faut que tu réagisses, mec. Mets la pédale douce.

— Nan. J'ai pas besoin de faire quoi que ce soit. J'ai pas besoin de réfléchir où ça me mène, pas besoin de m'améliorer, ni de garder une poire pour la soif. On raconte que, dans la vie, tout est une question de point de vue. Mais si on arrête de regarder, plus rien n'existe. »

Rex tourna le dos. Il prit une des seringues sur la table et commença à pomper un peu de sang dans une veine, envoyant des giclées sur le mur. J'étais furieux de voir à quel point une personne qui m'aidait à gagner de la thune il n'y a pas si longtemps, une personne qui ressemblait le plus à ce qu'on pourrait appeler un ami, était devenue distante, insaisissable. Cependant, tandis que cette personne s'éloignait du Rex que j'avais connu, je savais que je m'en éloignais encore plus. Vers un nouveau monde. Vers un endroit si différent qu'il m'était désormais impossible de prétendre pouvoir donner à Rex autre chose que de l'argent.

« Je dois y aller.

— Déjà ?

— Comment tu as obtenu mon numéro, Rex ?

— Le mec sur le balcon me l'a donné. Il m'a conseillé de t'appeler.

— Quel mec ?

— Il m'a questionné à propos de Karen, mais c'est toi qu'il veut voir. »

Ryan. Cette visite devait arriver tôt ou tard. Je fis mine de partir, mais la vitre du balcon coulissa. Je m'arrêtai. Ryan passa la tête entre les rideaux, un large sourire aux lèvres.

« Jackie, comme c'est gentil d'être venu. Et si nous avions une petite entrevue dehors, au soleil, mon vieux ? »

Je sortis sur la terrasse. Ryan referma derrière moi.

« Je m'attendais à avoir de tes nouvelles plus tôt, Jackie, mon garçon. Mais mieux vaut tard que jamais. Tu as des choses à me raconter, non ?

— Pas vraiment.

— Oh, mon Dieu, j'espère que la discussion ne va pas devenir violente. Qu'est-ce qu'elle a dit de notre petite proposition ?

— Votre proposition.

— Je ne vais pas jouer à Monsieur Diplomate maintenant.

— Ce n'est pas le moment de l'emmerder avec cette histoire. Ça pourrait me porter préjudice.

— Oups. Mauvaise réponse. »

Il me frappa au visage. Un direct sec à la bouche. Pendant la fraction de seconde où je m'écroulai au sol, ma seule préoccupation était qu'une lèvre fendue pouvait ruiner ma première apparition télévisée. Je fis beaucoup de bruit lorsque je cognai le plancher. Rex dut entendre mais il ne vint ni s'enquérir ni tenter de me secourir. Exonéré de tout risque d'intervention inopinée, Ryan ne se priva pas de me marteler les côtes avec ses petits pieds fins. Les coups firent très mal. Je me recroquevillai, fermai les yeux et attendis que ça se termine. Il fallut un bout de temps.

« Je te demande pardon, Jackie, mon humeur n'est pas au beau fixe aujourd'hui. »

Il s'éloigna de moi, sa respiration était difficile. Il toussa et cracha quelque chose dans un mouchoir. Je me relevai et m'adossai à la rambarde. La maison était construite au-dessus d'un ravin, une de ces baraques sur pilotis accrochées à flanc de colline dans l'attente du prochain grand tremblement de terre. Au-dessous de moi s'étendait une végétation luxuriante adoucie par la lumière déclinante de la fin d'après-midi. Un drôle d'endroit pour prendre une raclée.

« Est-ce que tu saisis l'importance de l'argument, maintenant ? C'est juste une gonzesse que tu baises.

— Elle est plus que ça.

— Oh, Jackie, me voilà tout ému.

— Si vous attendez quelques mois, je serai en mesure de vous donner de l'argent.

— Mais pas autant qu'elle. Fin des négociations. On se comprend bien ? »

Je passai en revue le déroulement éventuel des opérations : j'avouais à Bella que Ryan possédait un enregistrement, elle commençait à se demander par quel miracle il était présent pile à ce moment-là, puis comprenait que j'avais un truc collé aux basques : un flic qui tournait autour des interventions médicales clandestines auxquelles elle s'adonnait. Elle devenait nerveuse, et je pouvais dire bye-bye à la vie à Malibu, la voiture, l'argent, et, pire que tout, à l'occasion de m'introduire dans le milieu de la télé.

Mais quelle était l'alternative ? D'après le regard que me lançait Ryan, elle ressemblait à une menace de mort.

J'acquiesçai, perclus de douleur, les lèvres déjà en train d'enfler.

« Tu es un bon garçon. Allons nous asseoir avec ton ami, j'ai besoin de décompresser.

— Comment avez-vous fait le lien ?

— Je savais qu'une fois que tu serais à la colle avec cette connasse, tu serais moins pressé de me contacter. Alors j'ai consulté la messagerie téléphonique chez toi, à Hollywood. Il n'y avait que deux pistes : ici et une agence de gigolpinces dans le district de Wilshire. Dès que j'ai vu Rexy, j'ai su que c'était sur lui que je devais miser. »

Dans le salon, Rex était installé sur la portion intacte du canapé. Il avait les paupières closes, cependant il était éveillé. Lorsque nous revînmes, il ouvrit les yeux et regarda ma bouche.

« Vous avez fait du bruit.

— Mais t'as pas pris la peine de venir voir.

— Je croyais que je rêvais. »

Nous prîmes place sur les chaises assorties au divan. J'étais obnubilé par l'idée de récupérer ma voiture et de rentrer chez moi, mais Ryan, galvanisé par son accès de violence, voulait de la distraction.

« Et si on testait un peu le matos, mon vieux Rexy.

— J'ai pas d'ustensiles propres.

— Du papier alu, ça suffira. Je suis sûr que tu en as. Va en chercher. »

Rex mit un moment à se lever, puis s'éclipsa dans une autre pièce. J'entendis des bris de verres, des assiettes, des casseroles.

Ryan s'étira sur sa chaise et examina la pièce.

« On dirait que ton copain a des soucis avec sa propre image. »

Rex refit son apparition avec un tas de feuilles froissées. Ryan et moi chassâmes le dragon. Pas de montée en flèche. Juste une braise incandescente dont les effets ne se faisaient sentir que lorsqu'on se levait ou qu'on essayait de se rappeler quelque chose. Grosso modo, un gaspillage de bonne came. Ryan allait sans doute passer à l'injection, quant à moi, je devais regagner Malibu. Je ne m'en faisais pas, excepté pour ma bouche douloureuse et la légère humiliation après la raclée.

« Qu'est-ce qu'on se marre, tous les trois. On pourrait faire venir de la chatte en plus. Qu'est-ce que vous en dites ? À trois pour une personne. Un trou chacun. »

Ni Rex ni moi ne répliquâmes.

« J'ai recoupé deux-trois infos à propos de ta nana, Jackie. Drôle de coïncidence. Tu savais qu'elle était toubib ? Elle a une clinique dans Brentwood.

— Bien sûr que j'étais au courant.

— Intéressant, hein ? Karen s'est fait découper par un individu doté de connaissances médicales, tu sors avec une doctoresse. Une doctoresse qui aime bien piquer les gens dans les chambres d'hôtel.

— Ce n'est pas la tueuse pour autant.

— Ça ne la disculpe pas non plus. Elle t'a raconté, à propos de Papa ?

— Il est médecin lui aussi.

— Pas exactement, trou du cul. J'ai effectué certaines recherches. Il a été chirurgien, avant de tout foirer.

— Ah ouais ?

287

« — Elle ne te l'a pas dit, hein ? Merde, Jackie, on dirait que tu n'as pas fait des étincelles. »

Il se marra et secoua la tête.

« Il semblerait qu'à une époque, il avait pris l'habitude d'aller farfouiller dans les armoires à pharmacie de l'hôpital entre deux opérations. Il s'est fait choper. L'établissement n'a pas porté plainte, mais l'Ordre l'a radié ou quelque chose de ce genre. Depuis, il ne peut plus bosser. Ce qu'il fait maintenant, je l'ignore. Mais il ne s'agit pas d'exercice légal de la médecine. »

Ryan se massa les couilles et désigna Rex.

« Ça fait longtemps que vous êtes copains ?

— Un bout de temps.

— T'as rappliqué plutôt vite, quand il t'a appelé.

— Et alors ?

— Je me demandais simplement à quel point vous étiez proches.

— Bon Dieu…

— Hé, Rex, tu aimes les hommes ou les femmes ? »

Rex piquait à nouveau du nez, mais à l'évocation de son nom il se redressa.

« Je fais les deux.

— Oh, voilà qui est prometteur. Est-ce que tu te trouves attirant, Rexy ?

— Vous pouvez me baiser, si vous allongez le fric.

— Quel enthousiasme.

— C'est les affaires.

— Qu'est-ce que tu dirais d'un essai gratuit ?

— Allez vous faire foutre. »

Ryan sortit son flingue et l'agita avec nonchalance.

« Tu pourrais toujours travailler à l'aide de ceci. »

Rex soupira, se leva du divan et s'agenouilla entre les jambes de Ryan. Lorsqu'il ouvrit sa braguette, je fis mine de me tirer.

«Reste assis, Jackie. Tu devrais désormais savoir que j'aime partager ces moments privilégiés avec toi.»

La bite de Ryan émergea des pans de son futal, semblable à une grosse limace blanche. Rex dut le pomper un moment pour qu'il arrive à bander. Ryan lui inclinait la tête afin de voir ce qui se passait. Il commença à transpirer.

«Hé, Jackie, donne-moi une de mes pilules. Dans ma poche.

— Prenez-la vous-même.

— Jackie…»

Sa voix avait une inflexion hostile. Je me levai et fouillai ses poches jusqu'à ce que je trouve le flacon. Je lui tendis une pilule mais il refusa de la prendre.

«Occupe-t'en.»

La vue de sa bouche ouverte, avec sa langue rouge toute humide dehors, était encore plus écœurante que celle de son érection. Je laissai tomber le cacheton à l'intérieur et retournai en vitesse sur ma chaise.

Le sexe sous héro est une affaire interminable et Ryan ne semblait pas pressé d'abréger. Rex suça jusqu'à ce qu'un filet de salive coule le long de la tige de Ryan.

«O.K., Rexy, c'est le moment de changer de position.»

Ils allèrent au milieu de la pièce. Rex se déshabilla et se mit à quatre pattes. Ryan se hissa derrière lui.

«Oh, ça m'a l'air un peu sec. Viens là et crache-lui dans le cul, Jackie.

— Quoi?

— Tu figures sur la cassette au même titre que ta copine. Ne me fais pas chier.»

Je me tins au-dessus du fondement de Rex, prêt à baver avec l'espoir d'atteindre la cible. Mais ce n'était pas assez pour Ryan.

« Penche-toi, approche. Combien de fois tu veux recommencer ? »

Je me baissai jusqu'à sentir les miasmes capiteux de l'anus et crachai un bon coup.

« Oh non, non, non. Pas ce petit postillon de merde. Il nous faut quelque chose de mieux, pas vrai, Rexy ? Il nous faut une belle huître verdâtre qui vient du fond de la gorge. Je te parle d'une vraie glaire, mon garçon. Allez, sors-moi ça, pile dans l'œil du cyclope. »

Je raclai ma gorge et expectorai un gros mollard que je larguai à peu près au centre.

« Droit au but. »

Ryan l'étala avec l'extrémité de sa queue, puis s'enfonça.

Ils forniquèrent longtemps. Ryan était en nage. Rex avait l'air de somnoler. J'étais en train de dénombrer les seringues lorsque je me rendis compte que Ryan s'adressait de nouveau à moi.

« …iens-là et mets-la-lui dans la bouche.

— Hein ?

— Tous les deux en même temps. Allez. Toi dans la bouche, moi dans son cul. Ce sera comme si on faisait l'amour ensemble. »

L'arme de Ryan était posée sur un coussin du divan. Il s'en empara, enleva le cran de sûreté et la garda à la main sans me quitter des yeux.

Rex était habitué à ce genre de scène. Il avait pompé un million de queues. Mais il ne s'agissait plus du boulot. Nous nous connaissions, nous étions amis. Cet acte pouvait avoir de sacrées répercussions et je ne voulais pas en être responsable. Néanmoins, il était évident que si je refusais, Ryan en tirerait les conséquences. Je jurai, me levai et introduisis mon sexe dans la bouche de Rex.

J'étais au-delà de l'ennui, au-delà de l'indignation.

Défoncé et épuisé par tout ce bazar. Rex planait tellement qu'il n'ouvrit même pas les yeux quand il sentit le bout de ma queue sur ses lèvres. Il se borna à ouvrir le clapoir et à bouger la tête. Ryan m'observait avec un sourire en coin : mon visage, le va-et-vient de mes hanches. Nous synchronisâmes nos mouvements : lui agrippé à la peau du cul, moi aux épaules, en train de bourrer Rex de telle façon que je l'imaginais écrabouillé quelque part au milieu.

Une fois que nous eûmes terminé, nous nous retirâmes. Rex grimpa sur le canapé et commença à se préparer un fix comme si personne n'était là, comme si rien ne s'était passé. On aurait dit que la dépression l'avait rendu totalement insensible, esclave de tout caprice auquel il serait soumis.

Quand Ryan et moi partîmes, il me lança un regard qui pouvait signifier qu'il s'apprêtait à dire quelque chose, mais qu'à mi-chemin, par manque d'énergie, il lui était impossible d'achever son entreprise.

Dans la rue, je ralentis le pas dans l'espoir que Ryan se casse sans remarquer la Mustang. Ce qui était illusoire étant donné l'endroit où je l'avais stationnée. Il passa ses doigts sur la carrosserie lustrée.

« Un petit cadeau sentimental ? Tu sais, Jackie, j'ai un bon pressentiment à propos de notre affaire. Si elle est prête à raquer autant rien qu'en remerciement d'une partie de jambes en l'air, ce qu'elle va cracher pour notre cassette promet d'être monumental. Ne m'oblige pas à venir te chercher. »

Chapitre 23

Quand je revins à Malibu, Bella nageait, nue. Je m'installai sur une chaise au bord de la piscine et attendis qu'elle remarque ma lèvre tuméfiée.

« Jack, qu'est-ce qui s'est passé ? Tu as été agressé ? »

Son corps émergea, scintillant et blanc. Elle se tint devant moi, les cheveux collés aux épaules. L'eau serpentait d'entre ses seins jusqu'aux boucles de son pubis.

« Ça va ? Laisse-moi regarder. »

Elle se pencha pour m'examiner, très professionnelle, mais je l'arrêtai.

« Nous devons parler de quelque chose. Une mauvaise nouvelle. »

Bella fronça les sourcils avant de prendre une chaise et de s'asseoir en face de moi. Elle ne se soucia pas de mettre une serviette.

« Il y a un enregistrement vidéo de ce que nous avons fait subir à ce gars, au motel.

— Impossible.

— Si. Je l'ai vu. Tu n'es pas la seule à posséder une caméra. »

Pendant une fraction de seconde, l'expression de Bella trahit la panique, mais elle se reprit aussitôt. Je voyais qu'elle cadenassait tout en elle afin d'adopter une attitude plus productive.

« Raconte-moi.

— Un type traînait dehors. Il nous a repérés tous les trois dans une chambre et a pensé qu'il s'agissait d'un truc sexuel. Il a trouvé une fente entre les rideaux. Maintenant, il a une cassette à vendre.

— C'est qui ?

— Je n'en sais rien. Un voyeur. Il a prétendu s'appeler Ryan.

— Il veut de l'argent ?

— Quoi d'autre ? »

Bella songea au problème un instant, puis un détail la frappa.

« Comment il t'a contacté ?

— Il a téléphoné pendant que tu étais à Brentwood. Il voulait qu'on se rencontre dans un hôtel. C'est de là-bas que je viens.

— Comment il a eu mon numéro ?

— Aucune idée. Il nous a peut-être suivis et l'a obtenu grâce à l'adresse.

— Je suis sur liste rouge.

— Eh bien, quoi qu'il en soit, il l'a trouvé. Il a une cassette avec nous dessus, l'injection, tout.

— Est-ce qu'il sait que je suis médecin ?

— Il n'en a pas parlé. »

Bella réfléchit encore, puis chassa les mèches mouillées de son visage.

« Il faut que je le voie. »

Son empressement m'étonna mais il m'évita d'avoir à me faire suer pour la convaincre.

« C'est ce qu'il veut. Tu vas le payer ?

— En l'état, ce serait la meilleure chose à faire.

— Mais s'il devient gourmand ? »

— J'ai beaucoup de réserve. Et si ça dépasse le stade de la plaisanterie, nous trouverons une autre façon de nous y prendre. »

Deux jours plus tard, Ryan nous rencontra, Bella et moi, à mon nouveau domicile, sur Willow Glen, dans Laurel Canyon. Je n'avais pas encore eu le temps de le meubler et l'appartement était vide à l'exception d'une télé et d'un magnétoscope que Bella avait fait livrer.

Lorsque j'avais organisé l'entrevue avec Ryan, la veille, je lui avais demandé de corroborer l'histoire du voyeur que j'avais inventée pour Bella. Il n'avait rien promis, mais je ne voyais pas ce qu'il gagnerait à révéler que nous nous connaissions déjà. Il était même possible qu'il croie qu'une personne dans la place soit un bon point pour de futures transactions. Cependant, je n'avais pas pu m'empêcher de crever de trouille qu'il lâche le morceau par méchanceté et je m'étais forcé à regarder la télé non-stop pour contenir mon anxiété après lui avoir parlé.

Les murs du salon étaient blancs et le sol en bois verni. Bella et Ryan se tenaient l'un à côté de l'autre devant le poste. Ils visionnaient la cassette. Je faisais les cent pas, regardais par la fenêtre sans cesser d'écouter avec attention ce que l'un ou l'autre pourrait dire.

Bella ne paraissait ni en colère ni dégoûtée par Ryan. En fait, on aurait dit qu'elle était trop absorbée par l'image de la double pénétration pour se préoccuper des apparences vis-à-vis de lui. Quand le spectacle fut terminé, elle fixa les parasites sur l'écran et passa ses doigts d'un air absent sous sa jupe. Ryan me fit les gros yeux lorsqu'il prit la parole.

« Le sexe ne signifie rien, mais cette injection… Il n'était pas mort, pendant une minute ?

— Pas besoin d'en faire trop. Je sais ce que je vois. Combien voulez-vous ?

— Cinquante mille.

— C'est envisageable. Cependant, j'aimerais que vous regardiez quelque chose avant. »

Bella lui sourit. Son regard était dur et lourd. C'était celui qu'elle arborait quand elle voulait qu'on la baise. Je n'arrivais pas à savoir si elle était sincère ou si elle simulait. Elle extirpa de son sac une cassette qu'elle lui fit mettre dans le lecteur. J'ignorais totalement ce qu'elle fabriquait.

La bande défila. Je reconnus le séjour dans l'appartement de Bella, à Malibu. Elle était étendue sur le dos, jambes écartées, en train de se masturber avec un vibro. Au bout de dix secondes, je me rendis compte que l'action était rythmée pour en exacerber le côté cinématographique, que ses gestes étaient trop exagérés pour une simple branlette. Je me demandais si Ryan avait remarqué, mais il était tellement fasciné par la scène qu'il s'en foutait sans doute royalement. Bella s'appuya contre lui. Elle lui chuchotait des choses à l'oreille, flattait le haut de son pantalon. Monsieur Flippant, le type qui matait des gonzesses se faire défoncer au marteau piqueur, semblait réduit à l'impuissance par sa voix, la pression de sa main.

J'entendis la braguette s'ouvrir et l'une de ses jambes se mit à trembler. Je m'approchai pour observer. Sa queue avait l'air épaisse dans la paume de Bella. Son prépuce, au niveau du gland, s'étirait et se fripait sous les caresses. Elle se cala sur la vidéo. Il éjacula par terre en même temps qu'elle jouissait, ou simulait, à l'écran. Elle secoua le jus de ses doigts puis essuya sa main à l'aide d'un mouchoir en papier. Ryan remit sa bite dans son pantalon.

« C'est censé me faire baisser le prix ?

— Pas du tout. Je pensais juste que nous pourrions apprendre à mieux nous connaître, puisqu'une somme de cinquante mille dollars est en jeu.

— D'accord… » Ryan paraissait avoir perdu de l'assurance, comme s'il n'arrivait pas à se faire une idée à propos de la branlette. « Comment comptez-vous procéder ?

— Jack vous appellera pour vous donner les modalités.

— Vous n'aurez pas la cassette avant.

— Peu importe. Vous ne pouvez pas vraiment me fournir de négatifs, n'est-ce pas ? Il est temps que vous partiez. Jack et moi attendons une livraison de meubles.

— Vous viendrez avec l'argent ?

— Peut-être. »

Nous regardâmes la Plymouth grise de Ryan reprendre la route. À mi-chemin sur les collines, le véhicule croisa deux super lourds : les possessions de ma nouvelle vie.

Sur le trajet du retour à Malibu, nous fîmes un détour pour aller dîner. Situé à l'extrémité miteuse de Melrose, un Mexicain proposait de la bonne bouffe. Des photos de célébrités étaient accrochées au mur. Le resto était un peu trop bon marché pour Bella, mais je voulais un burrito. De plus, dans la pénombre relative de l'endroit, je me sentais moins sujet aux doutes soulevés par son comportement avec Ryan.

« Qu'est-ce que tu lui chuchotais ?

— Rien d'important.

— Mais quoi ?

— Je lui décrivais les sensations provoquées par le vibromasseur.

— Dois-je demander une explication ?

— Comme je le lui ai dit, je désirais créer un autre lien que l'argent. Il s'agissait peut-être d'un coup dans l'eau, mais s'il fait des difficultés, ça pourrait nous donner un point d'accroche. »

Pour célébrer le fait que Ryan n'ait pas bousillé mon ascension vers la belle vie, je bus des margaritas jusqu'à ce que mon estomac me brûle. Bella fut obligée de nous reconduire avec la 850ci.

Le lendemain matin, la secrétaire de Larry Burns téléphona et m'indiqua de me pointer aux studios Warner à la mi-journée pour commencer le travail.

Chapitre 24

La salle de maquillage se situait dans une caravane sur cales en dehors du plateau. Les sièges n'étaient pas rembourrés et il était interdit de fumer. Pourtant, c'était super d'avoir ces gonzesses toutes minces aux petits soins avec moi, d'être le centre d'intérêt dans une ville où la faculté d'attirer l'attention constituait l'essence même de l'être humain. Elles me coupèrent les cheveux, dégagé autour des oreilles car ça rendait mieux à l'écran, et étalèrent un tas de produits sur mon visage. Le réalisateur passa en coup de vent pour dire bonjour et la scripte me donna une ou deux pages avec lesquelles je devais me familiariser. Tandis que je lisais, un coursier fit son apparition avec une carte de Howard Welks qui me souhaitait la bienvenue. Un tube en plastique marron de Valium 10 mg y était joint. Je me demandais si ce cadeau sous-entendait que je ne serais pas capable d'y arriver ou s'il s'agissait juste d'une faveur en ces temps où les toubibs rechignaient à prescrire des calmants. Quoi qu'il en soit, j'étais déjà chargé à la coke et l'idée d'ajouter un peu de benzodiazépines dans mon système sanguin ne me semblait pas mauvaise.

J'avais l'air bien, dans le miroir. Ils m'avaient refilé

du collyre pour éclaircir mon regard et du gel pour épaissir ma chevelure. Le fond de teint et la poudre avaient lissé mon épiderme. Sans aucune raison, j'avais envie de me branler sur les photos de Ryan.

Sur le plateau découpé en plusieurs parties, l'assistant réalisateur me fit effectuer une série de plans de transition. Il me précisa que ce serait mon seul travail jusqu'à ce que je me sente suffisamment à l'aise devant la caméra. Je m'en foutais. Si ce test durait trop longtemps, je dirais à Bella de passer un coup de fil à Welks.

Un mongolien aurait pu s'acquitter de la tâche. Je devais me tenir devant un panneau bleu et lire une ou deux lignes à la fois sur un prompteur, rien de plus. Ces lignes, je les avais déjà mémorisées auparavant au maquillage. Il y avait beaucoup de monde dans le studio, mais la cocaïne et l'éclat des projos me permettaient de rester à distance, créaient un cocon aveuglant qui altérait ma lucidité et m'empêchaient de saboter l'opération : mon premier pas vers la célébrité. J'étais bon. J'étais beau. J'exsudais une vitalité incandescente. Merde, n'importe qui peut se donner un peu de mal si c'est pour passer à la télé.

J'achevai le boulot vers trois heures. Le réalisateur était en pause lui aussi, et il m'emmena dans un bar à l'extérieur des bâtiments. Il s'appelait James. Il prétendit qu'il aimait ce que je faisais, mais il était évident qu'il buvait avec moi pour tester mes connaissances sur l'industrie du film. Je ne parvins pas à le battre tant qu'il s'agissait de savoir qui avait réalisé quoi ou quand on en venait à la date d'apparition d'une nouvelle technique cinématographique. Mais je gagnai les doigts dans le nez dès qu'on parla de qui baisait qui et de combien coûtait la maison d'untel.

Il finit par s'en aller pour regagner les studios : Lorn arrivait pour faire des plans de coupe. Je restai pour prendre un autre Southern. Une des maquilleuses entra avec un copain. Nous prîmes un verre ensemble puis je la laissai me sucer dans les toilettes. Non pas qu'elle m'attirât ni même que j'éprouvasse le besoin de tirer un coup, mais on pouvait obtenir ce genre d'avantage lorsqu'on passait à la télé. J'aurais été stupide de ne pas en profiter.

Dehors. Plus tard. L'air était lourd et le brouillard masquait les collines autour de Burbank. Tous ces cadavres, sur les pentes du cimetière de Forest Lawn, me rappelaient Karen. À présent, je palpais dix mille par mois et possédais un logement sur les hauteurs. J'aurais eu assez pour la garder auprès de moi, pour qu'elle arrête de faire la pute. L'argent pouvait tout résoudre. Il te donnait l'amour des gens. Il les obligeait à rester avec toi alors qu'autrement ils seraient partis. Avec dix mille par mois, j'aurais pu offrir une existence si agréable à Karen que me quitter aurait simplement été trop cher payé.

L'adrénaline consécutive à mon premier jour de tournage, mélangée à la descente de la coke, au Valium et à la gnôle, virait à l'aigre. Je me sentais morne, vulnérable. J'aurais voulu que tout soit plus simple : posséder Bella et ce qu'elle pouvait faire pour moi sans m'exposer aux dangers incarnés par Ryan, Powell, le chantage et le meurtre.

Je retournai au parking de la Warner et montai dans la Mustang. Les yeux fixés sur la circulation, de l'autre côté du portail, je regrettai de ne pas être en mesure d'effacer le passé pour profiter du présent.

Bella appela sur mon portable juste quand j'allais démarrer. Nous discutâmes du tournage puis elle m'annonça que Powell avait dégotté un candidat pour leur combine de soins caritatifs, qu'il était inutile que je rentre à Malibu cette nuit, qu'elle serait absente. Peu importait. De toute façon, j'étais trop crevé pour me cogner le trajet jusqu'à la maison. Je ne désirais qu'une seule chose dans l'immédiat : me retirer pour aller dormir.

La maison sur Willow Glen était un espace ouvert à cloisons vitrées. Je l'avais choisie en raison de l'air et de la lumière qui circulaient parmi les pièces. Tout était neuf. J'avais laissé les murs nus : pas de tableaux, pas de déco, mais j'avais prêté une attention particulière à l'ameublement et aux appareils électroniques. Voilà les seuls aménagements dont j'avais besoin.

Début de soirée. Je m'enfilai une bouteille de Gatorade et m'assoupis sur un matelas japonais d'une valeur de deux mille dollars. Je me réveillai lorsque le téléphone sonna, aux alentours de onze heures.

Je ne parvins pas à réaliser sur le moment. Je connaissais la voix, mais le fait de l'entendre au téléphone produisit une sorte de court-circuit dans mon cerveau. Powell. Aussi suffisant que quand il m'avait demandé si je voulais voir les photos de Bella. Il me donna rendez-vous devant le centre social de Beverly Hills d'ici une demi-heure. Il raccrocha avant que je puisse lui poser la moindre question.

Je me douchai, m'habillai, décapotai la Mustang et dévalai Laurel Canyon dans la nuit chaude. De Sunset à La Cienega, de La Cienega à Santa Monica Boulevard, où l'éclairage urbain dessinait des cercles orange et diffus sur la carrosserie impeccable de ma voiture. Le souffle de mon passage laissait dans la ville, par la vitre ouverte, des volutes de fumée de cigarette.

J'avais dix minutes de retard. J'essayais de me persuader que je n'en avais rien à foutre, que le but de son rendez-vous ne pouvait pas être pire que la cassette sur laquelle on voyait sa queue pénétrer Bella. Mais à cette heure de la nuit, avec Bella hors circuit, je ne pouvais m'empêcher de penser que j'allais peut-être glaner des infos sur la mort de Karen.

Je me garai à côté de la Jag et il ouvrit la vitre. Son regard mort, qu'on aurait dit tout droit sorti de *Terminator*, se tourna vers moi. Son sourire ressemblait à une plaie au visage. Il m'enjoignit de le suivre avant de remonter sa vitre.

Je le talonnai à travers les quartiers plats et plus haut dans les collines. À la limite de Beverly Hills, nous prîmes San Ysidro Drive, le long de Peavine Canyon sur environ cinq kilomètres, avant d'atteindre une route étroite nommée Apricot Lane.

Apricot Lane était désignée comme voie privée, mais aucune barrière n'en bloquait l'accès. Elle coupait San Ysidro puis, deux kilomètres plus loin, le coupait encore. Je remarquai une ou deux maisons, mais elles étaient en retrait de la route et presque totalement cachées par des massifs. Powell continua de rouler jusqu'au bout du chemin, jusqu'à un bâtiment ramassé sur lui-même, conçu pour éviter d'attirer l'attention. Des vignes avaient été plantées pour contraster avec la monotonie des murs en dalles couleur sable mais il était impossible de nier le fait que l'endroit tenait essentiellement du bunker. Les quelques fenêtres que je pus distinguer avaient des barreaux, et une grande clôture en métal délimitait la propriété.

Nous nous rendîmes sans hésitation à un garage quatre places. Le portail se referma automatiquement derrière nous. Je compris à l'instant que personne ne vivait ici. Il n'y avait aucune des conneries qu'on trouve en général dans les garages, pas d'outils, pas de matériel de plage, pas de cartons remplis de merdes. Le seul élément présent, en plus de la Jaguar de Powell et de ma Mustang, était la 850ci de Bella.

Au lieu d'un accès qui aurait mené au rez-de-chaussée de la maison, une rampe en béton s'enfonçait dans les sous-sols. Powell me conduisit en bas, il m'ordonna de faire silence, puis déverrouilla une porte blindée. Nous débouchâmes dans un endroit à l'apparence d'un hôpital miniature : murs verts, linoléum, éclairage dépouillé et vertical. Powell referma derrière nous, posa un doigt sur la bouche, et me fit signe de le suivre le long d'un couloir. Nous passâmes devant des salles d'examen dont les issues étaient renforcées et munies de verrous de sécurité, puis franchîmes des portes battantes qui donnaient sur une espèce de bloc préopératoire. À travers les lucarnes, j'entrevis une forme sur un brancard semblable à un corps recouvert. Un peu plus loin, il y avait une autre porte en bois, déverrouillée. Powell éteignit le plafonnier et l'ouvrit. Une petite pièce, assez grande pour contenir deux personnes debout, une vitre comme celles qu'on voit dans les salles d'interrogatoire des commissariats. Il approcha ses lèvres de mon oreille et chuchota :

« C'est un miroir sans tain. Ne fais pas un bruit ou elle se rendra compte que tu es là. Reste ici. Je reviendrai te chercher quand ce sera terminé. Observe bien ta chérie. »

Il s'éclipsa et je regardai à travers la vitre. De l'autre côté, une lumière blanche et crue dévoilait une petite salle d'opérations. Ça ressemblait à une version petite échelle d'*Urgences*. Du métal étincelant, un tas d'appareils avec des voyants qui clignotaient, branchés sur les moniteurs, des chariots avec des rangées d'instruments brillants posés sur des carrés de tissu vert, un gros réflecteur au bout d'un bras articulé. Il n'y avait personne, mais au bout de dix minutes, Bella et Powell, affublés de blouses, masques et bonnets, entrèrent par des portes communicantes accompagnés d'un homme nu et inconscient qu'ils disposèrent sous la lumière. Il était allongé sur le flanc et avait un cathéter dans le bras. La région située entre ses côtes et ses hanches avait été badigeonnée d'un liquide marron-jaune.

Powell prit place au niveau de la tête de l'individu et installa un masque d'anesthésie sur son visage. Il commença à actionner les molettes de trois bouteilles cylindriques pendant que Bella branchait le type sur deux machines. Ils discutaient sans cesser de travailler, mais avec les masques et la cloison, je ne compris pas de quoi ils parlaient.

Lorsqu'elle fut prête, Bella fit signe à Powell, se saisit d'un scalpel et débuta l'incision. Je voyais mal car elle me tournait le dos, cependant je devinai qu'elle pratiquait une longue coupure horizontale sous les côtes. Elle était très concentrée, ses mouvements étaient rapides et économes. Elle écartait les instruments les uns après les autres, en cueillait de nouveaux sur le chariot à proximité. Ses gants chirurgicaux étaient enduits de sang.

J'étais subjugué par la précision des enchaînements, mais, pour une raison inconnue, je ne pouvais me débarrasser du sentiment que j'assistais à autre chose qu'une simple intervention médicale. La façon dont Bella se tenait, dont elle collait son pelvis contre le brancard, la grâce de ses mains, de ses bras… Tout suggérait une sensualité hors de propos dans le cadre de l'exercice chirurgical.

Le spectacle s'éternisait. J'étais fatigué de rester debout. Je devais parfois changer de position pour soulager la douleur dans mes jambes et à un moment, me cognai contre la vitre. Dans la salle d'opérations, Bella se figea et lança un regard appuyé à Powell, mais il était trop occupé à contrôler l'anesthésie. Au bout de quelques secondes, elle se détendit et se remit à l'ouvrage.

Un peu plus tard, l'opération atteignit son seuil critique. Bella plongea ses mains à l'intérieur du type, procéda à quelques ultimes incisions, et libéra ce qui se trouvait dedans. À deux mains, elle leva en l'air un truc recourbé d'une dizaine de centimètres de long.

Un rein.

Quelle surprise.

Des dépôts graisseux, jaunâtres, étaient accrochés à l'extrémité sectionnée et saillaient au milieu de l'incurvation. Il s'agissait probablement du principal point d'attache. De minces filets de sang coulaient du morceau de tissu dans lequel était enveloppé l'organe lisse comme une coiffe de nouveau-né. Il était beaucoup plus rose et mou que ceux qu'on pouvait voir chez le boucher. Peut-être parce qu'il était très frais.

Bella le déposa dans un récipient en plastique qu'elle referma avec un couvercle transparent, puis tendit le tout à Powell. Il hésita un instant, prononça quelques mots. Bella secoua la tête, se retourna vers son patient, et commença à effectuer les sutures internes. Powell lui parla à nouveau, mais elle ne répondit pas. Après un moment de flottement, il traversa la pièce avec le rein pour le placer dans un réfrigérateur.

Je restai encore un peu. Il était clair qu'ils avaient fini le gros œuvre. Je ne voyais pas l'intérêt de continuer à regarder les opérations de nettoyage. Voilà déjà deux heures que j'étais dans la pièce. Au moment où j'ouvris la porte, Bella était en train de recoudre le ventre du type.

Il m'était impossible de regagner le garage car la porte blindée était verrouillée. Je décidai d'explorer les lieux. Tout au bout du couloir, une volée de marches conduisait au rez-de-chaussée. Il y avait une autre porte blindée en haut, mais cette dernière était ouverte. J'errai de pièce en pièce. Un salon et deux chambres étaient meublés : tapis, draps, fauteuils, tout le confort d'une maison. Une apparente normalité, idéale pour se remettre de la fatigue causée par les ablations rénales. Ailleurs, tout était vide. Inoccupé selon toute vraisemblance. Sur le comptoir de la cuisine, se trouvaient des boîtes de conserve et des emballages, mais rien de frais. Je m'enfermai dans une salle de bains et allumai une cigarette.

Désormais, j'étais sûr que Bella prenait leurs reins aux gens. Et il était avéré que c'était elle qui dirigeait les opérations, non Powell.

Elle m'avait avoué que cette histoire de soins médicaux gratuits était son idée. J'avais pris son implication dans les ablations rénales pour argent comptant, mais j'avais gardé l'espoir que sa responsabilité au cœur de cette obscure dérive philanthropique était limitée, que Bella aurait été, disons, une assistante de Powell. Même mieux, elle aurait pu être victime de l'obsession du vieux. Maintenant, je savais qu'il n'en était rien. Et cette perspective m'inquiétait. La mort de Karen avait un lien avec la vente de son rein, j'en étais certain, et, jusqu'à preuve du contraire, il était raisonnable de penser que la personne qui tirait les ficelles avait joué un rôle similaire dans sa disparition. Un enchaînement de déductions logiques que je me refusai à prolonger. Tant que la liberté de Bella était synonyme d'apparitions télévisées.

Je me focalisai plutôt sur la raison de l'enthousiasme

de Powell à me faire ces révélations. Il ne pouvait être uniquement question de pratique illégale de la part de Bella. Au bout du compte, ses fonctions de rabatteur et d'anesthésiste le rendaient aussi coupable qu'elle. Peut-être croyait-il que si je la voyais découper quelqu'un, je fuirais. Néanmoins, elle était médecin après tout, même si elle n'était pas chirurgien, et n'était-ce pas ce que faisaient les toubibs ?

Ça aurait dû se dérouler de façon différente, pas d'autre possibilité. Et il ne s'était rien passé car, lorsque j'avais heurté la vitre, elle s'était aperçue qu'on l'épiait. Mais bordel de Dieu, qu'est-ce qu'elle avait prévu ?

Je retournai les attendre au salon. Il n'y avait aucune raison pour que Bella ignore ma présence. Une demi-heure plus tard, ils arrivèrent par les escaliers. Bella ne sembla pas surprise de me voir.

« Powell t'a fait venir ? »

Avant que je puisse répondre, il me coupa.

« Il était temps qu'il sache. »

Bella lui tomba dessus.

« Comment oses-tu prendre une initiative pareille ?

— Les amants ne doivent-ils pas tout savoir l'un de l'autre ? »

Bella affecta un sourire ironique.

« Tu crois que si c'est le cas, il rompra ?

— Je crois qu'il doit posséder les éléments indispensables à une décision éclairée.

— Tu es si prévisible que c'en est absurde.

— Cependant, je connais tout de toi. Et rien de ce que je peux apprendre ne me détournera. Il n'en sera peut-être pas ainsi pour lui.

— Qu'il en soit ainsi ou pas, cela ne te regarde pas. Souviens-t'en ou tu pourrais brusquement retrouver ton lit vide.

— Il n'existe que deux sortes de journées pour moi. Celles où tu m'autorises à venir, et celles où tu refuses. Si tu n'es pas là, je n'ai plus rien à perdre. Alors à toi de te rappeler que si mon lit est vide, ta salle d'opérations sera dans le même état. À moins que tu penses qu'il accepte d'écumer les bas-fonds comme je le fais pour toi ? »

Pendant un instant, Bella le regarda comme si elle était à court d'arguments, puis elle fit volte-face et se dirigea vers les escaliers. Sur le seuil, elle marqua une pause.

« Il va revenir à lui bientôt. Occupe-toi des calmants. Viens, Jack. »

Elle disparut. Je me préparai à la suivre lorsque Powell m'attrapa le bras et siffla à mon oreille :

« Ce que tu as vu n'est rien. Elle savait que tu étais là. Tu n'es qu'un enfant en train de s'amuser avec un jouet très dangereux. Fais attention à ce qu'il ne s'attaque pas à toi.

— Allez vous faire foutre. »

Je me dégageai et allai rejoindre Bella. Nous nous embrassâmes dans le garage, mais restâmes silencieux jusqu'à ce que, après avoir ramené nos véhicules à Malibu, nous plongeâmes nus dans la piscine.

Bella effectua quelques longueurs de brasse. Le ciel était noir. L'aube ne se lèverait pas avant deux ou trois heures, mais les projecteurs sous-marins permettaient de bien voir entre ses jambes. Elle se laissa flotter sur le dos, ses poils pubiens étaient dressés à la surface. Je m'approchai et elle m'enlaça. Ses seins glissèrent sur ma poitrine.

« Qu'est-ce que tu en as pensé ?

— Cette pratique ne peut pas être légale.

— Elle ne l'est pas. Mais tout le monde y gagne. Ce que je t'ai raconté à propos du traitement que j'offre aux sans-abri n'est pas tout à fait la vérité. Je leur achète leurs reins. Avec leur consentement total. Powell trouve des gens dans la rue. S'il estime qu'ils peuvent supporter l'opération, je leur fais une proposition. C'est leur choix. La perte d'un rein ne va pas vraiment influer sur leur vie et la somme que j'offre est plus que ce qu'ils pourront jamais voir en une seule fois. La plupart d'entre eux n'atteignent pas la quarantaine, de toute façon. Ils n'ont pas grand-chose à perdre. Tu serais étonné de savoir combien d'entre eux disent oui.

— Qu'est-ce que tu fais des reins ?

— Les listes d'attente pour les transplantations peuvent courir sur des années.

— Tu les vends à des particuliers ?

— Bien sûr que non. Je fais des donations à divers hôpitaux publics. Anonymement. »

Ma queue était dure, Bella s'en empara et commença à la masser contre l'extérieur de son vagin. Même sous l'eau, je pouvais sentir qu'elle mouillait entre ses petites lèvres.

« Le genre Robin des Bois ne me frappe pas au premier abord, en ce qui te concerne.

— Mais regarde ce que je fais pour toi. »

Le ton était affable, mais le message limpide : ne déconne pas avec quelqu'un grâce à qui tu passes à la télé. Je n'ajoutai rien.

Bella bougea sa main plus vite. Je fermai les yeux et vis la fille avec le pied-de-biche dans le cul, le couple en plein coït avec la tête dans les sacs plastique. J'essayai de me figurer comment ça pouvait être, de s'allonger sur ces corps, de sentir leur chair inanimée contre la mienne.

J'éjaculai. Mon sperme fit des traînées blanches dans l'eau claire de la piscine.

Je m'éveillai dans la lueur faible d'une aube voilée. Bella était endormie sur le ventre, les draps rejetés hors du lit, la raie de ses fesses comblée par l'ombre. Dehors, un animal hurla. Pas le cri d'un coyote au loin dans les collines, pas un appel de la forêt matinal. Le son que j'entendis était tout proche et rempli de douleur.

Je me levai et allai à la fenêtre. Bella dormait toujours. Des étoiles et le ciel qui pâlissait. La végétation autour de la maison était entièrement grise sous la lumière qui enlevait toute vie aux éléments pour n'en laisser qu'une image plate et déplaisante.

Juste dehors, là où n'importe qui à la fenêtre pouvait le voir, un homme nu était accroupi sur quelque chose qui se débattait. Il s'occupait du ventre, en retirait des poignées de tripes, les dispersait dans l'herbe alentour. Powell. Et le deuxième chien qu'on avait livré.

Lorsque l'animal fut évidé, il le leva au-dessus de sa tête et le tint de manière à ce que les parois béantes de l'estomac soient juste en face de la fenêtre. Je savais que j'étais dissimulé par la pénombre de la pièce, mais je ne pus m'empêcher de sursauter, hors de sa vue.

Même après, tandis que je me recouchais, les visions étaient encore présentes : le chien massacré, le corps blanc de Powell souillé par endroits de sang noir, sa bite molle qui pendouillait.

Bella et moi prîmes le petit déjeuner ensemble au bord de la piscine. L'air était doux. J'y soufflais ma fumée de cigarette. Le soleil traçait des motifs à la surface de l'eau.

Un peu avant la fin du repas, Powell sortit de la maison et annonça à Bella qu'il ne resterait pas à Malibu plus longtemps. Il paraissait plus défoncé que d'habitude et portait des écorchures sur les mains et la figure. On aurait dit qu'il espérait une réaction de sa part, qu'elle lui demande pourquoi par exemple, mais elle leva à peine la tête du journal qu'elle feuilletait. Je me rendis compte que pour la première fois, la nuit dernière, elle ne s'était pas levée pour aller le rejoindre au lit.

Je ne lui avais pas raconté ce que j'avais vu à la fenêtre.

Lorsqu'il fut parti, nous déambulâmes dans la propriété, main dans la main. Je la conduisis à la zone herbacée au-dessous de sa chambre. Le sang était pareil à une épaisse couche d'huile et les monticules d'abats dispersés étaient couverts de mouches. Le cadavre avait disparu.

Bella gémit, résignée. Elle ne paraissait ni surprise ni choquée. Je poussai du pied quelque chose qui ressemblait à un bout d'intestin.

« Je l'ai vu faire cette nuit.

— Il se sent menacé. Il a peur que tu m'éloignes de lui.

— C'est une réaction assez violente.

— Il s'agit juste d'un chien.

— Ça me laisse songeur. Je me demande de quoi il est capable.

— Qu'est-ce que tu veux dire ?

— Un de ces jours, les chiens ne suffiront peut-être plus. »

Bella observa le carnage au sol.

« Plutôt féroce, n'est-ce pas ? »

Elle fit volte-face et reprit le chemin de la maison. Je

restai dehors à parcourir la lisière de la forêt, jusqu'à ce que je trouve la carcasse du chien. Fendu des couilles aux côtes. Je l'examinai, mais il était difficile de déterminer s'il y avait du sperme à l'intérieur ou non.

Blessure similaire, en tout cas. Éventré de manière identique. Connaissances chirurgicales. Du tout cuit pour relier Powell au meurtre de Karen. Et le mobile ? Si Karen et Bella étaient amantes et qu'il l'avait découvert — comme il vivait à Malibu, même à temps partiel, c'était inévitable —, ses motivations devenaient assez simples. Jalousie sexuelle.

L'embellie du jour. Le chien dépecé à mes pieds minorait de dix à un la responsabilité de Bella dans la salle d'opérations. Dès lors, la balance penchait de façon irréversible. Même en admettant qu'elle était au courant du meurtre, ce devait obligatoirement être Powell le coupable, les mutilations étaient trop semblables.

En plus, avec le foutre dans les entrailles de Karen, ça signifiait que je pouvais continuer à lui pomper son fric sans craindre d'encourir un jour les foudres de la justice. Ça signifiait aussi que j'avais des biscuits pour Ryan si jamais il s'ennuyait une fois le chantage effectué et décidait de se remettre à la chasse à Jack l'Éventreur.

Bella était assise sur une chaise Art déco grise, dans le salon de son appartement, les yeux fixés sur la fenêtre. Elle était perdue dans ses pensées et sursauta lorsque j'arrivai.

« Il est temps d'appeler Ryan. Qu'est-ce que tu veux lui dire ?

— Indique-lui de me retrouver demain. Le même hôtel fera l'affaire.

— Je ne peux pas, demain. J'enregistre.

« — J'irai seule.

— Tu es sûre ? Il a l'air super louche.

— Tu n'es pas jaloux, dis-moi ?

— Après Powell et ce gars au motel ?

— Bien. Tu n'as aucune raison de l'être. Je lui donnerai l'argent et, avec un peu de chance, nous n'entendrons plus parler de lui.

— Peu probable.

— Oui. Mais l'argent est puissant. Si tu en possèdes assez, tout peut arriver, dans un sens comme dans l'autre. Laisse-moi te montrer quelque chose. »

Dans la salle vidéo, Bella alluma le magnétoscope et y introduisit une cassette.

« Voici quelques-uns de mes donneurs. Rien de ce que je leur fais n'est justifié d'un point de vue médical. Ils peuvent nourrir des soupçons, mais ils se forcent à obéir par appât du gain. »

Elle appuya sur lecture. Une série d'individus sans ressources, hommes et femmes, dans une des salles d'examen d'Apricot Lane. Bella, vêtue d'un bonnet et d'un masque chirurgicaux, les cheveux ramenés en arrière. Les candidats, nus. À leur comportement, je supposai que la caméra était dissimulée.

Un homme en train de subir un toucher rectal, les doigts de Bella dans un gant de latex suintant de lubrifiant. Le même mec, accroupi au-dessus d'une cuvette posée par terre, occupé à fournir des échantillons de selles. Une jeune femme avec des traces de piquouzes à l'intérieur des cuisses, la chatte ouverte par un écarteur en acier pour que Bella puisse pratiquer un lavement avec un litre de sérum physiologique. Bella, le poing entier dans l'anus d'un Black à peine majeur. Une fille à quatre pattes, malade après avoir bu un vomitif, tandis que Bella effectuait un frottis à l'aide d'un instrument

313

au long manche terminé par un Q profondément enfoncé dans son con.

« Tu dois comprendre que ces techniques invasives revêtent une dimension éminemment érotique. »

J'allais acquiescer lorsque la bande sauta et une autre séquence apparut. Je ne pus m'empêcher de tressaillir. Bella n'était plus coiffée ni masquée, mais nue, allongée de tout son corps sur une autre femme à poil, en soixante-neuf sur une table d'examen. Elles se bouffaient la chatte et le visage de la nana était caché entre les jambes de Bella. Quand elle leva la tête pour mieux enfoncer sa langue, je vis son omoplate. Et le scarabée tatoué dessus.

« Qu'est-ce que tu as ?

— Rien.

— Tu la connais.

— Non. C'est simplement… différent. Elle faisait partie des donneurs ?

— Elle a fini par en être, oui. »

À l'écran, le bassin de Bella se souleva, puis ralentit le rythme, se décontracta. Au bout d'un moment, elle descendit. La femme sur la table tourna le visage vers la caméra et sourit : Karen, la figure luisante de salive et de jus d'abricot. Bella mit sur pause.

« C'était mon amante.

— Il lui est arrivé quoi ?

— Qu'est-ce que ça signifie ? Si tu la connais, Jack, j'aimerais bien que tu me le dises.

— Je voulais juste savoir comment votre relation s'est terminée.

— Tu la connais ou pas ? »

Bella était trop excitée par la question pour se contenter d'un faux-fuyant.

« Elle ressemble à une gonzesse qui faisait le tapin.

314

Peut-être que je l'ai vue là-bas une fois ou deux, c'est tout. Il y a un problème ?

— Je suis désolée. Nous avons vécu une histoire intense. Je suis encore un peu à fleur de peau à son sujet.

— C'est fini ?

— Je l'ignore. Un jour, elle n'est pas venue. Je ne l'ai jamais revue.

— Tu n'as pas essayé de la contacter ?

— Elle ne m'a jamais rien révélé sur elle. Je ne savais ni son nom ni où elle habitait. Je ne pouvais pas faire grand-chose. »

Bella rembobina la cassette et remit en lecture. Elle s'assit en haut de mes cuisses et introduisit ma queue en elle. Elle bougeait fort sur moi et lorsque le visage dégoulinant de Karen sourit à l'objectif, elle jouit.

Plus tard, je téléphonai à Ryan. Le Starway Motel lui convenait. Quand il apprit que je ne serais pas présent, il fut encore plus satisfait.

Chapitre 25

Bella quitta la maison le lendemain en fin de matinée. Elle devait d'abord passer à la banque avant d'aller au rendez-vous avec Ryan. Powell n'était pas revenu à Malibu de la nuit, aussi je supposais qu'il était resté faire la gueule dans son appartement du centre-ville.

Ma prise de service pour *28 FPS* n'était pas avant midi. Je profitai de ma solitude pour m'acquitter d'une ou deux tâches.

Je m'emparai de la vidéo consacrée aux donneurs dans la cache de Bella, sélectionnai le passage avec Karen, et le copiai sur une cassette vierge. Cela me prit une vingtaine de minutes : dix pour comprendre comment passer d'un lecteur à l'autre, et dix de plus pour dupliquer car je n'arrivais pas à trouver la fonction copie rapide. Pendant tout ce temps, je balisai, à l'affût d'un bruit de moteur, de pas dans la maison.

Il y avait d'autres cassettes sur l'étagère. Deux que je connaissais déjà : celle de Bella et Powell qui copulaient, et puis celle avec moi, inconscient, la bite dressée, en train de me faire sucer. Ensuite, j'en trouvai trois que je n'avais pas vues. Je passai une demi-heure, les nerfs à fleur de peau, à les visionner en accéléré : une perfor-

316

mance solo de Bella, une autre série de loques qui subissaient des examens médicaux à connotation sexuelle, et un best of de diverses séances de baise enregistrées par Bella et moi depuis mon arrivée à Malibu. Rien qui fasse le lien avec Karen. Je rembobinai et rangeai l'ensemble tel que je l'avais trouvé.

J'avais deux raisons de vouloir une copie personnelle de Bella et Karen occupées à se faire des léchouilles. Premièrement, la cassette prouvait qu'elles étaient amantes ou, du moins, qu'elles entretenaient une relation sexuelle de quelque sorte. En ajoutant la confidence de Bella à propos des copies systématiques effectuées par Powell, l'hypothèse d'un crime passionnel était renforcée. S'il avait un double en sa possession, cela signifiait qu'il était au courant de leur relation, et s'il était au courant de leur relation, il était fort possible qu'il y ait remédié.

La seconde raison était moins sympa pour Bella : je prenais une assurance au cas où elle changerait d'avis et cesserait d'apprécier ma compagnie. Dans l'optique où Bella savait pour le meurtre, elle n'avait sûrement pas envie qu'on trouve, déposé par un anonyme sur le seuil d'un commissariat, un film dans lequel on la voyait batifoler nue avec la victime.

Je déposai la cassette dans le coffre de la Mustang et pris la direction de la Pacific Coast Highway. Il faisait chaud et j'étais excité. Lorn et moi allions travailler pour la première fois ensemble. Une interview conjointe d'une étoile montante du porno. Une personnalité encore assez confidentielle, mais qui pourrait cependant susciter l'intérêt du cœur de cible de *28 FPS*. Une bonne manière de débuter : Lorn à mes côtés pour m'épauler, pas de grand nom susceptible de déclencher un scandale si je bafouillais et s'il fallait refaire trop de prises. Je me forçai à rester calme. J'avais regardé Lorn à la télé, j'avais fantasmé sur elle ces douze derniers mois, je ne voulais pas qu'elle me prenne pour un tocard.

La gonzesse se faisait appeler Mistral. À mon avis, elle ignorait ce que le mot voulait dire. Elle avait juste dû le voir quelque part et avait trouvé que ça sonnait bien. C'était sans importance. Lorsque votre raison d'être se résume à une série d'orifices, tout le monde se fout de savoir si vous êtes futée : en particulier quand vous êtes blond platine et que vous avez des implants mammaires.

Elle vivait dans une petite maison en pente qui donnait sur la plage, dans un de ces quartiers où les constructions sont si rapprochées le long de l'autoroute qu'on ne peut plus voir l'océan. Il s'agissait d'une demeure modeste, sans terrain ni jardin à proprement parler, mais on était à Malibu et le lieu de résidence est un paramètre important quand on est sur la voie ascendante.

Lorsque j'arrivai, des fourgonnettes étaient déjà garées à l'extérieur. Je passai au maquillage dans l'une d'elles, puis me promenai dans la maison. L'équipe se mettait en place sur la terrasse, Mistral était au salon. Elle fumait une cigarette ultrafine et papotait avec Lorn et James, le réalisateur avec qui j'avais effectué mon premier jour de tournage.

Nous nous présentâmes. James me conseilla de me décontracter. Il me dirigerait à chaque étape. Lorn était convaincue de m'avoir déjà vu quelque part. Elle me donna un questionnaire. Une occurrence sur trois était marquée d'un J.

« Ce sont tes questions. Elle sait ce que nous allons lui demander… »

Mistral expulsa de la fumée par les narines et intervint :

« Ouais. J'veux pas répondre aux questions qui sont pas sur ce papier-là. Mon agent m'a dit que j'devrais pas le faire. »

Elle avait une voix nasillarde haut perchée et un accent qui semblait venir des mauvais coins de la côte Est. Idéal quand il fallait baiser à l'écran, mais il était évident qu'elle ne pourrait jamais réussir sa reconversion avec un tel baragouin.

Lorn tapota son genou.

« On fera exactement ce que tu veux, mon chou. Pas d'inquiétude. »

Lorn avait l'air splendide, comme toujours. Leggings noirs, Reeboks, chemise délavée qui faisait ressortir ses nichons et dévoilait ses épaules.

« Vous voulez voir un d'mes trucs avant qu'on s'y mette ? J'ai une cassette par là. »

James s'éclipsa pour passer quelques coups de fil, mais Lorn et moi allions nous tourner les pouces jusqu'à ce qu'on lance le tournage. Mistral avait déjà la télécommande à la main.

« Là, c'est moi et Paco Rondello. 'tain, quand il vient dans ta bouche, c'est comme un bon guculeton. Voyez comment je bouge mes hanches, là ? C'est un truc que j'fais, genre qui ajoute de la sensualité, vous pensez pas ? Oh, et maintenant là, là c'est une de mes scènes préférées, paske c'est tellement artistique. Quand j'ai débuté, je pouvais pas faire l'anal en sandwich, impossible, mais dans la profession, on s'assouplit et puis on s'dit au diable, va ! Alors là, c'est deux à la fois, belle affaire, pour arriver au sommet, faut développer quelques particularités. Attention hein, je donne pas dans ces trucs où on chie et où on dégueule. Nan, faut que ça soit classe ou j'me casse. Voyez où je suis maintenant que j'peux imposer mes conditions. Hé, vous êtes allés à la soirée de Charlie Sheen ? La reconnaissance, c'est ça qui compte dans ma partie. »

Lorn approuvait sans conviction. Ce qui défilait à l'écran semblait l'ennuyer. Au bout d'un moment, elle se leva et me fit un signe de tête. Nous sortîmes et descendîmes un escalier de bois bruni par le soleil qui conduisait à la plage. Le soleil, sur la mer, dessinait une ligne brillante jusqu'à l'horizon qu'il était difficile de contempler. Quelques richards se baignaient. D'autres se prélassaient sur le sable, sous des parasols. Ils paraissaient décontractés, sains, contents d'eux-mêmes, comme si ce temps passé à lézarder était bien mérité.

Je me demandai comment les clodos et autres rebuts de Santa Monica se sentaient aujourd'hui. L'époque où je menaçais de finir comme eux me semblait lointaine. J'éprouvai soudain le besoin impérieux de prendre ma voiture, de conduire le long de la côte, et d'aller les observer, de m'en servir pour mesurer le chemin parcouru.

« Bel endroit. »

Lorn était en train de faire des étirements sur les marches du bas. Elle renifla.

« Tu plaisantes. Cette partie de la plage est réservée aux aspirants. Tu habites où ?

— J'ai une maison à Willow Glen.

— Les collines ?

— Laurel Canyon.

— Une piscine ?

— Ce n'est pas le cas de tout le monde ?

— Tu ne trouves pas que son minou bâillait un peu, sur les gros plans ?

— Hein ?

— Je le ferais retendre si c'était le mien.

— J'ai entendu dire que tu travaillais dans une pâtisserie.

— Vraiment ? Où as-tu entendu ça ?

— Par-ci, par-là.

— Eh bien moi, je n'ai rien entendu à ton sujet. Comment tu as atterri dans l'émission ? Ce n'est pas comme si nous avions besoin de quelqu'un en plus.

— À la sueur de mon front.

— C'est-à-dire ?

— Tu vois, une chose l'autre.

— Tu sais comment je suis arrivée là ? Le mérite. Je me suis défoncée pour une radio locale pendant six mois. Je ne supporte pas les gens à qui on offre une émission sur un plateau parce que Papa connaît le producteur.

— Hé, c'est la même chose pour moi. »

Elle me scruta comme si elle n'arrivait pas à évaluer si je plaisantais ou non, puis exécuta encore un ou deux étirements et s'assit sur une marche.

« Ça fait combien de temps que tu vis sur la côte ?

— Un an ou deux.

— Laisse-moi te donner un conseil, monsieur le nouveau. N'interroge jamais les gens sur leur passé, ça ne signifie rien, par ici. Ce que tu fais maintenant est la seule chose qui importe.

— Bien sûr. Je ne voulais rien insinuer, avec l'histoire de la pâtisserie.

— Ouais, d'accord.

— Tu crois qu'on va bien s'entendre ?

— Je ne sais pas. Et toi ?

— Pourquoi pas ? Nous baignons tous les deux dans une certaine superficialité.

— Tu essayes d'être drôle ?

— Est-ce que tu veux bien me briefer sur ce qui va se passer ?

— Attends que ce soit à toi de poser la question, et puis pose-la. Ne fais pas attention à la caméra, elle ne sera pas sur toi. Nous ferons les contrechamps ensuite. Bon Dieu, j'ai horreur de bosser sur ces bimbos anonymes. Elles ne peuvent te présenter à personne et elles n'ont jamais de coke valable. Tu ferais mieux d'y retourner, James va vouloir te préparer. »

Sur la terrasse, les gars avaient monté une sorte de baldaquin en toile métallique qui faisait office de réflecteur. Je m'installai sur un petit sofa indien en face de Mistral. Je me sentais tout oriental. Lorn était assise à côté de moi. Je pouvais humer le parfum de sa lotion capillaire.

Le tournage se passa plutôt bien. Lorn posa ses questions, je posai les miennes. Mistral évoqua la manière dont son enfance l'avait conduite à la pornographie, mais elle était contente, car le X avait accédé à une certaine légitimité dans nos sociétés contemporaines. Elle parla de l'argent qu'elle gagnait, de ses ambitions artistiques. À un moment, elle suggéra qu'on fasse des gros plans sur les cicatrices dues aux implants sous ses seins. Ils accédèrent à sa requête. Pourquoi pas ? Ça rendait bien à la télé.

Je foirai une ou deux interventions et nous dûmes refaire les prises. Personne n'avait l'air d'y prêter attention et quand Lorn elle-même se planta, je me rendis compte que travailler devant la caméra requérait encore moins de talents que ce que j'avais escompté.

Lorsqu'il n'y eut plus rien à tirer de Mistral, ils nous filmèrent, Lorn et moi, en train de poser les questions et de réagir aux supposées réponses. Lorn possédait un éventail de quatre expressions faciales. Elle les fit défiler à mon intention, l'une après l'autre. Mistral, qui attendait hors champ de l'autre côté du balcon, s'en aperçut et vint nous montrer ses quatre mimiques orgasmiques. Quand elle repartit, j'entendis des bribes de conversation. Elle expliquait à un des membres de l'équipe qu'elle se servait d'un gel à base de silicone pour que sa chatte paraisse humide même si elle n'était pas d'humeur. Ce qui, bien entendu, était le cas la plupart du temps car elle était une professionnelle et éprouver de l'excitation sexuelle l'empêcherait d'avoir le recul nécessaire à ses élans créatifs.

L'équipe remballa le matériel. James leva le pouce dans ma direction et grimpa dans sa Porsche. Lorn traîna autour des véhicules groupés devant la maison. Elle semblait être de trop, maintenant que c'était dans la boîte. Elle observa le flot de circulation sur le macadam réchauffé par l'après-midi, comme s'il lui rappelait qu'en dépit de l'exaltation des tournages, des soirées, des premières et des discussions avec les stars, l'essence de la vie, en filigrane, n'était qu'une morne succession de mondanités dont la signification lui échappait.

« Tu vas au Sub, cette nuit ?

— Pas d'invitation.

— Tu peux venir avec moi, si tu veux. Tu devrais, en tout cas, vu que c'est un bon plan pour dégotter des interviews.

— D'accord.

— Je suis libre pour la journée. On pourrait aller manger un morceau d'abord.

— Désolé, je te verrai directement là-bas. J'ai des choses à faire. »

Lorn ne paraissait pas tant déçue qu'angoissée d'être désœuvrée jusqu'au soir. C'était une opportunité que j'aurais voulu saisir. Malgré notre accrochage en bas des marches, je demeurais autant attiré par elle en chair et en os que je l'avais été par écran interposé. Et je ne voulais pas partir du mauvais pied. Mais comment faire ? Je devais passer chez Rex planquer la cassette. Inutile de prendre le risque de la laisser dans la voiture, à Willow Glen ou à un autre endroit où Bella pouvait tomber dessus. De plus, j'éprouvais le besoin, depuis quelques jours, de le voir, j'avais besoin de parler avec lui de ma dernière visite.

Lorn et moi prîmes rendez-vous. Je démarrai la voiture et me mis en route. Elle retourna contempler la circulation.

Rex ne répondit pas quand je frappai à sa porte. C'était ouvert, aussi j'entrai et empruntai le couloir jusqu'au salon. Il était écroulé sur le divan. On aurait dit qu'il n'avait pas bougé depuis la dernière fois. La pièce puait le chacal. Il y avait encore plus de sang coagulé sur les murs. Il avait ajouté au tapis de canettes de Coca des emballages de crème dessert vides. Les volets étaient clos et les rideaux de la vitre coulissante sur la terrasse, au fond de la pièce, étaient toujours tirés. Une lumière diffuse, dont la plus grande part provenait de la télé, filtrait aussi par l'entrebâillement.

Le regard de Rex, identique à celui qu'on pose sur quelqu'un à l'arrêt de bus, était dénué d'expression. Il attendait que je parle le premier.

« Salut, mon pote.

— Salut.

— Cet endroit… ne s'améliore pas.

— La stase s'achève. Flottabilité zéro. Je suis en dessous de la surface.

— Ça sent mauvais.

— Jack, ça n'a aucune importance. C'est mon monde. Je m'y suis adapté. Rien n'est pire ou meilleur que n'importe quoi d'autre. La seule certitude que tu puisses avoir sur les choses, c'est qu'elles continuent. Et continuent jusqu'à ce que tout s'arrête et puis c'est fini.

— Rex, il faut que tu voies quelqu'un. Il faut que tu freines sur la dope.

— Nan, tu te trompes. Je dois en prendre beaucoup plus.

— Regarde-toi dans une glace, mec. C'est pas bon pour toi.

— Oh si. Ça m'évite d'aimer autant.

— Aimer quoi ?

— Tout. Je sais qu'il y a énormément de trucs que tu hais. Tu hais être pauvre, tu hais ne pas être célèbre, tu hais Karen, tu hais la plupart des gens que tu croises dans la rue. Mais je n'ai jamais été pareil. Je l'ai compris lorsque j'ai heurté ce gosse. Ça a tout remué en moi, le bon, le mauvais. Je n'avais pas besoin de porter un jugement comme toi. Les choses, les gens, ils se contentaient de demeurer là. Je pouvais tirer d'eux tout ce qu'il y avait de bien, si je voulais. Sinon, je passais mon chemin. Mais tu sais quoi, mec ? Tout le monde n'est pas comme ça. Et parvenir à aimer un monde qui te rejette, ce n'est pas une putain de sinécure… C'est épuisant, mec. Tu ne peux pas le faire pendant une éternité.

— Mais tu gagnais bien ta vie. Et personne ne viendra jamais te chercher pour ce gamin. Je veux dire, tu ne peux pas oublier ça ? Repartir de zéro ?

— Ne sois pas stupide. C'est impossible de repartir.

— Tu es fâché, pour l'autre jour ?

— Je te l'ai expliqué, il n'existe rien de pire ou de meilleur que n'importe quoi d'autre. Mais ouais, c'était plutôt moche. Où est ton copain, au fait ? Dommage qu'il ne soit pas là, on aurait pu remettre ça.

— Bon Dieu, Rex…

— Non, mec, c'est vrai. J'aime qu'on me rabaisse encore plus que je ne le peux moi-même. Ça ajoute du piment.

— Pourquoi tu m'as piégé ?

— Tu m'en veux ?

— Tu aurais pu m'avertir. Je suis dans une situation délicate, là.

— Il avait un putain de flingue. Tu voulais que je fasse quoi, que je crève pour toi ?

— Tu aurais pu faire une allusion discrète. »

À cette réflexion, Rex commença à rire. D'abord de manière sarcastique, puis tristement. Il secoua lentement la tête, retira un sachet de sa poche et mit une pincée de came dans une cuillère. Nous étions dans la même pièce, mais il était à des millions de kilomètres d'ici. À cet instant, je réalisai que j'aurais pu passer le reste de ma vie à essayer de le faire revenir, je n'y serais pas parvenu. Le gonze avait disparu.

« Rex, j'ai besoin que tu me gardes quelque chose. Je ne veux pas risquer que Ryan foute le bordel chez moi et mette la main dessus. Tu peux faire ça pour moi ?

— Je pourrais me laisser convaincre.

— Tu as besoin d'argent ?

— Comme je t'ai dit, mec, l'amour n'a plus cours ici.

— O.K., je paye. Tu veux savoir de quoi il s'agit ?

— Contente-toi de me donner le fric et casse-toi.

— Je suis désolé de ce qui est arrivé à ce garçon. Et avec Ryan. Mais ce n'était pas de ma faute, tu comprends ?

— Qui a dit que tu étais responsable ?

— Tu réagis comme si c'était le cas. »

Rex haussa les épaules et commença à préparer son

fix. Je laissai la cassette et tout le liquide que j'avais sur moi à côté de lui, sur le divan.

« C'est important que la bande soit en sécurité, Rex. »

Il était trop occupé avec son briquet et sa cuillère pour répondre.

« Rex ?

— Je t'ai dit que j'en prendrai soin. Maintenant, est-ce que tu peux, s'il te plaît, calter de là ? »

De retour dans Laurel Canyon, Willow Glen resplendissait. On aurait dit la demeure d'une star montante, peut-être celle de quelqu'un qui venait juste de passer d'un soap en vidéo à un premier rôle. Un endroit qui respirait l'optimisme, plein de lumière, d'excitation et de fougue.

Je pris une douche et un Coca, puis m'assis devant la télé pour regarder une ancienne pub d'Escape, celle où un couple rêvassait sur un bateau et une petite jetée. Un flot d'images qui incarnait l'aisance et la joie. Je voulais être ce mec à la crinière d'ébène, avoir son assurance, mener la même existence stable et sans danger. Je voulais être cette fille à la beauté insaisissable, posséder son excitation, son rire, la vision fugitive du bikini blanc entre ses jambes.

Je me repassai la pub pendant une demi-heure. Dix minutes plus tard, je me levai et fixai mes photos autour de l'écran. La juxtaposition était intéressante. Des cadavres sur une vie parfaite. Je me branlai et crachai la purée partout dessus.

Bella appela tandis que la cassette défilait encore. Je regardai mon foutre couler sur le sol pendant que nous parlions. Elle me dit qu'elle m'aimait. Elle me dit que la transaction avec Ryan s'était bien déroulée. Elle me dit qu'il comptait passer à Malibu demain avec un cadeau pour nous deux.

Lorsque je raccrochai, un frisson me parcourut. Le cadeau consistait en un nouvel enregistrement. Pas de nous, apparemment, mais d'autres personnes qui faisaient de vilaines choses. Bella avait affirmé que c'était ce qui pouvait arriver de mieux car nous aurions un moyen de pression sur Ryan. Je savais qu'il n'était pas idiot à ce point et qu'il avait des raisons personnelles, dangereuses, de maintenir le contact. De la même manière, je savais que Bella avait commencé à jouer sa partie avec lui. Je compris ce soir-là que j'avais perdu tout contrôle sur ma propre vie.

Je déambulai dans la maison pendant quelque temps. J'allumai une cigarette, actionnai les projecteurs de la piscine, et sortis pour admirer les motifs à la surface de l'eau. Dans le parc, une brise fit frémir les feuilles des palmiers.

Chapitre 26

Les toilettes du Sub possédaient des cabines mixtes : murs laqués noirs saupoudrés de paillettes incrustées en spirale. Lorn et moi nous enfermâmes dans l'une d'elles et sniffâmes une quantité non négligeable de la coke que j'avais amenée. Je l'avais coupée avec un peu d'héro, mais Lorn n'avait pas besoin de le savoir. Nous nous embrassâmes, je la doigtai sans autre conséquence. Ensuite, nous nous rendîmes au bar en bordure de la piste principale pour prendre nos verres avant d'aller flâner.

Lorn connaissait beaucoup de monde dans le coin et, après avoir bu une demi-vodka citronnée, elle partit frayer avec les célébrités. L'établissement était gigantesque : bars, piste de danse, espace dîner en hauteur. Je la perdis de vue presque aussitôt.

Je restai où j'étais et observai une autre espèce en pleine évolution. Ils étincelaient, ils possédaient un allant refusé au reste du monde. Leurs yeux pétillaient, leurs cheveux étaient beaux, ils se déplaçaient avec aisance, dans des fringues parfaitement coupées. Et lorsqu'ils parlaient, ce n'était pas du temps qu'il faisait ou des réparations à effectuer sur leur voiture, mais de choses grandioses : un tournage de six semaines dans les Andes, un plan de foule avec deux mille figurants, la gestion de sommes astronomiques. Des vies menées à fond de train, chaque minute, chaque jour.

Il y avait une hiérarchie, c'était indéniable. Chaque fois qu'une grosse légume entrait, tout le monde s'arrêtait et se tournait vers les portes. Mais même les rangs inférieurs, ceux qui bossaient à la périphérie de l'industrie du film, menaient une existence à cent coudées au-dessus de ceux qui grattaient dehors, dans la ville. On n'arrivait pas à croire qu'ils habitaient sur la même planète.

Le Sub surpassait la réception au Bradbury Building, il surpassait les studios de la Warner. Ici, les têtes d'affiche venaient rencontrer leurs semblables.

Je ne revis pas Lorn cette nuit-là. Et je ne fis aucun effort pour lier connaissance avec qui que ce soit. J'étais déjà comblé de me trouver dans cet endroit, de sentir la différence tout autour de moi. Je partis assez tôt par peur qu'un contact prolongé ne me submerge.

Un dernier verre au bar. Le barman me scruta un instant avant de me demander s'il ne m'avait pas vu dans *28 FPS*. Sa question manqua de me faire griller les neurones. Tandis que je prenais le chemin de la sortie par le hall constellé de paillettes métalliques, à moitié déglingué par la came et la gnôle, tandis que je franchissais la foule au sein de laquelle s'étaient rassemblées les vedettes pour émerger dans la douceur de la nuit, mon cœur frétilla à l'idée que je commençais à faire partie du club.

Au matin, cependant, ce n'était plus pareil. Je me réveillai mal à l'aise, la gueule de bois. L'euphorie qui s'était emparée de moi dans la boîte de nuit avait disparu. Maintenant, j'avais les tripes nouées à la perspective de recevoir, ici à Malibu, la visite de Ryan.

Je me hissai hors du lit et me laissai tomber dans la piscine. Je flottai la tête sous l'eau sans être apaisé pour autant. Je soufflai et allai toucher le fond. Je restai là, comme un cadavre, les yeux fixés à travers deux mètres d'eau sur un soleil déformé et distant. J'aurais voulu demeurer ainsi, protégé de tous les dangers de la terre, du calvaire de l'existence. Au bout d'un moment, la pression et le manque d'air me rendirent malade et je refis surface.

Au rez-de-chaussée, à Malibu.

« Je connais un type qui bosse dans la sécurité. Il me file des trucs de temps en temps. »

Nous étions assis en face d'une télé : moi, Ryan et Bella. À l'extérieur, il avait commencé à pleuvoir. Les gens, sur les pentes, devaient probablement flipper à cause de ce temps inhabituel pour la saison, s'inquiéter à propos des glissements de terrain, mais ici, dans cette pièce, la pluie ne faisait qu'exacerber le sentiment de claustration : les murs en pierre de taille, les meubles, la réclusion de Bella.

La dernière cassette de Ryan était dans le lecteur, prête à défiler. Il tenait la télécommande et discutait avec Bella comme si je n'étais pas là. Il était clair qu'il s'y croyait, qu'il pensait avoir une chance avec elle. Je l'avais vu embrasser les choses du regard lorsqu'il s'était pointé une demi-heure plus tôt : la maison, sa BMW, la piscine, la surface du terrain. Ses yeux avaient fait le compte des possessions, et le désir que j'avais vu croître en lui avait confirmé mes craintes : le faire venir à Malibu n'était pas l'idée la plus brillante de Bella. Mais c'est vrai qu'elle ne le connaissait pas aussi bien que moi.

« Après avoir vu vos petites acrobaties avec le gars au motel, j'ai su que vous adoreriez ce que j'ai là. »

Il me fixa dans le blanc des yeux.

« Comment tu t'appelles, déjà ?

— Jack.

— Jackie, ouais, c'est ça. Eh bien, ceci est quelques degrés au-dessus, pour ainsi dire, mais j'ai la certitude que tu es un homme qui apprécie l'extrême. Et j'espère qu'il en est de même pour Madame Beauté ici présente. »

Il fit un sourire narquois à Bella et appuya sur lecture.

« Ça vient d'une caméra de surveillance. La gonzesse est une espèce d'Hispano qui nettoie l'établissement après les heures d'ouverture. »

À l'écran, deux hommes affublés de masques de ski, armés de fusils et munis de sacs en bandoulière pénétrèrent dans le champ. Ils étaient nerveux, à l'affût de la moindre alerte. Des coffrets sur des présentoirs vitrés tout autour d'eux. D'évidence, la salle d'expo d'une petite bijouterie. D'après l'angle de la prise de vue, à partir d'un coin du plafond, on pouvait apercevoir en plongée le bas d'une porte ouverte. Le pied d'une femme émergea à reculons. Elle passait l'aspirateur. L'un des hommes, à moitié dissimulé, se jeta sur elle et la ceintura. Une jolie petite Mexicaine fit son apparition. Elle semblait avoir la vingtaine et était pourvue d'une belle chevelure qui brillait même sur la vidéo.

Ils lui donnèrent quelques coups, pointèrent leurs armes sur elle. Elle avait la bouche ensanglantée et son jean, à l'entrejambe, devint sombre tandis qu'elle se pissait dessus. L'un d'eux utilisa une bande d'adhésif extra-large pour la bâillonner et lui attacher les mains derrière le dos. L'autre souleva son T-shirt et lui massa les seins. Même au comble de la terreur, leur manière de ballotter était sexy. Lorsqu'il eut terminé son manège, il la frappa si fort sur la tempe que ses jambes se dérobèrent et elle s'effondra sur le sol. Elle resta assise, sans expression, comme si son cerveau déconnecté tentait avec l'énergie du désespoir de fonctionner à nouveau.

Les types firent ce pour quoi ils étaient venus. Ryan passa en accéléré cinq minutes d'explosions de vitrine et de disparition de bijoux.

« Tout ça, c'est juste des conneries de vol ordinaire, mais on passe aux choses sérieuses à partir… d'ici. »

Les personnages à l'écran se remirent à bouger normalement. Leurs sacs étaient remplis, la salle d'expo dévastée, des éclats de verre et de bois partout. La fille était recroquevillée par terre dans le but de se rendre invisible. En vain. Alors que les types allaient partir, l'un d'eux s'immobilisa et s'adressa au deuxième. Il regarda sa montre puis lâcha son sac. Ensemble, ils commencèrent à la déshabiller. Elle essaya de lutter, mais après quelques coups de pied à l'estomac, elle abandonna. Ils l'étendirent à plat ventre sur ce qui restait d'un présentoir. Ils sortirent leur bite. Le plus grand des deux commença à la prendre en levrette. L'autre se branlait devant son visage. Il passait le bout de sa queue en érection sur ses yeux, sur l'adhésif qui couvrait sa bouche. Il avait un couteau de chasse dans sa main libre.

Les gars accélérèrent le mouvement. Celui qui la couvrait la baisait si fort que le présentoir chavirait. Le second avec le couteau donnait l'impression de vouloir s'arracher le chibre. Une poignée de secondes plus tard, il éjacula sur le visage de la fille, remonta son pantalon et garda le couteau sous son menton. Il observait son copain comme s'il attendait un signe. Tout se passa assez vite. Un rapide mouvement de tête et peut-être beaucoup de cris, mais l'enregistrement était muet, il était donc impossible d'entendre. Le mec au couteau trancha la gorge de la fille. Un flot de sang jaillit de son cou et forma une grosse flaque par terre. Elle tressauta avec violence, semblable à une épileptique, ses seins traînaient sur les éclats de verre qui saillaient des bords du présentoir. Le type qui était en train de la baiser donna quelques ultimes coups de boutoir puis rejeta la tête en arrière. D'après le renflement sur son masque, il hurlait.

Ensuite, ils partirent. Le corps de la fille eut un ou deux faibles soubresauts, comme un poisson qui meurt.

« T'as déjà assisté à un truc pareil, Jackie ? »

Il savait que oui. Il savait que j'étais allé avec lui voir une gonzesse se faire démembrer par un marteau piqueur.

« Et toi, Madame Beauté ?

— Bien sûr que non.

— Mais tu as aimé, pas vrai ?

— Trop barbare, aucun recul, pas de contrôle.

— Jackie ? »

Je ne répondis pas. Ryan pouffa.

Bella se leva et éteignit la télé. Ryan la reluqua, ses yeux épousaient ses formes.

« Peut-être que c'était trop pour toi, Madame Beauté. Peut-être que pratiquer des injections, ça va, mais tuer est au-delà de la limite. »

Bella lui fit face, le corps tout entier porté derrière son sexe, comme si elle avait une érection.

« Tu serais surpris des limites que j'ai franchies. »

Puis elle releva sa jupe et le laissa la brouter. Après avoir simulé un orgasme, elle me fit venir par terre et la baiser pendant que Ryan regardait et se branlait. Je sentis son foutre m'asperger les fesses.

Plus tard, quand nous nous fûmes nettoyés, elle appela la limousine et nous nous rendîmes dans un resto végétarien de Rustic Canyon. L'établissement venait d'ouvrir et puait l'argent. Il était trop tôt pour le coup de bourre, cependant pas mal de types propres sur eux, parés de fringues choisies avec soin pour le travail et de montres à cinq cadrans, mangeaient sur le pouce. Ils faisaient de grands gestes avec les mains pendant qu'ils discutaient. Des portables sonnaient toutes les trente secondes.

Ryan observait chaque détail avec la même avidité que lorsqu'il était arrivé chez Bella. Il y avait quelque chose de déstabilisant à le voir assis là, discuter avec elle comme un être humain normal. J'étais convaincu que, désormais, il ne se contenterait plus de cinquante mille. Un restaurant luxueux, une maison à Malibu, des parties de jambes en l'air avec Bella : les aperçus d'un monde qui prendrait possession de lui aussi sûrement qu'il l'avait fait de moi. Je ne comprenais pas Bella. Elle était trop maligne pour le sous-estimer, pour le classer dans la catégorie des scélérats à la petite semaine, cependant elle agissait comme si c'était le cas.

Je commandai du poisson grillé. Le seul plat disponible qui se rapprochait le plus d'une viande.

Moi et Ryan, seuls dans les toilettes pour hommes. La bite pointée vers un urinoir vitré derrière lequel évoluaient des poissons. Monsieur Flippant et moi. J'étais content d'être bien mieux habillé que lui. Je ressemblais à quelqu'un de la haute, Ryan avait l'air d'un type qui s'est perdu en allant au bar du coin. Cela me donnait une impression de sécurité.

Qui fut de courte durée.

« Je me rapproche, Jackie.

— De quoi ?

— Branlette d'abord, et puis aujourd'hui. La prochaine étape, c'est au pieu, qu'est-ce que tu en penses ?

335

— C'est pas demain la veille.

— Oh, Jackie, ne me dis pas que tu es en colère. Je croyais que ça t'exciterait. Peut-être que si je l'avais tuée et que j'avais filmé, tu aurais plus apprécié.

— Allez vous faire foutre.

— J'ai remarqué l'érection, dans ton pantalon. Je parie que si tu avais été dans cette bijouterie, tu aurais plongé ton braquemart dans son cou.

— Vous êtes dégueulasse, Ryan. »

Nous avions fini de pisser, mais nos verges étaient toujours dehors. Ryan se pencha et attrapa la mienne. Il la secoua et me regarda dans les yeux.

« Je peux te l'arracher ou la relâcher. À toi de choisir. J'aime être ici, avec tout cet argent. Ce serait sympa de me faciliter la tâche. Tu sais que je peux te renvoyer faire le tapin quand je veux. »

Je retirai ma queue de sa main et remontai ma braguette, mais il continua.

« Toi et moi on est associés, ne l'oublie pas. Tu crois que je vais poireauter les mains vides pendant que tu profites de tout ce qu'elle peut mettre devant ton nez ? J'y ai droit, petit. J'ai passé ma vie à nettoyer la merde des autres et je suis foutu si je laisse passer cette occase. »

Il s'éloigna de l'urinoir, les poings serrés, le pénis sorti du pantalon. Il fulminait, transpirait. Je compris que, quoi que Bella me donnât, quelle que soit la vie qu'elle m'offrît, je ne serais jamais tranquille tant qu'il resterait dans les parages.

« Prenez une pilule et rentrez votre bite.

— J'ai un moyen de pression sur elle, Jackie, et je vais m'en servir jusqu'au bout. Tu peux m'accompagner ou bien retourner dans le caniveau. C'est toi qui vois.

— Vous vous trompez si vous croyez qu'elle va continuer à payer pour cette cassette.

— Voilà, c'est le genre de philosophie qui nous mènera loin ensemble. Tu me donnes des conseils judicieux. J'aime ça, Jackie, tu apprends vite. Mais ne t'inquiète pas, cette cassette n'est qu'un billet d'entrée. La merde sous le tapis est toujours plus étendue qu'on ne le croit. Il suffit de tirer un coin et le reste vient, tu peux en être sûr. »

Il mit ses mains sur mes épaules et me secoua. Je crus qu'il allait m'embrasser mais à ce moment-là, un type entra. Ryan se rajusta et tourna les talons. Je demeurai un instant face au miroir et étudiai les traits de mon visage, le bruit de la pisse qui s'écoulait dans la bonde en fond sonore.

Chapitre 27

Je fis quelques intros de plus sur fond bleu pour
28 FPS et passai le reste de la journée devant le Cha-
teau Marmont, à essayer de choper Johnny Depp et
Kate Moss. Tout ce que je désirais, c'était faire un plan
ou deux où ils s'embrassaient avant de monter en voiture, un truc de ce genre, peut-être une question rapide
à propos d'un projet de mariage. En vain. On m'avait
dit qu'ils étaient là, mais à la fin de la journée, j'étais
bredouille. Il était clair qu'on m'avait raconté des
conneries. N'empêche que je devais toujours relayer la
promo pour l'émission de la semaine prochaine. James
m'avait filmé pendant que je parlais au pied d'un mur
couvert de graffitis, dans une rue au sud de Marmont. Il
avait prétendu que ça ferait plus authentique dans un
contexte particulier.

Lorn n'était pas en ville. Elle demeurait à Palm
Springs où elle tentait d'obtenir des séquences avec les
stars de ciné qui prenaient des bains de boue. Lorsqu'elle
m'en avait parlé, j'avais eu la vision soudaine d'une
boue noire en train de glisser entre ses cuisses. Plus je la
fréquentais, plus j'avais envie de la baiser. Elle était canon et elle passait à la télé. Par-dessus tout, si je

m'immisçais dans ses petits papiers, il me serait plus facile de glaner des minutes supplémentaires sur le temps d'antenne que nous partagions. Malgré tout, elle n'avait pas la stature pour remplacer définitivement Bella. Pas assez riche, ni assez puissante pour me faire évoluer de manière significative.

Je traînai à Malibu, nageai dans la piscine, fis des films pornos amateurs avec Bella et appris à utiliser le banc de montage dans sa salle vidéo. Entre mes enregistrements pour *28 FPS* et ses vacations à la clinique de Brentwood, nous allions au restaurant et faisions du shopping. Je ne pensais plus beaucoup à mes clichés de cadavres.

Ç'aurait pu être bien. Ç'aurait pu être vraiment bien. Sauf que ça ne l'était pas. Ryan foutait la merde et corrompait tout. Néanmoins, ce ne fut pas un nouveau chantage à propos de Rudy qui le ramena dans les parages. Ce fut un événement bien pire. Même Bella sembla déconcertée.

Elle était arrivée à la clinique une après-midi et avait appris qu'un type, qui ne pouvait être que Ryan, s'était pointé plus tôt dans la journée pour poser des questions. Il avait une photo et voulait savoir si un des membres de l'équipe avait déjà vu la blonde qui était dessus. Et si Bella était habilitée à pratiquer les interventions chirurgicales.

« Il leur a dit qu'il était policier. Tu crois que c'est vrai ? »

Bella se tenait près d'une fenêtre qui dominait la propriété. La lumière du début de soirée découpait son profil.

« Il ferait des heures sup' en douce ? Je ne serais pas étonné. Mais qu'est-ce que ça change ? Connaître Karen n'est pas interdit, si ? »

— Bien sûr que non, mais je suis dans une situation délicate, mon travail avec les sans-abri pourrait être mal interprété.

— Est-ce qu'il lui est arrivé quelque chose qui pourrait regarder la police ?

— Qu'est-ce que tu sous-entends ? » Le ton employé par Bella était sec. Pendant un instant, elle plissa les yeux.

« Rien. Je me demandais simplement comment il avait fait le lien.

— Je ne sais pas. Et j'ignore pour quelle raison il enquête sur elle. Karen est partie après l'opération et je ne l'ai jamais revue. C'est clair ?

— C'était juste une question… Et en ce qui concerne l'autre truc ? Pourquoi s'est-il renseigné sur tes qualifications ? »

Bella s'éloigna de la fenêtre et vint s'asseoir.

« Tout ce que je peux en déduire, c'est qu'il possède certaines informations sur mes opérations. La question est de savoir si ça va déboucher sur un nouveau chantage ou bien, en admettant qu'il soit policier, si c'est une enquête sérieuse.

— Il doit agir de sa propre initiative.

— Tu as l'air bien sûr de toi.

— Je crois que tu ne réalises pas l'effet que tu lui fais. Il te désire, ça se voit comme le nez au milieu de la figure. Il veut te baiser et il veut ton argent. Tu as été folle de mettre du cul dans cette histoire.

— S'il opère seul, c'était le meilleur choix.

— Bon Dieu… »

Bella me coupa, impatiente.

« Tu prétends qu'il veut me mettre le grappin dessus. Eh bien d'accord, laissons-le croire que c'est ce qu'il fait. Je ne sais peut-être pas tout de lui, mais je connais

340

ce genre d'homme. Et s'il couche avec moi, il deviendra un esclave. Avec le temps, rien de ce qu'il pense avoir contre moi ne lui sera utile car il n'aura plus la volonté de s'en servir. »

La Pacific Coast Highway, à cent à l'heure. Toit relevé, le vent dans mes cheveux, le soleil dispersé sur l'océan en de longues traînées de pétales d'or. Étoffes luxueuses, taillées à la perfection, contre ma peau. Les cristaux de ma montre reflétaient la lumière, transformée en un disque miroitant. Comme si tous mes rêves liés à la Californie étaient aimantés et qu'ils se retrouvaient prisonniers à mon poignet, pour que je puisse les admirer. L'argent, dans mon portefeuille anglais en cuir de vachette, le crédit sur mes cartes : une virilité financière métamorphosée en bien-être palpable, tandis que je me dirigeais, dans le simple but de savourer ces choses, vers le nord.

Ce matin, j'en avais besoin. Il s'agissait peut-être de la dernière fois où je pouvais me faire plaisir avant que les emmerdes ne me tombent dessus. L'ultime occasion de m'aveugler, en pleine conscience, pour quelques heures.

Un bolide sur le bord de mer. Avec une blonde à mes côtés, j'aurais pu figurer dans un film. Je regrettais de ne pas avoir une caméra fixée sur le capot. J'aurais été capable de me voir, de vérifier si j'allais bien avec ce que je possédais. C'était capital de savoir une chose pareille. J'avais atteint une petite reconnaissance, je touchais un salaire décent, mais *28 FPS* était diffusé à des horaires trop tardifs et dans un secteur trop restreint pour rivaliser avec l'audience et la célébrité de *Friends* ou *Melrose Place*. Par conséquent, je n'étais pas au niveau où je pouvais me définir sous le regard des autres. Comparé à Bruce Willis ou à Brad Pitt, je n'étais rien. Même des gars tels que Judd Nelson étaient à cent coudées au-dessus, leur existence déjà bien rodée au sein de l'industrie hollywoodienne, avec leurs fans, leurs agents, les domestiques et les producteurs qui leur certifiaient, infatigables, qu'ils étaient les meilleurs du monde.

Je commençai à envisager d'aller acheter une caméra de poche pour la mettre en équilibre sur le tableau de bord, mais une Plymouth grise vint me coller aux basques et fit des appels de phares. J'oubliai toute idée de m'enregistrer.

Inutile de fuir, il pouvait me trouver quand il voulait. Je continuai à conduire pendant un kilomètre, juste pour l'emmerder, puis me garai sur un promontoire en surplomb d'un petit éperon rocheux, une quinzaine de mètres au-dessus de l'océan. Je sortis pour attendre, appuyé à la barrière, une cigarette éteinte entre les lèvres.

Ryan se hissa hors de l'habitacle. On aurait dit une grosse femme qui se tortillait avant de poser le pied à terre. Je n'essayai même pas de déchiffrer son expression. Quelle qu'elle soit, ce ne pouvait être bon signe.

« Oh, j'aime la mer, pas toi ? »

Il s'accouda à côté de moi et contempla l'océan. Sa bedaine pendait, semblable à un sac de grains.

« Je parie que tu as pensé à moi, pas vrai ? Je parie que tu t'es rejoué cette scène, chez Madame Beauté, moi, en train de cracher la purée sur ton cul. Je me suis dit que j'avais les couilles bien pleines.

— Ouais, d'accord.

— Fais pas ta chochotte. C'est pas grand-chose à côté de ce qui te pend au nez, hein ? À propos, je t'ai organisé une petite surprise à la morgue.

— Qu'est-ce que vous voulez dire ?

— Je te parle d'un vrai truc. Froid, sur le carreau. »

Je ne répondis rien. Je ne pouvais pas. La perspective de me retrouver à proximité d'un macchabée brouillait ma vision du monde, m'emmenait loin des rêves ensoleillés qui m'avaient enveloppé sur l'autoroute, vers un endroit sombre fait de meurtres, de désirs incompréhensibles. Ryan m'adressa un rictus.

« Ouais, j'ai pensé que je te devais au moins ça, vu les amis merdiques que tu te trimbales.

— Hein ?

— Ce bon vieux Rexy. »

Un frisson glacé me traversa les entrailles. J'allumai ma cigarette.

« Tu comprends ce qui se passe, pas vrai, mon petit Jackie ?

— Vous voulez encore de l'argent à propos de cette histoire au motel. »

Ryan renifla. « Je suppose que tu te devais d'essayer. Non, ça n'a rien à voir avec ce pauvre abruti. Tu ne savais pas qu'il ne faut jamais accorder sa confiance à un camé ?

— Au fait.

— T'aimes pas ça ? Putain, moi si. O.K., Rex avait mon numéro. Hier ou avant-hier, il s'en est servi. Il avait quelque chose à me vendre. Et après avoir vu de quoi il s'agissait, j'étais content de le lui acheter. Je suis sûr que tu peux deviner ce que c'était. »

Je restai muet.

« Non ? Un enregistrement de nos deux copines préférées en train de se faire du bien. À peine une dizaine de minutes, mais merde, c'était chaud. T'emmerde pas à jouer les ignorants, Rex m'a expliqué où il l'avait eu. Tu comprends ce que ça signifie, pas vrai ?

— Et alors ? Elles se connaissaient, la belle affaire. Karen était une pute et Bella aime le cul. Qu'elles se soient rencontrées n'a rien d'extravagant.

— Mais toi et moi, on sait que ce n'est pas aussi simple. Cette cassette prouve qu'il y a eu rapport sexuel entre la victime d'un meurtre et une femme au comportement pour le moins suspect. Un rapport dont tu voulais que j'ignore l'existence. Pourquoi, Jackie ?

— Ce n'est pas parce que Bella la baisait qu'elle l'a tuée.

— Des lésions chirurgicales, une éviscération dans les règles de l'art à connotation sexuelle. Ce n'est pas vraiment ce que j'appelle un mince faisceau. Et puis tu es là : un autre lien entre elles. Tu sais, Jackie, tu devrais être plus coopératif. Il n'en faut pas beaucoup pour vous mettre, toi et cette salope de toubib, dans le même sac. Peut-être que c'est pour cette raison que tu n'as rien dit à propos de la cassette.

— La première fois que j'ai rencontré Bella, c'est quand une espèce de tantouze m'a emmené à une fête à Bel Air. Deux mois après la disparition de Karen. Et je ne vous ai rien dit pour la cassette parce que je savais que vous sauteriez sur l'occasion avec une connerie pareille.

— Tu prétends qu'elle est innocente ?

— Bien sûr qu'elle est innocente. Elle était amoureuse de Karen. »

Ryan m'évalua du regard. « Je suis au courant pour les interventions.

— Les interventions ?

— Ne joue pas au con. Je ne voudrais pas m'énerver par une si belle journée. Lorsque j'ai vu l'enregistrement, j'ai pensé que ça valait la peine de se pencher un peu plus sur tes allées et venues à la suite de la mort de Karen. Tu te souviens de ce bar sur Pico, l'établissement égyptien ? La nuit où tu as trouvé si amusant de me semer ? J'y suis retourné et j'ai discuté avec un mec prénommé Joey. Mon vieux, et dire qu'on pense connaître L.A. » Ryan se marra et secoua la tête. « Alors, on a ce Joey, emmené dans une clinique secrète pour vendre un de ses reins. Dommage, le médecin était réticent à ce qu'on l'identifie. Il portait un masque et une blouse en permanence. Sinon, on aurait pu avoir la confirmation de pas mal de trucs. Mais on possède une ou deux indications. D'après sa partie de jambes en l'air, Joey est plutôt sûr qu'il s'agit d'une gonzesse. Quelle révélation ! Comme Bella. En plus, ces blouses sont ouvertes par-derrière. Joey n'était pas complètement affirmatif, parce que les pans n'étaient pas assez espacés, mais il a évoqué la possibilité qu'elle porte un tatouage. Un motif tout noir.

— Connerie. Vous mentez.

— Qu'est-ce qui te fait dire ça, Jackie ?

— Il ne savait rien à propos d'un tatouage.

— Ce n'est pas parce qu'il ne t'en a pas parlé qu'il ne savait pas. Tu devrais apprendre à être plus persuasif, mon garçon. Bien entendu, je comprends que tu sois furax. Corrige-moi si je me trompe, mais n'ai-je pas eu la vision fugitive de quelque chose sur le dos de Bella, pendant que tu la baisais, l'autre jour ? C'était quoi déjà ?

— Je donne ma langue au chat.

— Tu insinues que depuis le temps que tu la fourres, tu n'as rien remarqué à cet endroit ? Je trouverai, tôt ou tard. Tu pourrais t'épargner bien des tourments.

— D'accord, elle a un tatouage, et alors ?

— J'ai pas bien vu, décris-le-moi.

— Je ne sais pas, un genre de coléoptère ou quoi.

— Ça ne serait pas une espèce de coléoptère égyptien, non ? Le même que Karen ? »

Ryan étouffa un rire, les entrailles secouées comme s'il était très satisfait de lui-même. Il lui fallut un moment pour se calmer.

« D'accord Jackie… Voilà comment je comprends les choses. Tu es prêt ? O.K., d'abord tu me racontes que Karen s'est barrée pendant deux semaines. Assez pour se faire enlever un rein, je dirais. Puis elle se radine en agitant des liasses de biftons, beaucoup plus que ce qu'elle pourrait gagner au tapin. Merde, elle t'a même acheté une voiture. Ajoutes-y cette petite séquence entre elle et Bella, et le tableau est complet. Bella est médecin, elle s'envoie Karen. Karen veut une rallonge. Bella entrevoit une issue. Comment je m'en sors ?

— Vous êtes givré.

— Il vaudrait mieux pour toi que non, car Joey a prétendu que tu lui avais posé certaines questions, et ces questions constituent la seule preuve que tu n'es peut-être pas impliqué dans le meurtre. Tu vois, ces dernières peuvent être interprétées comme si tu recherchais l'assassin. Maintenant, tu vas jouer franc jeu avec moi en ce qui concerne Madame Beauté ou pas ?

— Bon, bon… Karen a vendu son rein, c'est exact. Quand elle est revenue à la maison, c'était déjà fait. C'était le sujet de notre dispute la dernière fois que je l'ai vue. Et Bella a pratiqué l'opération, oui. Mais ça ne signifie pas qu'elle l'a supprimée.

— Voilà qui est mieux.

— Ça ne signifie pas qu'elle l'a supprimée, Ryan.

— Ça pourrait y conduire, néanmoins. Karen se fait Bella, et Karen, avec tout son pognon — après que vous vous soyez querellés, elle a pu vouloir retourner à la caverne d'Ali Baba une fois de trop. Merde, quand il y avait de l'argent à la clef, elle était pas ce qu'on appelle timorée. Elle a pu estimer que son rein valait plus que ce qu'elle avait déjà. Peut-être que Bella n'a pas vu les choses de la même manière et y a remédié.

— Elle essaye d'aider les gens. Elle paye de sa poche les reins qu'elle offre aux hôpitaux publics. Est-ce que ce genre de personne irait tuer quelqu'un ?

— Quoi qu'il en soit, elle n'aide pas les gens. J'ai vérifié, Jackie. Elle n'est pas chirurgien. Elle est médecin, oui, mais c'est tout. Elle n'a pas plus le droit de s'occuper de ces reins que toi ou moi. Qu'est-ce que tu en dis ?

— Qu'elle est vraiment douée ?

— C'est une putain de psychopathe. Elle prend son pied à ouvrir les gens. Il se pourrait très bien qu'un jour elle soit allée un chouia trop loin.

— Impossible. Elle n'opère pas toute seule. Son père lui prête main-forte, et il est chirurgien.

— Était. Ça veut dire que dalle. L'opération a été effectuée avant la mort de Karen. Tu l'as dit toi-même.

— Et pour le sperme ? Un peu difficile pour Bella d'en être l'auteur.

— Le foutre n'est pas probant. Quelqu'un d'autre aurait pu éjaculer dans le corps après qu'on s'en soit débarrassé. Il pourrait y avoir un million d'explications. Pris isolément, ce fait ne la met pas hors de cause.

— Mais il peut impliquer quelqu'un d'autre.

— Je parie que tu vas me faire une suggestion.

— Son père.

— Je n'aime pas cette option.

— Qu'est-ce que vous voulez dire, vous n'aimez pas ? Le type est un camé.

— Voilà cinquante ans qu'on peut faire plonger quelqu'un pour meurtre simplement parce qu'il se défonce

347

à quelque chose de plus fort que la bibine. Tu peux mieux faire, Jackie.

— Il a une relation sexuelle intense avec Bella. Je vous assure, il aurait vraiment pu tuer Karen dans un accès de jalousie. Il découpe des chiens lorsqu'il est en rogne. Je l'ai vu s'y prendre tout à fait de la même manière que sur Karen.

— J'ai Bella qui s'adonne à des interventions illégales : ce dont je n'étais d'ailleurs pas sûr jusqu'à ce que tu me l'avoues, parce que Joey n'a pas vu qui a pratiqué l'opération. J'ai des tatouages identiques et j'ai une cassette d'elles en train de se faire des mamours. En revanche, je n'ai rien qui relie Karen à ce type, Powell, excepté ce que tu déclares. Et excuse-moi, Jackie, mais tu es, comme on dit dans la profession, un témoin partial.

— Mais s'il a pris part à cette histoire de reins, il peut aussi être coupable.

— Ce n'est pas lui qui a provoqué un arrêt cardiaque dans cette chambre d'hôtel. »

Ryan s'écarta de la barrière d'une poussée et se dirigea vers sa voiture.

« Viens, je vais t'offrir cette surprise. Les affaires marchent plutôt bien depuis que toi et moi on fait équipe. Je veux te montrer ma reconnaissance. »

Je ne bougeai pas tout de suite. J'observai les mouettes qui volaient en cercle autour d'un point d'eau et pensai à Lorn. À ce moment précis, tout ce que je voulais, c'était être avec elle au milieu d'un grand lit dans une chambre ensoleillée. Le monde aurait été tenu à l'écart et le doux chuchotement de nos peaux l'une contre l'autre aurait couvert toutes les conneries que Ryan me forçait à écouter.

« Tu ne veux pas manquer ça, Jackie, crois-moi. »

Mais je savais aussi que je n'étais pas en position de décliner son offre.

Le soleil, l'eau et l'azur, réduits en poussière sur la route de Santa Monica. Je suivais la Plymouth de Ryan vers le sud, sur la Pacific Coast Highway, et priais pour qu'un camion la pulvérise.

Euclid Street. Le souvenir de Karen sur une table réfrigérante. J'avais l'impression que c'était il y a long-temps, mais en réalité beaucoup de choses s'étaient pas-sées depuis.

Lorsque nous arrivâmes, le soleil était bas. Les pal-miers décharnés esquissaient de longues ombres en dia-gonale sur le macadam. Nous empruntâmes le même chemin que la fois précédente, par la rampe d'accès. L'accueil était fermé, de toute manière. Ryan se com-portait comme un type en train de jouer au Père Noël.

Le dépôt n'avait pas changé : toujours cet éclairage fluorescent, ces sifflements froids dans les canalisa-tions, toujours ces bavardages télévisés en provenance de la salle de garde. Un lieu hors du temps, un lieu où la température et l'air glacés, pétrifiés, ne variaient pas, quel que soit le nombre de jours qui défilaient à l'exté-rieur.

Ryan siffla et le Japonais vint à notre rencontre d'un pas traînant. Il semblait content de voir Ryan.

« Tu l'as préparée ? Mon ami ici présent est plutôt impatient de s'y mettre.

— Bien sûr. Là, derrière. Jolie poupée. Disons vingt-cinq ans, vraiment mignonne. Gros nibards, mais chatte très fournie. J'ai dû raser d'abord, mais peut-être que vous, Occidentaux, êtes différents. De toute façon, encore beaucoup de viande. Rigidité partie. Belle bouche propre, alors vous pouvez aussi l'embrasser si vous voulez. »

Ryan tendit une épaisse liasse de liquide et le Japonais lui donna une clef avant de retourner à sa télé en déballant une sucette.

« Il faut qu'on ressorte, Jackie, il y a trop de passage par ici. Ça va bientôt être l'heure de pointe. »

Il me conduisit hors du dépôt et nous fîmes le tour du bâtiment jusqu'à une construction de béton carrée qui paraissait avoir été ajoutée au bloc principal après coup.

« C'est là qu'ils gardaient les Noirs, jadis. Maintenant, seul Kung Fu s'en sert quand il a besoin d'argent de poche. Loué soit le libéralisme, hein ? »

Il introduisit la clef dans une porte d'acier encastrée aux coins rouillés, et entra. C'était une pièce aveugle et les lumières étaient déjà allumées. Pas de tubes fluorescents, mais une rangée d'ampoules basse consommation qui pendaient du plafond au bout de fils poussiéreux. Elles jetaient un voile ocre au milieu de la pièce. Un des murs était occupé par des casiers réfrigérés semblables à ceux du bâtiment principal, beaucoup moins nombreux cependant. Les trois autres murs arboraient des traînées de plâtre qui avaient coulé sur des cloques de peinture verte écaillée. Il y avait un tas d'ordures dans un coin : des vieux pots de peinture, une bâche, quelques pièces qui avaient dû faire partie d'un circuit de refroidissement. Apparemment, ils utilisaient cette pièce pour entreposer les merdes qu'ils ne voulaient pas se faire chier à aller jeter. Aujourd'hui, néanmoins, elle allait servir à autre chose. Ryan verrouilla la porte derrière lui.

« Elle est tout à toi, Jackie. Qu'est-ce que t'en penses ? »

Il enleva le drap d'un geste théâtral, tel un magicien. Gros nichons, beaucoup de poils pubiens. Je ne pouvais pas le contredire, elle était bonne, oui, même morte.

Avec Karen, et la fille au marteau piqueur, c'était le troisième cadavre que je côtoyais. Peut-être que je m'habituais, peut-être était-ce dû aux photos que Ryan m'avait refilées, mais cette vision ne me donna pas envie de vomir ni aucun des trucs que l'on voit à la télé. C'était plutôt comme quand j'avais vu Ryan caresser la chatte de Karen : je voulais la toucher, sentir sa chair, passer mes mains sur son ventre et en haut de ses cuisses. J'avais la conviction qu'elle serait plus douce qu'aucune femme que j'avais connue. On aurait dit que ma queue était devenue un bloc de béton.

« Regarde-moi cette putain de foufoune. Voyons ce qu'il y a au milieu. »

Ryan écarta les jambes de la nana. L'une d'elles glissa hors du chariot et ballotta mollement dans le vide pendant quelques secondes. Le mouvement produisit des craquements au niveau du pelvis.

« Oh, mate-moi ça. Elle en redemande, Jackie. Cette salope est morte et elle veut encore baiser. »

Au milieu de la forêt de poils noirs, je pouvais voir un morceau de fente pâle d'une couleur analogue à celle d'une tranche de bœuf. Je me demandais si elle était humide, dedans. Il y avait une odeur. Pas de fauve mais plutôt une fragrance semblable aux restes d'un savon bon marché.

Ryan l'ouvrit avec le pouce. Elle paraissait sèche. Je fouillai avec mon majeur et poussai à l'intérieur. Elle était étroite, mais ce qui me frappa fut cet aspect froid, artificiel, comme ces mannequins d'après moulage, à jamais inanimés. Sa paroi vaginale était crénelée.

« Je l'ai amenée exprès pour toi, Jackie.

— Vous croyez que je vais la baiser ?

— Tu en as envie. Il se pourrait que je m'y mette aussi, après que tu l'auras assouplie. »

Je retirai mon doigt de son orifice. Avant que j'aie pu l'essuyer, Ryan prit ma main et se la planta sous le nez.

« Tu sens ça ? Tu sais ce que c'est ? C'est l'odeur que tu portes en toi. Tout ce que tu voudrais faire mais dont tu t'abstiens. Pas parce que tu penses que c'est mal ou mauvais ou diabolique, mais parce que tu as peur de te faire attraper.

— Vous ne savez pas ce que j'ai en moi.

— Oh, tu te trompes. J'ai passé trop d'années à observer les gens. J'ai vu ce qu'ils voulaient et rien ne te différencie d'eux. Tout le monde est pareil, le seul élément qui varie, c'est que certains ont moins peur de se faire choper que d'autres. Je sais que tu veux y aller, alors arrête de tergiverser. Ton pantalon est sur le point de se déchirer. »

Ryan avait raison. Je voulais baiser cette femme. Je voulais monter sur ce corps, le fourrer, remplir de foutre son trou mort. Et j'allais le faire. Il pouvait s'agir d'un nouveau piège de Ryan destiné au chantage, peut-être que quelqu'un se tenait prêt à défoncer la porte pour m'alpaguer, je m'en foutais. Sous cet éclairage miteux, la volonté de concrétiser ce que j'avais vu sur les photos surpassait tout.

Je me déplaçai jusqu'à la tête et regardai son visage : blanc, comme le reste. Ses sourcils, ses traits ressortaient avec une telle violence qu'on les aurait dits peints. Elle avait les yeux fermés, sa bouche était entrouverte. Je pouvais voir ses dents miroiter. Je l'embrassai. Ses lèvres épousaient les miennes sans reprendre leur forme originelle. Elles restaient là où je les repoussais. Je forçai sa bouche à s'ouvrir avec ma langue. Je cherchai la sienne, mais elle était logée au fond de la gorge, impossible à atteindre. Ses dents étaient coupantes et dures, comparables à des petites pierres ou des morceaux d'os. Elles s'entrechoquèrent avec les miennes. Son crâne était lourd, comme comblé par du ciment.

Je relevai le visage et m'emparai de ses seins. Ils étaient mous sous les doigts, des sacs de chair froide. C'était bizarre de savoir que je pouvais les serrer aussi fort que possible sans que personne ne se plaigne : elle ne crierait pas et Ryan ne ferait rien pour m'arrêter. Je m'en dispensai, pas de temps à perdre, il fallait que je plante ma queue en elle.

Le chariot était trop étroit et trop haut pour baiser correctement, alors Ryan et moi la portâmes. Nous avions auparavant pris la bâche sur le tas d'ordures et l'avions étalée afin d'empêcher la poussière et les impuretés qui parsemaient le sol de s'incruster dans son dos. Lorsqu'elle fut prête, je me déshabillai entièrement : je voulais un maximum de contact. Ryan passa sa main sur mes fesses puis s'assit sur le chariot et prit une pilule à la nitro.

Je grimpai sur elle. Elle était ferme et ronde comme un obstacle propice à la chute. Mon poids sur sa poitrine provoqua une exhalaison. Un souffle cave et putride. Ses petites lèvres s'étaient refermées quand nous l'avions transportée et je dus cracher sur ma bite avant de pouvoir la pénétrer de quelques centimètres. Ensuite, ce fut plus facile, sauf que son pelvis avait adopté un mauvais angle et je fus obligé de passer mes bras sous ses genoux pour remonter les jambes au niveau de la poitrine.

Les chocs de mon corps sur le sien faisaient ballotter sa tête d'avant en arrière à chaque coup. Avec la bouche ouverte, on aurait presque dit qu'elle prenait son pied, mais les seuls sons qu'elle produisait consistaient en d'occasionnels gargouillements, comme si elle avait quelque chose de coincé dans la gorge. Sa chatte était neutre, elle n'acceptait ni ne rejetait aucune de mes saillies. Elle se contentait de faire acte de présence, qu'on l'utilise ou qu'on la délaisse. Elle équivalait, pour la plus grosse part, à un cylindre cartilagineux.

Je la serrai le plus que je pouvais, focalisé sur mes sensations, ses cuisses glacées contre mon torse, son ventre, ses seins, sous moi, le parfum capiteux de sa laque pour cheveux, le goût de son cou, légèrement savonneux à la jointure de l'épaule, mon sexe emprisonné par les tissus morts. Je voulais aller au plus profond d'elle et ne jamais oublier ce que j'y trouverais.

À un moment, Ryan descendit du chariot et vint se branler sur son visage. Il jouit assez vite et j'eus droit à un gros plan de son foutre épais qui disparaissait au fond de sa gorge. Lorsque ce fut mon tour, je dus y aller un peu trop fort et rompre l'équilibre interne, car une écume blanche gicla sur son menton. Je songeai qu'elle allait peut-être revenir à la vie, tousser comme une rescapée de noyade, mais il s'agissait juste d'une réaction gazeuse déclenchée par les secousses. Quand ce fut terminé, elle était aussi morte qu'avant.

Je renfilai mes vêtements et restai au-dessus d'elle à la fixer sans vraiment savoir quoi faire ensuite.

« Elle a aimé ça, Jackie. Regarde-la, elle sourit. Sale pute. Prends ses jambes. »

Nous la hissâmes de nouveau sur le chariot que Ryan fit rouler jusqu'à un large lavabo en émail, à l'extrémité de la pièce. Un morceau de tuyau était relié à l'arrivée d'eau froide. Il le déroula et me le tendit. Je n'avais pas la moindre idée de ce qu'il trafiquait. À ce stade, je m'en moquais. J'étais un peu sonné par ce qui venait de se dérouler.

« J'en ai assez, Ryan.

— On doit la laver d'abord. Plante ce bout dans son minou. »

Il ouvrit le robinet, puis vint me le retirer des mains. Il envoya le jet à l'intérieur d'elle jusqu'à ce que le liquide ressorte en de rapides tourbillons qui éclaboussèrent le chariot et le sol. Cela me rappela ma première expérience avec Rex sur les collines : la femme masquée et harnachée, expulsant le contenu de la poire à lavement par l'anus.

Ryan ôta le tuyau et coupa l'eau.

« O.K., monte sur le chariot et soulève-la.

— Hein ?

— Soulève-la pour la tenir droite. Il faut évacuer le reste de l'eau.

— Bordel de Dieu. Cassons-nous, c'est tout.

— Ça fait partie du marché.

— Putain… »

Obtempérer était sans doute le moyen le plus court d'en finir. Alors, je grimpai et mis mes mains sous ses aisselles. Tandis que je la levai, Ryan vira ses jambes du chariot. Je faillis la lâcher. Il fut obligé de venir la ceinturer. Ses jambes patinaient sur le sol mouillé, mais nous parvînmes à la maintenir à peu près verticale et l'eau s'écoula de sa fente. Ryan l'ouvrait avec ses doigts pour que ça aille plus vite.

« Regarde, Jackie, elle fait pipi. »

Quand elle fut vidée, Ryan rouvrit le robinet et lui aspergea la figure. On aurait dit qu'elle se gargarisait pendant que sa gorge se remplissait. Nous la penchâmes par-dessus le chariot pour vidanger, mais quelque chose bloquait et Ryan dut s'asseoir sur son dos pour faire sortir l'eau. Des morceaux de nourriture vinrent avec.

Chapitre 28

Ryan et moi nous séparâmes à l'extérieur de la morgue. Cette expérience avec le cadavre m'avait détendu et je planais un peu. Je ne voulais pas retourner à Malibu dans l'immédiat. Je songeai à rendre visite à Rex pour le mettre face à ses responsabilités vis-à-vis de la cassette, mais ça n'aurait pas servi à grand-chose. Impossible d'effacer ce que Ryan avait vu. Alors je me rendis sur le bord de mer et me garai sur Ocean Avenue, à côté de l'endroit où Karen avait été trouvée.

Le soleil affleurait à l'horizon, les effusions de lumières orangées transformaient les palmiers en silhouettes dignes de cartes postales. Le coin n'avait pas changé, les clodos bourrés titubaient toujours, ils passaient d'une occupation insignifiante à une autre, les abris de carton demeuraient tapis dans les buissons vers les zones plus calmes.

Je téléphonai à Bella pour lui dire que j'étais sur le chemin du retour et lui servir un bobard à propos de mon retard. Elle était revenue de la clinique de Brentwood, mais se préparait à repartir : Powell avait un donneur potentiel. Elle n'avait pas le temps de me parler, elle me verrait demain. Nous nous envoyâmes des baisers et raccrochâmes.

Je m'assis dans la Mustang et réfléchis. J'avais espéré que Bella aurait rompu avec Powell après qu'il m'eut fait assister à l'ablation rénale. Il semblait désormais que ce n'était pas le cas. De toute évidence, le besoin d'un donneur était assez puissant pour qu'elle lui pardonne, au moins temporairement. Mais quelle était la raison de ce besoin ? Fournir un rein de plus aux indigents de L.A. ne suffisait pas à apaiser le genre de colère dont j'avais été témoin sur Apricot Lane. Quelque chose m'échappait. Et avec Ryan, qui essayait de la relier au meurtre de Karen, c'était inquiétant. Car je savais déjà qu'il pourrait découvrir mon seul recours pour la protéger.

Je commençais à sentir le contrecoup de ma séance de baise avec la morte. Je voulais rentrer à mon appartement de Willow Glen et dormir. Au lieu de ça, avec la Mustang, je pris la direction de Wilshire, touchai un demi-gramme sur L.A. Ouest, et allai me réfugier dans un Taco Bell un moment, histoire de tuer le temps et de remonter mon taux de glucose à coups de Coca. Lorsque j'estimai que Bella avait eu le temps de rejoindre Apricot Lane, je m'y rendis aussi. En route, je tombai sur une émission de radio qui évoquait les derniers potins en ville.

On avait aperçu Kate Moss et Johnny Depp sur Hollywood Boulevard. Ils avaient l'air heureux et détendus. Lisa Rinna voulait que son fiancé de longue date l'épouse ou se barre. Brad Pitt et Gwyneth Paltrow formaient toujours un beau couple blond. On se dirigeait certainement vers un mariage. Cindy Crawford et son copain barman venaient d'acquérir une maison. Sylvester Stallone et Jennifer Flavin, Arnold et Maria, Pamela et Tommy... Et cetera, et cetera, de belles personnes qui faisaient de belles choses ensemble. J'étais déprimé de ne pas être l'une d'entre elles. Même si j'avais du temps d'antenne à *28 FPS*, il coulerait de l'eau sous les ponts avant que quiconque s'intéresse à mes fréquentations.

Je me garai sur San Ysidro de manière que ni Bella ni Powell ne puissent entendre la voiture. Je relevai la capote et sniffai une pointe. Puis je pris la manivelle de cric dans le coffre et m'approchai à pas de loup d'Apricot Lane. À cette hauteur du canyon, il n'y avait pas d'éclairage public. L'obscurité faisait mon affaire. Au bout de l'impasse, j'escaladai la barrière et parvins ensuite à entrebâiller suffisamment la porte du garage pour me rouler en dessous. À l'intérieur : la Jag noire et la 850ci de Bella.

Ce fut la plaie pour ouvrir la porte métallique du sous-sol. Je devais avant tout faire attention au bruit. Après m'être acquitté de la tâche, je longeai le couloir de l'autre côté. J'arrivais avec facilité à me souvenir où se trouvait le poste d'observation : il s'agissait de la seule porte sans serrure. J'éteignis les lumières et attendis en silence dans le réduit.

Même lumière brillante à travers la vitre sans tain. Un corps sur la table, maigre, type masculin, blanc. Powell était assis à une extrémité, au niveau de la tête, il s'occupait de l'anesthésie. Bella s'affairait au milieu.

Cette fois, cependant, j'eus le sentiment que les choses étaient différentes. Les gestes de Bella étaient toujours aussi rapides et précis, mais, tandis que l'opération se poursuivait, les accents sensuels que j'avais entrevus lors de ma première visite à la clinique devenaient plus manifestes. Ses hanches, collées au bord du chariot alors qu'elle pratiquait les incisions, sa chatte plaquée fort contre l'acier chromé de la structure.

Même s'il était difficile d'être catégorique à cause de la blouse, j'étais presque sûr qu'elle serrerait les cuisses la plupart du temps. Une fois ou deux, elle releva la tête en arrière et je crus l'entendre gémir.

On aurait dit que Powell se branlait. L'angle de la table n'offrait pas une vision parfaite, mais quand il délaissait les bonbonnes de gaz, sa main était fourrée entre ses jambes. Contrairement à Bella, ce n'était pas l'abdomen ouvert du donneur qui l'intéressait : sa masturbation était motivée par l'excitation de sa propre fille.

Une heure plus tard, Bella mit au jour un rein. Elle le laissa reposer sur la poitrine de l'homme pendant qu'elle fourrageait dans ses entrailles. Enfin, elle s'empara du rein et en ôta les lambeaux membraneux accrochés. J'attendais qu'elle le mette dans une boîte et le stocke au congélo. Mais ce ne fut pas tout à fait ce qui arriva.

Elle s'éloigna de la table, enleva son masque, et examina l'organe de près, non pas dans l'intention de trouver un détail particulier, mais plutôt en le dévorant des yeux. La surface brillait sous l'éclairage. Je pouvais apercevoir le délicat réseau des vaisseaux sanguins enrobés dans la gangue pâle. Dans ses mains, l'organe remuait comme un sac visqueux, une masse qui aurait pu glisser entre ses doigts si elle l'avait serrée trop fort.

Elle remonta sa blouse et se retourna pour appuyer ses fesses sur le bord de la table d'opération. Elle était nue, en dessous. Ses poils pubiens ressemblaient à du charbon sur la peau obscurcie par les halogènes. Pendant une minute, elle joua paresseusement avec le rein, le passa sur elle en de douces saccades : sur son ventre, ses cuisses souillées par les traînées rosâtres. Ensuite, ce devint plus sérieux. Elle descendit entre ses jambes, ouvrit les petites lèvres de sa chatte, et commença à la masser avec l'organe. Ses genoux tremblaient. J'entendis un son clair en provenance de sa gorge.

Powell avait écarté son matériel de la tête du chariot afin de mieux voir. Il tirait sur sa longue queue blanche. Mais cette scène dans la salle d'opérations n'était pas une expérience partagée. Bella était focalisée sur elle-même, sur ses soupirs et sur les sensations produites par le viscère rose qui glissait entre ses petites lèvres, sur son clito. Tandis que son étreinte se resserrait, une substance rouge s'écoula d'entre ses poings et goutta le long de ses poignets.

Au bout d'un moment, elle flageola trop pour se tenir debout. Elle s'allongea au sol, les genoux remontés sur la poitrine. J'avais une pleine vue sur l'intérieur de son vagin. Le sang, les fragments de tissu qui se détachaient du rein, on aurait dit une plaie. Ses râles étaient désormais ininterrompus. Les contours de sa main devinrent flous.

Sur la fin, elle se mit à crier. Elle broya le machin à l'intérieur d'elle-même. Powell se redressa maladroitement et éjacula par terre avant de s'écrouler sur son tabouret. Il resta assis à la regarder, comme s'il avait voulu se lever et la prendre dans ses bras sans ignorer qu'elle le lui interdirait. Bella demeura étendue. Sa respiration était profonde. Les paupières closes, elle caressait sa vulve et le petit morceau de rein incurvé qui en émergeait. Il ne se passa rien durant peut-être trente secondes, puis Powell vérifia une ou deux jauges et prononça quelques mots. Bella s'agita, regarda autour d'elle, l'air de ne plus savoir où elle était, ensuite elle se remit debout, raide contre le coin de la table, le visage baissé sur la panse ouverte du donneur. Le rein tomba de ses mains et claqua au sol. Elle le fixa jusqu'à ce que Powell prenne de nouveau la parole. Alors, elle se ressaisit, enfila une autre paire de gants avant de commencer à recoudre l'homme sur la table.

Je quittai mon poste d'observation, puis la clinique, et regagnai la Mustang. Je ne prêtai pas attention à la nuit autour de moi, trop occupé à essayer de comprendre.

L'histoire que Bella m'avait bonnie à propos de l'aide médicale aux SDF, à propos des pauvres sur liste d'attente de greffe, n'était pas si terrible tant qu'elle restait étrangère aux meurtres, même si les opérations étaient illégales. Il était à présent évident que je m'étais fait balader. Découper les « donneurs » et se servir des reins pour se branler foutaient en l'air l'aspect philanthropique de l'entreprise derrière lequel elle s'était cachée pour me faire accepter le côté officieux des pratiques médicales : les organes ne serviraient plus à grand-chose après avoir été introduits dans sa chatte. En plus, si l'on tenait compte du fait qu'elle n'était pas qualifiée pour effectuer ce type d'intervention chirurgicale, la suspicion prenait des proportions qui rivalisaient largement avec celle causée par les lubies canines de Powell. Une tournure inquiétante, quand on savait que Monsieur Flippant se démenait pour faire fructifier ses relations à Malibu.

Je n'étais pas chaud pour traîner tout seul à Willow Glen ou à Malibu, aussi je résolus de faire ce que j'avais déjà reporté : aller chez Rex. Ma colère envers lui, lorsqu'il avait fourni la cassette à Ryan, s'était apaisée. Je pensais néanmoins qu'un petit tête-à-tête était nécessaire. Je mis le contact et L.A. défila par la fenêtre de la voiture : arbres luxuriants, sous le ciel étoilé que la lumière indirecte faisait luire, comme si les particules en suspension au-dessus de la ville absorbaient les désirs incertains de cette dernière, et scintillaient en symbiose.

Rex vint me répondre sur le seuil. Dès que je vis ses pupilles dilatées, son visage défait, je sus que je n'aurais pas dû faire le déplacement, que je n'avais rien à y gagner. Aucune parole ne pourrait restaurer notre amitié, le convaincre de lever le pied question came, ou le détourner de son objectif principal, la déchéance ultime. Je voulais le culpabiliser et insister sur le côté préjudiciable de l'histoire avec la cassette, mais la notion de repentir ne pourrait jamais se frayer un chemin à travers la brume de drogue et de mécontentement qui enveloppait son esprit. Il était là, cependant, et j'aurais perdu ma journée si je n'avais pas au moins essayé.

Il me fixa avec des yeux morts pendant quelques secondes, puis se rendit au salon où il s'affala sur ce qui restait du divan.

« Je me doutais que tu te pointerais à un moment ou un autre. Crache ta pastille et va-t'en.

— Tu ne penses pas que je suis dans mon droit ?

— Tu aurais dû mieux me payer.

— En donnant cet enregistrement à Ryan, tu aurais pu tout foutre en l'air pour moi.

— Je ne le lui ai pas donné, je le lui ai vendu.

— Ouais, j'avais compris, mais pourquoi ?

— J'avais besoin d'argent.

— Tu l'as regardé, avant ?

— Non.

— Pourquoi tu ne m'as pas appelé ? Je t'aurais filé du fric. Merde, mon pote, on était copains.

— Parce que je ne supporte pas la manière dont tu me regardes. Tu crois que je suis en train de tout gâcher, mais ce n'est pas le cas. Je fais la seule chose sensée qu'on peut faire dans cette ville. Tu es tellement obsédé par tes conneries à la télé que tu es incapable de t'en apercevoir. »

Nous nous toisâmes un instant, mais je savais qu'il ne me voyait pas.

« Il faut que tu te foutes un coup de pied au cul.

— Je ne le sentirais même pas. Si tu veux te rendre utile, tu peux laisser de l'argent en partant. J'en ferai bon usage. »

Je restai là un moment, en proie à l'hésitation sur la marche à suivre. Finalement, j'abandonnai. Il n'y avait aucun moyen d'obtenir quoi que ce soit. Dans ce genre de situation, mots et violence sont tout aussi inefficaces.

Avant de m'en aller, je lançai une poignée de biftons sur ses genoux. J'ignorais pourquoi. Peut-être simplement parce que je pouvais me le permettre. Peut-être parce que je voulais l'humilier. Je ne sais pas.

Chapitre 29

Malibu. Je n'avais pas dormi. La baie vitrée qui donnait sur la piscine puait le tabac et le café froid. Dehors, néanmoins, le ciel était d'un bleu limpide : un des premiers jours cléments sur les hauteurs du littoral. La fraîcheur était omniprésente. Je m'étais fait porter pâle d'une journée de tournage pour rester ici. Lorn pouvait s'en sortir seule, mais la chaîne ne le verrait pas d'un bon œil. C'était le prix à payer, je suppose, pour céder à l'urgence de parler à Bella de ses galipettes avec les reins et des dernières trouvailles de Ryan.

Elle rentra à la maison en milieu de matinée. Si elle était surprise de me trouver assis là, couvert de cendres devant un écran de télé ramené d'une autre pièce de la maison, elle ne le montra pas. En fait, on aurait dit qu'elle s'attendait à me trouver ici. Elle prit place à côté de moi sur le sofa, ses hanches collées aux miennes, ses jambes parfaites et blanches, interminables sous la courte jupe noire.

« Tu étais là, la nuit dernière. Tu as vu ce que j'ai fait.

— Désolé pour la porte.

— Pourquoi ne m'as-tu pas attendue ? Tu devais avoir des questions à poser.

— Je ne voulais pas en discuter devant Powell. Où est-il ?

— Il veille au bon rétablissement du patient. La découverte d'un donneur constituait une tentative de retrouver mes bonnes grâces. Ne t'inquiète pas, ça n'arrivera pas.

— Tu as menti quand tu as parlé de donner les reins aux hôpitaux.

— Est-ce vraiment une surprise ?

— Je me demande ce que tu as pu oublier de me dire d'autre.

— De quoi parles-tu ? » Bella prit l'air offusqué. « Je ne suis pas un monstre ou une espèce de tueur en série. Il n'y a rien de plus que ce à quoi tu as assisté cette nuit.

— Tu m'as dit que tu n'avais pas ton diplôme de chirurgien. Ça vaut aussi pour les reins.

— Powell est un bon professeur quand il y est obligé. Personne ne court le moindre danger. Mais ce que tu veux savoir, c'est pourquoi.

— Ce serait bien, oui.

— J'aime ça. J'aime le faire. Lorsque je prends le rein de quelqu'un, je modifie son existence à jamais. D'un point de vue physiologique, c'est beaucoup plus profond qu'un viol. Et ça demande une volonté d'acier : transgresser la loi, aller à l'encontre de tout ce qu'on nous a appris sur l'intégrité de l'individu. Il s'agit d'un défi. Un défi professionnel. Un défi personnel. C'est comme prendre une torche et illuminer ce qu'il y a de plus sombre en moi. Tout le monde a des désirs secrets, désirs de meurtre et de torture, mais personne ne veut l'admettre. Et lorsqu'on s'y risque, on prétexte un moment d'égarement, un acte qui n'appartient pas à celui qu'on pense être. Mais nous incarnons la somme de nos désirs, Jack, que nous le voulions ou non. Et les plus puissants d'entre eux sont ceux que nous voudrions cacher. J'ai découvert un moyen sûr d'y accéder, c'est tout.

— Ça m'a l'air bien pensé.

— Tu n'es pas convaincu ?

— Ce que j'ai vu était trop bestial pour ce genre de raisonnement.

— D'accord. Je t'ai dit la vérité mais si tu veux l'exprimer d'une autre manière : je le fais parce que je ne peux pas vivre sans. Certains prennent leur pied à chier, fouetter, attacher, baiser des animaux. Je jouis en enlevant des reins et en me masturbant avec. Ça m'éclate. Rien d'autre ne me procure de telles sensations. Cette explication te convient-elle mieux ?

— Ryan est au courant, pour les opérations. »

Bella, jusqu'alors galvanisée par son propre discours, fut un peu refroidie par cette révélation. Elle eut l'air de se sentir mal. Elle rumina en silence.

« En fait, pas pour ce que tu fabriques avec les reins, mais pour cette histoire de donneurs. Il m'a coincé quand j'étais dehors, hier. »

Bella parla d'une petite voix.

« Comment peut-il savoir quoi que ce soit ?

— Il a mis la main sur un type que tu as opéré. Un propriétaire de bar ou un truc de ce genre. Peut-être qu'il t'a reconnue. C'est facile, pour Ryan, de dégotter une photo de toi quelque part.

— Je ne me suis jamais montrée à visage découvert en présence des donneurs.

— Tu l'as fait avec cette fille, Karen. Si elle traîne encore dans le coin, elle a pu lui refiler le tuyau. Elle a vu ta tête, elle sait où tu habites. Tu penses qu'elle aurait pu cracher le morceau ? »

Je scrutai Bella tandis que je prononçais ces mots,

mais sa réaction fut celle de quelqu'un qui croit toujours Karen vivante.

«Non. Si elle avait claqué tout le fric, elle pourrait essayer d'obtenir une rallonge et vendre l'information. Mais c'est à moi qu'elle s'adresserait, elle sait que je lui donnerais tout ce qu'elle réclame.

— Voilà qui expliquerait au moins pourquoi il s'est pointé à la clinique avec une photo d'elle.»

Elle mit son visage entre ses mains sans rien dire. Au bout d'un instant, elle releva la tête et me regarda avec attention. Ses yeux brillaient d'excitation.

«Pour quelle raison t'en a-t-il parlé? Des opérations. Pourquoi te dirait-il ce qu'il a appris? Il devait savoir que tu me le rapporterais.

— Bien sûr.

— Il veut encore me faire chanter. C'est tout. Dieu merci...

— Ça te soulage?

— Quand l'autre solution est d'aller en prison, oui.

— Il ne s'agira pas de cinquante mille, cette fois.

— Plus il en voudra, plus il s'enfoncera. Pourtant, je n'arrive pas à comprendre ce qui a pu le mettre sur la piste des interventions.»

Bella reposa la tête sur les coussins du divan et fixa le plafond. J'allumai une nouvelle cigarette. Je me demandai combien de temps mes mensonges tiendraient.

Le lendemain, Lorn et moi achevâmes une séquence consacrée à une clinique spécialisée dans les implants péniens et à ses clients les plus fameux. Plutôt stressé, je ne tenais pas en place pendant les pauses. Je voulais aller me torcher dans un bar, à défaut de quelque chose de plus efficace. Lorn me conseilla de laisser tomber, elle avait du Librium chez elle : un appartement dans une cour intérieure derrière Melrose.

Vodka et cachetons, une manière de passer la fin d'après-midi. Une autre manière consistait à baiser, ce que nous fîmes pour la première fois dans sa salle de bains après que j'y étais entré pendant qu'elle finissait de pisser. Ensuite, nous récidivâmes au lit. Les murs étaient envahis de collages de coupures de presse, assemblées de façon si compacte qu'il ne subsistait aucun espace libre : le Tout-Hollywood au-dessous de trente-cinq ans. On aurait dit l'intérieur de ma tête.

Bien entendu, troncher la vedette d'une émission où ma présence n'était due qu'à l'influence de Bella pouvait se révéler dangereux, stupide même. Qu'est-ce que je pouvais dire ? Il faisait chaud, je n'étais pas moi-même, je voulais la baiser depuis que je l'avais rencontrée.

Travailler ensemble nous avait rapprochés, Lorn et moi. Finalement, nous avions beaucoup de points communs : tous deux en pleine ascension médiatique, nous avions trouvé un monde au sein duquel nous menions la seule existence valable. Notre relation sexuelle, ce jour-là, aurait pu être la conséquence de l'ennui ou d'un bouleversement hormonal, mais elle résultait aussi d'une certaine compatibilité.

Chapitre 30

Bella avait pris du poisson nappé de sauce aux herbes accompagné d'un assortiment de légumes à la vapeur. J'avais quant à moi opté pour un steak et une bouteille de vin. Le tout avait été confectionné par des mains invisibles et nous attendait au bas des marches. Les chandelles se consumaient dans la demi-pénombre. Notre table était installée sur le dallage entre la maison et la piscine. Les colonnes blanches autour de l'eau étaient éclairées. Ça me faisait penser à une scène dans le style européen tirée de la minisérie *Jackie Collins*. Rome ou Monte-Carlo, peut-être. Nous nous susurrions des mots doux.

Jusqu'à ce que Ryan déboule avec sa démarche de canard, tire une chaise à lui, et se serve un verre d'autorité.

« Ne prends pas cet air surpris, Beauté. Tu te doutais bien que je te rendrais à nouveau visite. Vous avez pas autre chose ? Je n'aime pas le vin.

— Tu ne devrais pas boire.

— C'est gentil de t'inquiéter, mais garde tes conneries de toubib pour les crétins qui se moquent de perdre un rein.

— Jack m'a raconté que tu avais des idées très spéciales.

— Idées mon cul. Tu pratiques des interventions illégales. Il n'y a pas trente-six façons d'envisager le problème.

— Tu as un enregistrement ?

— J'ai un témoin. »

Bella se mit à rire.

« Peut-être qu'il ne peut pas te retapisser, mais ça ne veut pas dire que ce qu'il a vu n'est pas recevable. En tout cas pour moi. Un coléoptère égyptien, ça t'évoque quelque chose ? Pile en bas de ton joli petit dos.

— Il me semble que n'importe qui, s'il possède la somme nécessaire, peut s'offrir ce genre de tatouage.

— Je ne voudrais pas te flatter à l'excès, mais il n'existe pas beaucoup de gens avec un corps tel que le tien. Je parie que mon témoin pourrait le reconnaître si on te déshabillait devant lui. À la manière dont il en cause, il a eu un plutôt bon aperçu. Et puis il y a ce type qui l'a pris dans sa bagnole. Chevelure argentée, facile à identifier. J'ai vu quelques vieilles photos dans les journaux, à l'époque où il a eu cet accident avec ta maman. Il avait déjà les cheveux gris. Et puis il ne portait pas de masque, quand il a parlé à mon ami de vendre son rein. Tu as une Jag noire à ton nom ?

— Non.

— Et Papa ?

— Non.

— Bon, j'avais déjà vérifié. Mais je suis sûr que si je me penchais vraiment sur la question, ce ne serait pas trop difficile à trouver. Elle pourrait même être dans le garage, ici.

— Allez voir.

— J'ai pas besoin, hein ? Tu sais à présent que j'ai assez d'éléments. Alors voilà le topo… »

Ce n'était pas ce que nous avions prévu. Il ne s'agissait pas juste d'argent. C'était bien pire. En plus d'un million, il voulait venir s'installer à Malibu. Il désirait partager notre vie.

« Pas pour toujours, bien entendu. Disons un mois ou deux. Merde, cet endroit est assez grand, on ne risque pas de se marcher sur les pieds. Vous ne pensez pas que ce sera amusant ? On pourra sortir tous ensemble. Qu'est-ce que vous en pensez ?

— Pourquoi diable voudrais-tu faire une chose pareille ? » La voix de Bella était froide.

« Eh bien, tu vois, si tu me donnes un million, je ne peux pas tout à fait aller le crier sur les toits, non ? Pas un flic de cinquante balais. Ça jaserait. Mais en ta compagnie, je peux me rendre n'importe où. Tout ce qu'on pensera, c'est que j'ai tiré le gros lot grâce à ma pine.

— Tu n'as pas besoin d'habiter ici pour cela.

— Mais ce serait tellement mieux. Tu vois, j'aspire à la même chose que notre vieux Jackie ici présent : le train de vie des riches et des puissants. Tu sais ? Les restaurants, les premières, les soirées de charité auxquelles assiste Steven Spielberg. Le genre de choses pour lesquelles il faut avoir des relations. Et tu as des relations, Beauté. »

Bella n'avait pas vraiment le choix. Elle savait qu'il avait assez de cartes en main pour la baiser. Alors elle accepta : oui au million, oui à son installation à Malibu. Et elle se garda de dire non lorsqu'il mit sa main entre ses jambes et commença à lui caresser la cuisse.

Plus tard, Ryan s'esquiva pour, dit-il, aller prendre quelques affaires et revenir emménager le lendemain. Je le raccompagnai au portail. Sa voiture était garée sur la route et il avait dû hisser son gros cul par-dessus la grille pour éviter d'attirer notre attention.

« Qu'est-ce que vous êtes en train de faire, là, Ryan ?

— Bon sang, Jackie, je croyais avoir été clair. Beauté, elle, a eu l'air de piger.

— Vous savez de quoi je veux parler.

— Tu comprends pour l'argent, mais pas pour l'emménagement.

— À moins que ce soit juste pour m'emmerder.

— Tu sais ce qu'est un agenda secret ? Comme ceux des politiciens ? C'est ce que j'ai.

— C'est-à-dire ?

— C'est-à-dire que je n'oublie pas Karen. Cette salope là-bas cache quelque chose et plus je me rapproche d'elle, plus ce sera facile de découvrir de quoi il retourne.

— Ce ne serait pas scier la branche sur laquelle vous êtes assis ? Regardez ce qu'elle vous offre.

— J'aimais bien Karen.

— Je pourrais révéler vos plans à Bella.

— Et je pourrais lui toucher deux mots à propos de toi. Je parie qu'elle ignore que vous étiez mariés. Je parie même que tu ne lui as pas dit que vous vous connaissiez.

— Bien sûr que non.

— Alors, peut-être que si je lui raconte la vérité, elle ne t'aimera plus autant. Ne sois pas stupide, Jackie. Il n'y a aucun intérêt à nous déchirer avant l'heure. Tu veux obtenir quelque chose d'elle ? Pas de souci. Tant que tu ne te mets pas en travers de ma route. »

Ryan me fit un clin d'œil et monta dans sa voiture. Avant de déboîter, il baissa la vitre comme s'il avait oublié un truc :

« J'ai vérifié ce que tu m'as bonni, pour les reins

qu'elle donne aux hôpitaux publics. Rien de tel. Il n'y en a pas tant que ça de ce côté de L.A. et aucun d'eux n'a jamais reçu de dons anonymes. J'espère que tu joues franc jeu avec moi, mon petit Jackie. »

Chapitre 31

Ce fut une période plutôt bizarre. Bella installa Ryan dans l'autre aile de la maison. Elle lui donna une valise pleine d'argent et un jeu de clefs. La journée, tout se déroulait comme d'habitude : Bella se rendait à sa clinique de Brentwood une ou deux après-midi par semaine, j'assistais Lorn sur *28 FPS* et m'acquittais de quelques inserts en solo. Ryan, quant à lui, s'occupait des trucs foireux qu'il avait en cours, quels qu'ils soient. Mais c'était à la nuit tombée que les changements prenaient leur véritable dimension.

En général, Bella était encline à rester à la maison mais Ryan, lui, était partant pour goûter aux joies de la vie en société. Ainsi, chaque soir, pendant les premières semaines, nous fûmes de sortie tous les trois : dîners, puis virées dans toutes les fêtes tape-à-l'œil qui se tenaient du bord de mer à Malibu jusqu'aux collines de Hollywood. Me mêler aux autres ne me dérangeait pas, ça faisait partie de l'esprit californien pour moi, mais la manière qu'il avait de coller aux basques de Bella était énervante au possible.

Du coup, j'étais peu à Willow Glen. Je n'étais pas tranquille à l'idée de savoir Bella et Ryan en tête à tête, par conséquent je devais subir la plus grande partie de ses lubies. Le pire advenait souvent quand nous rentrions de virée : lui, Bella et moi, enchevêtrés à même le sol, au lit, à côté de la piscine ou n'importe quel endroit qui nous passait par la tête, en train de grogner l'un sur l'autre dans une sorte de frénésie incestueuse. Bella l'avait laissé la baiser sitôt qu'il avait emménagé et Ryan y était allé à fond. Il transpirait, s'enfilait des tonicardiaques, se vautrait dans un état second, là où ses rêves devenaient réalité. Il ne remarquait pas quand Bella restait allongée sous lui, totalement détachée, indifférente à ses pénétrations, indifférente à sa présence même dans la maison, en apparence.

Parfois, je les laissais se débrouiller. J'allais baser un peu de coke dans le micro-ondes et fumer dans le jardin. À l'occasion, je m'asseyais et les regardais se contorsionner. Ryan tirait moult avantages en plus du sexe : cette belle femme richissime était un laissez-passer pour lui comme pour moi.

« On n'est pas des mecs chanceux, tous les deux ? »

Nous buvions un café au bord de la piscine. Bella était dehors et Powell n'avait pas montré le bout de son nez à Malibu depuis la première intervention médicale à laquelle j'avais assisté. Ryan arborait une robe de chambre blanche. Il s'assit près de moi. Je pouvais voir de fins poils noirs sur ses mollets blafards.

« Qu'est-ce que t'en dis, Jackie, on n'est pas bien là ou quoi ?

— Elle n'est pas idiote, elle va comprendre pourquoi vous êtes ici.

— Si elle est coupable, elle doit déjà savoir. Mais elle va faire quoi ? Contacter les flics ? Me reprendre l'argent ? Ne t'inquiète pas, Jackie. Si elle flippe, c'est du tout bon pour nous.

— Pour vous. En ce qui me concerne, ce ne sera pas bénéfique d'un pet. »

Ces relations sexuelles régulières l'avaient sans doute rendu plus affable parce qu'il me sourit, comme si, vraiment, il voulait atténuer ma détresse.

« Écoute, je dois avouer que je commence à apprécier Beauté. Je ne ferai rien qui ne soit pas nécessaire.

— Apprécier ? Putain de Dieu, vous la faites chanter.

— Les choses évoluent parfois. Je pense qu'elle m'apprécie aussi.

— Oh bordel…

— Hé, on ne peut pas baiser comme elle le fait sans ressentir quelque chose.

— Je suppose que vous n'enquêtez plus sur elle pour le meurtre de Karen, alors.

— J'ai dit que je ne ferai rien qui ne soit pas nécessaire, mais si c'est elle, eh bien c'est elle. Seulement, j'ai réfléchi à ce que tu m'as raconté sur son père. Ce serait une option sympa : Bella s'en tire, tu es content, je suis content, justice est faite, l'argent continue à affluer… Convaincs-moi. »

Nous partîmes. Ryan toujours en robe de chambre, nous cheminions dans les broussailles en bordure du terrain. Jusqu'à tomber sur une carcasse de chien. À présent, il ne subsistait plus qu'un tas d'os décharnés avec quelques morceaux de peau.

« J'en ai trouvé un autre la première fois que je suis venu ici. »

Ryan s'accroupit et poussa les restes avec un bâton.

« Désolé, Jackie, je ne suis pas convaincu. La dépouille est trop ancienne. Impossible de déterminer l'origine exacte des blessures. Tu as prétendu qu'il s'agissait des mêmes que celles infligées à Karen, mais c'était à l'époque.

— Ce n'est pas révélateur ? Bella affirme qu'il fait ce genre de trucs quand il est jaloux…

— On doit vraiment le faire enrager, alors.

— Vous m'écoutez ? Un type qui fait ça parce que sa fille baise quelqu'un d'autre a d'évidence un gros problème. Vous ne pensez pas qu'il est possible d'établir un rapport avec ce qui est arrivé à Karen ?

— C'est un chien, Jackie, pas un être humain. Et rien n'indique que Powell ait su quoi que ce soit à propos de Karen. Je ne dis pas qu'il l'ignorait, mais on a besoin d'une preuve.

— Putain de merde ! Ils opèrent ensemble, c'est obligé qu'il soit au courant.

— Seulement pour le rein. Et Joey est le témoignage vivant qu'un donneur ne finit pas forcément au cimetière. Si on fait abstraction de tes déclarations, il n'existe aucun élément susceptible de l'avoir mis au parfum. Ce qui exclut le crime passionnel.

— Bella aime enregistrer ses exploits, d'accord ? Vous possédez une vidéo d'elle et Karen.

— Et ?

— Et elle m'a confié que Powell fait des copies intégrales en douce. S'il possède un double de celle que vous avez, ça implique qu'il connaissait leur relation.

— Ce n'est toujours pas une preuve qu'il l'ait tuée.

— Mais c'est un indice.

— Peut-être. »

Les appartements de Powell étaient recouverts de boiseries. Il y avait des tapis couleur olive et des meubles en laiton tels qu'on en trouve dans les clubs pour hommes. Ryan déambula sans essayer de dissimuler les traces de son passage. Ce qu'il cherchait n'était pas difficile à trouver. L'exacte réplique de la collection vidéo de Bella était exposée à la vue de tous sur une étagère murale de la chambre. Ryan étudia les cassettes. Il me vit, inconscient, en train de me faire sucer, il me vit en pleine action sur un enregistrement plus récent. Avec attention, il passa en revue les documents consacrés aux donneurs dans l'espoir de mettre un nom sur une affaire non résolue d'après les visages des patients que Bella examinait.

« Je dois dire, Jackie, que tout ceci ne plaide pas en faveur de Bella. Elle prend son pied. Avec les reins qui disparaissent, voilà qui n'inspire pas confiance. »

Je lui pris la télécommande des mains pour accélérer jusqu'à la séquence avec Bella et Karen.

« Tenez. Vous ne pouvez plus raconter qu'il ignorait leur aventure, maintenant.

— Tout dépend s'il l'a eu avant ou après le meurtre. Si c'est après, ça vaut que dalle.

— Incroyable, putain.

— Hé, Jackie, je fais preuve de bonne volonté, mais je me dois de considérer toutes les possibilités lorsque la liberté d'un être humain est en jeu. »

Je tendis la dernière cassette de l'étagère à Ryan. Je savais ce qu'elle contenait. Par contre, j'ignorais si Ryan la prendrait à charge ou à décharge de Bella. De toute façon, je ne pouvais pas faire grand-chose pour l'empêcher de la regarder.

Bella et Powell occupés à baiser, un montage de leurs ébats.

« Oh, Jackie, qu'avons-nous là ?

— Le passe-temps favori de Papa.

— Regarde-moi ce vieil enculé.

— Il est obsédé par elle.

378

— Hé, avec un corps tel que le sien, qui ne le serait pas ? Si c'était ça, l'atout que tu gardais dans la manche, je suis déçu. Tu devrais savoir que ce n'est pas un petit inceste qui va me faire bondir au plafond et lui sauter dessus.

— Tout ce que vous voulez, c'est me faire tourner en bourrique, hein ? Vous n'avez pas envie que ce soit Powell. Parce que si ce n'est pas lui, c'est Bella. Et si c'est Bella et que vous la faites plonger, je perds tout. Il vous faut quoi ? Vous voulez me détruire ? Pourquoi ? Vous devez savoir à présent que je n'ai rien à voir avec la mort de Karen. »

Ryan appuya sur stop et se tourna vers moi. Pour la première fois depuis que je le connaissais, il avait l'air sincère. Même plus, en fait, il avait l'air embêté.

« Jackie, mon garçon, tout ceci n'a rien à voir avec toi. Je vais être franc. Tu crois que j'en veux à Bella ? Merde, non. J'aime vivre ici, et, tu sais, j'aime la baiser. En plus, elle constitue un filon dont j'ai à peine entamé l'exploitation. Je serais stupide de la faire tomber sans raison. Seulement, j'ai besoin de trouver un coupable pour Karen, et j'ai le sentiment que c'est elle. Bien sûr, il se passe de sales trucs plutôt suspects avec Powell. Cependant, je n'ai rien pour le rattacher directement au décès de Karen, excepté des cadavres de chiens et quelques nus artistiques. Avec Bella, il y a un rapport évident, en plus d'un tas de choses trop bizarres pour être passées sous silence. Je ne connais pas encore les aboutissants de l'histoire des reins, mais les examens qu'elle pratique me semblent avoir une signification sexuelle pour elle. Si c'est avéré, qui sait ce qui peut arriver quand elle charcute les gens ? Tu accuses Powell de complicité, mais ce n'est pas lui qui plonge ses doigts dans ces personnes, sur ces cassettes. Et ce n'était pas lui, dans cette chambre d'hôtel. Putain, c'était presque un meurtre, là-bas.

— Elle n'a pas assassiné Karen.

— J'espère que tu as raison, vraiment, mais tant que tu ne me ramènes rien de plus sérieux que Rintintin là-dehors, tu devrais commencer à chercher une autre source de revenus parce que celle-ci ne va pas durer. »

Plus tard dans la journée, je regagnai Willow Glen. Seul, je contemplai mes photos. Je me souvenais des sensations éprouvées en compagnie de la morte, à la morgue. Je regrettai de ne pas avoir pris de clichés d'elle pour me réconforter. Mieux, j'aurais voulu posséder une vidéo de nos exploits que j'aurais pu insérer dans un film promotionnel Calvin Klein. Les morts et les vivants côte à côte : difficile de considérer chacun d'eux comme important tant qu'ils n'étaient pas visibles sur pellicule. J'éjaculai, gobai quelques pilules et sombrai dans le sommeil en pensant à Lorn. Nous partagions la même obsession pour une vie meilleure. À Los Angeles, c'était sans doute l'équivalent de l'amour.

Chapitre 32

La vie continue. En dehors du suicide, il n'est pas grand-chose que l'on puisse faire pour l'en empêcher. Savoir Ryan en train d'observer, d'attendre, de compter les minutes avant que Bella soit mise hors circuit me maintenait dans un état de fébrilité constante. Bien entendu, tout n'était pas catastrophique.

Mon temps d'antenne à *28 FPS* avait connu une légère amélioration du fait des sondages qui confirmaient que le public se familiarisait avec ma personnalité et mon visage. Le fils d'un ponte du fast-food, dans les vingt ans, avait vu une de mes apparitions et m'avait recommandé à son père. Résultat, j'empochai dix mille pour quelques pubs de quinze secondes diffusées sur les chaînes locales de moindre envergure. C'était le premier salaire dans l'audiovisuel que j'obtenais sans l'aide de quiconque. Les pubs étaient bonnes pour la visibilité, mais je craignais de déprécier mon image.

Pendant ce temps, Ryan et Bella jouaient leur rôle respectif. Lui, dans l'objectif de venger Karen et d'accéder à un niveau de vie jusqu'alors inimaginable. Elle, pour Dieu sait quoi. Ils baisaient, discutaient, et malgré sa volonté de la détruire, je pouvais voir l'engouement prendre de l'ampleur chez Ryan. Elle, cependant, demeurait impénétrable au possible en sa compagnie, occupée à échafauder d'insondables stratégies.

Désormais, je trimbalais les photos presque partout avec moi. D'une certaine manière, j'étais soulagé lorsque je me branlais dessus. Soulagé de l'inquiétude causée par le tarissement de la source financière et l'arrêt de l'émission que les manigances de Ryan risquaient d'entraîner. Cette paix n'était que temporaire et, au fur et à mesure, ma peur grandissait si fort qu'il ne me restait plus d'autre choix que d'agir ou périr.

J'élaborais un plan qui réclamerait des aveux de Bella et un autre sacrifice humain. Je n'aurais jamais agi de la sorte en temps normal, mais je n'avais plus d'alternative. Porté par le goût de la belle vie, je ne pouvais plus, à présent, laisser passer l'opportunité de devenir quelqu'un d'exceptionnel sans me battre.

Dehors, sur son lieu de travail, Ryan s'appliquait à résoudre un maximum d'affaires avant la retraite. Certains soirs, il travaillait tard. Je profitai de l'un d'entre eux.

Un petit restaurant sélect en bord de mer, une table près de la fenêtre, Bella et moi, en tête à tête, au crépuscule. Tout était calculé. Son éducation l'empêcherait de faire un scandale en public. Lorn et moi avions interviewé Laura Leighton ici même, où nous avions évoqué ses jeunes années en tant que serveuse. Je m'étais dit que le chef de rang me reconnaîtrait et que j'aurais droit à un traitement particulier. Si tout devait s'arrêter là, c'était ce souvenir de la Californie que je voulais garder : un endroit luxueux, des gens resplendissants, une lumière tamisée, une musique douce exécutée par un trio dans un coin de la salle, la vue sur l'océan, mon reflet dans la vitre, des vêtements irréprochables.

J'étais clean. Pas de pilule, pas de poudre. Uniquement un Wallbanger : vodka, jus d'orange, Galliano, dont la saveur, pour des raisons obscures, me rappelait les nuits d'été. Ma manchette de chemise était impeccable lorsque je portais le verre à mes lèvres, mes ongles étaient manucurés. Bella était éblouissante. Les hommes des tables voisines lui jetaient des coups d'œil. Elle me souriait.

« C'est gentil, mon chéri. Mais je soupçonne quelque chose.

— J'ai l'air si nerveux ?

— Tu ne vas pas me demander en mariage, quand même ? »

Elle rit d'une manière qui pouvait suggérer qu'il s'agissait là d'un sujet abordable si je le désiraïs. Mais ces batifolages n'arrangeraient rien. J'allai droit au but.

« Tu es en danger. Ryan est persuadé que tu as tué quelqu'un et il essaye de te faire porter le chapeau. »

Elle me regarda, les yeux vides, pendant quelques secondes, puis se composa un sourire comme si c'était une plaisanterie.

« Je ne suis pas sûre d'avoir bien entendu.

— Karen. La fille sur la cassette. Elle a été tuée il y a quatre mois. Ils l'ont retrouvée dans un parc de Santa Monica. Ryan pense que tu es coupable. »

Elle savait désormais que j'étais sérieux. Elle pinça les lèvres. Elle ne pleura pas, mais son visage perdit toute couleur.

« Impossible. Comment peux-tu être certain qu'il s'agit de la même fille ? Je ne comprends pas.

— C'est très dur pour moi de parler de ça... »

J'avalai une gorgée. Le Wallbanger n'avait plus la saveur des nuits d'été. Il n'avait plus aucune saveur.

« La manière dont elle a été tuée présente certaines caractéristiques qui, selon Ryan, te désignent.

— Je t'ai demandé comment tu sais qu'il s'agit de la même fille. »

Sa voix était sèche, ses yeux empreints de colère : elle n'allait pas me laisser m'en tirer à si bon compte.

« Bon Dieu, Bella, je suis désolé… Je sortais avec elle. »

Elle se figea.

« Tu veux dire que tu entretenais une relation avec elle ? Vous étiez amants ?

— Une passade. Notre histoire était terminée plusieurs mois avant qu'on la trouve. Mais elle s'était servie une fois de mon adresse lors d'une arrestation pour racolage, et on est remonté jusqu'à moi. J'ai été suspecté pendant un moment.

— *On* signifie Ryan, je suppose. Il est vraiment policier, alors ?

— Oui.

— Pourquoi tu ne m'as rien dit quand tu l'as vue sur l'enregistrement ?

— Je pensais que tu ne croirais pas à une coïncidence. Tu sais, nous nous connaissions et elle était ton amante, ensuite le meurtre et moi qui me pointe… J'étais persuadé que tu y verrais un complot. Je ne voulais pas risquer de te perdre. Après, j'ai su que tu croyais qu'elle était toujours vivante. Il m'a paru plus facile d'oublier tout ça et de la fermer. Jusqu'à ce que Ryan rapplique, bien sûr.

— Il me semblait bien que le prétexte de l'hôtel était un peu léger.

— Ouais. Il me surveille depuis l'assassinat. J'aurais dû te prévenir dès qu'il a commencé à te faire chanter, je sais, mais je n'aurais jamais deviné que cette affaire irait aussi loin. J'ignorais totalement qu'il essayerait de te relier au meurtre.

— Alors, tu m'as menti.

— Je n'avais aucun moyen de justifier la présence de Ryan sans évoquer Karen. Bon sang, Bella, je n'ai jamais voulu une chose pareille, je me suis laissé déborder, en quelque sorte. Je voulais tout arrêter mais la situation empirait sans cesse et j'étais impuissant. Si je pouvais modifier le cours des événements, je le ferais. Mais ce n'est pas le cas. »

Bella me scrutait. Je dus lui paraître suffisamment sincère car au bout de quelques minutes, elle se pencha et prit ma main.

« Mais qu'est-ce qui lui fait croire que j'ai un rapport avec sa disparition ? C'est parce qu'on est ensemble ?

— Pire. Il sait que tu lui as enlevé un rein. Il sait que toi et elle étiez impliquées dans un truc illégal. Et en plus, son corps a été charcuté et éviscéré. À la manière d'un chirurgien, du travail de pro. Il est convaincu qu'elle est venue te voir pour vendre son rein et qu'après, plus tard, tu l'as supprimée.

— Il est cinglé. J'ai pris son rein, mais elle est repartie sur ses deux jambes. Je ne l'ai jamais revue. Es-tu certain de ne rien me cacher ?

— C'est-à-dire ?

— Il est au courant de mes interventions et il sait que tu avais une relation avec Karen, mais comment a-t-il pu découvrir qu'elle faisait partie des donneurs ?

— À la suite de sa mort, il a procédé à des vérifications. Il a appris que juste avant, elle s'était vantée d'un pactole obtenu grâce à la vente de son rein. Il a creusé puis est tombé sur ce "témoin" qui l'a mis sur la piste du tatouage. Manque de pot, Ryan faisait apparemment partie des clients de Karen. Il savait qu'elle portait le même motif. Il en a déduit que vous étiez liées. »

Bella semblait vraiment secouée. Elle passa ses mains sur les bords de la table, lissa la nappe encore et encore. Soudain, comme vidée de toute énergie, elle les laissa retomber sur ses cuisses.

« Qu'est-ce que je vais faire ? Je ne l'ai pas tuée mais je ne pourrais pas supporter une enquête. Rien que les opérations, ce serait la catastrophe. Est-ce qu'il se contentera d'une rallonge ?

— Il l'acceptera, mais ça ne résoudra rien. Pour des raisons que j'ignore, il fait du décès de Karen une affaire personnelle. Il ne lâchera pas le morceau. Si tu m'écoutes et si tu restes calme, j'entrevois une issue.

— Un moyen de lui faire comprendre que ce n'est pas moi ?

— Pas tout à fait. Putain, je ne sais pas comment tu vas réagir à ce que je vais te dire, mais… Je te jure que je ne t'en parlerais même pas s'il y avait une autre solution.

— Vas-y. »

Je pris une profonde inspiration.

« J'ai retourné les choses dans ma tête et je suis parvenu à la conclusion qu'il existerait peut-être un rapport entre les ablations rénales et le meurtre de Karen. Pas toi, comme le pense Ryan, mais Powell.

— Tu crois que Powell s'est débarrassé de Karen ?

— Si tu avais une aventure avec elle, il devait être au parfum, non ?

— Bien entendu.

— D'accord. Je sais d'expérience combien il déteste que tu sois avec quelqu'un d'autre. Est-il possible que ta relation l'ait fait sortir de ses gonds ? Qu'il en ait été si affecté que son seul recours ait été de la supprimer ? »

Bella se tenait droite sur sa chaise, les yeux plissés. Je considérai ça comme un signe encourageant.

« Tu l'obsèdes, et en plus il a été chirurgien. Il a les compétences pour infliger le genre de blessures que portait Karen. Je crois qu'il s'en est pris à elle dans un accès de jalousie, puis l'a vidée dans l'espoir de dissimuler l'intervention récente. Pour l'amour de Dieu, il taillade des chiens exactement de la même façon. »

Je marquai une pause et sirotai mon verre. Il avait meilleur goût.

« Qu'est-ce que tu en penses ? »

Bella détacha les mots.

« C'est possible… Cet enfoiré… Tout ce temps passé à croire qu'elle m'avait quittée… »

Elle s'absorba dans ses pensées un moment. Le serveur m'apporta un autre verre et débarrassa nos assiettes, intactes. Bella revint à la réalité.

« Ta proposition consiste à donner Powell à Ryan.

— S'il est coupable, il faut qu'il paye. En admettant que tu veuilles franchir le pas.

— En as-tu discuté avec Ryan ?

— Je lui ai dit pour les chiens et sa possessivité. Il connaît les antécédents de Powell : la came, sa formation médicale.

— Il a été réceptif ?

— Il a estimé que ce n'était pas suffisant.

— Ce n'est pas vraiment une solution, alors.

— Ça le deviendra si on trouve des preuves. Merde, tu as remarqué comment Ryan te regarde. Amadoue-le. Il affirme qu'il veut te faire tomber, mais je suis convaincu qu'en secret il préférerait s'en passer. Explique-lui, pour Karen. Comment elle était, ce qu'elle représentait pour toi. Rajoutes-en une couche sur la jalousie de Powell. Il ne lui en faudra pas beaucoup.

Pendant ce temps, j'essayerai d'établir un lien entre Powell et Karen. Il doit y avoir un truc. Il nous faut juste une confirmation.

— J'espère que tu as raison, Jack. Si tu te trompes, nous pourrions tout perdre ensemble. »

Chapitre 33

Au regard de l'élan qu'avait pris ma carrière télévisuelle ces derniers mois, j'engageai un agent. Les bureaux étaient situés en haut de Century City : sympas, tapageurs, synonymes de succès juste ce qu'il fallait. Du sommet, on pouvait apercevoir les studios de la Fox. Je n'avais pas mis Bella au courant. Vu la situation instable à Malibu, il paraissait prudent de commencer à établir les bases d'un nouvel avenir. De plus, passé l'amélioration initiale, mon temps d'antenne sur *28 FPS* stagnait. La chaîne ne tolérait Bella qu'en raison de l'argent qu'elle possédait et, depuis que le planning sur le mur des bureaux de production était complet, j'avais déjà atteint les limites de cette tolérance. Il y avait bien quelques personnes de plus qui me reconnaissaient dans la rue, mais je ne pense pas qu'aucune d'elles ait eu envie, à ce niveau, d'être moi. Je n'incarnais pas encore un de ces poids lourds qui hantaient leurs rêves.

La meilleure chose à faire était encore de devenir l'icône d'un produit sélect : un truc très cher et très en vogue. Vous n'aviez pas à vous fouler autant que pour être à l'affiche d'un film et vous n'aviez pas besoin de façonner votre image comme sur une émission. Il fallait juste taper dans l'œil d'un gars du casting, et c'était parti. Pas aussi prestigieux que le ciné ou la télé, mais un moyen rapide d'être connu. Et avec Bella sur la corde raide, la rapidité semblait désormais être un facteur déterminant.

En ce moment, malgré tout, mon agent n'avait rien pour moi. Je dus me contenter de mon créneau sur *28 FPS* et d'une photo occasionnelle lorsque les journaux people devaient combler leurs pages avec les seconds couteaux en semaine creuse. Pourtant, je collais aux basques de Lorn, l'accompagnais à des réceptions, trop près d'elle pour me barrer quand les lumières s'éteignaient.

La séance de baise chez elle s'était reproduite plusieurs fois les semaines suivantes. Nos affinités resurgissaient lors de ces instants d'intimité où nous n'avions pas besoin de paraître : dans la caravane, alors que le reste de l'équipe était en train de tout installer dehors, à l'arrière d'une limousine quand nous avions du blé à claquer et que nous en louions une pour les mondanités. J'aurais voulu le faire plus souvent, mais la crainte d'être démasqué par Bella me refroidissait pas mal. En plus, les occasions étaient rares car je ne pouvais m'empêcher de me précipiter à Malibu dès que j'avais terminé un enregistrement, aussi avide qu'un journaleux qui attend le fait divers pour avoir un scoop. Même si nous arrivions à entretenir une relation, on ne pouvait pas vraiment la qualifier d'épanouissante. À cette époque, la copulation m'évoquait une purge, comme si j'étais infecté par l'angoisse omniprésente à Malibu et que le seul moyen de m'en débarrasser était de la dégorger à l'intérieur de Lorn.

J'ignorais si elle s'en rendait compte. Peut-être pensait-elle que c'était ma façon à moi de faire l'amour.

Lorsque nous avions terminé, elle s'absorbait dans la contemplation de la fenêtre. Son regard laissait supposer qu'elle considérait le paysage et la baise avec un ennui égal. Quand cela se produisait, il n'était pas difficile de voir qu'une partie essentielle d'elle-même lui manquait.

Un jour, tandis que nous attendions pour interviewer Willem Dafoe, à l'affiche d'une pièce sur des types de Hollywood avec de longs cheveux, elle me demanda si elle pouvait passer la nuit chez moi. Jusqu'à présent, nous n'étions pas rentrés dans les détails de nos vies respectives, hormis lors de notre première conversation sur les marches, au domicile de la star du X. Elle ne savait rien de Bella ni du rôle qu'elle avait joué dans l'obtention d'un poste à *28 FPS*. Tout lui expliquer, souligner combien il était risqué qu'elle vienne traîner chez moi en ce moment était au-dessus de mes forces. Alors, je refusai et lui servis un bobard sur le besoin d'indépendance. Elle m'écouta avec moins d'attention qu'elle n'en aurait accordé à un bulletin météo.

À Malibu, il y avait un jacuzzi à l'extrémité de la piscine. Une après-midi, Bella, Ryan et moi, assis à poil dans les remous, lunettes de soleil sur le nez. Ryan et moi nous approvisionnions grâce à une bouteille de Southern. J'essayai d'allumer une cigarette, mais les éclaboussures incessantes la trempèrent.

Bella était en face de Ryan, les jambes écartées. Il avait un début d'érection.

« Jack m'a dit que tu me suspectais de meurtre. »

Ryan ne fut pas surpris. Nous n'avions pas évoqué le sujet mais il devait se douter que je lui en parlerais. La graisse, sur sa poitrine, tremblotait dans les tourbillons. Je voulais laisser faire Bella, mais je devais couvrir mes arrières. Je ne pouvais pas prendre le risque qu'il trahisse les mensonges que j'avais échafaudés. Je pris la parole illico.

« Elle est innocente, je pense qu'elle avait le droit de savoir. Je lui ai dit, à propos de la petite aventure que j'ai eue avec la fille. Je lui ai avoué que tu m'avais suspecté.

— Ah ouais, cette petite aventure-là... »

Il m'adressa un sourire narquois derrière ses lunettes de soleil. Je m'allongeai et reposai ma tête sur le rebord. Ciel bleu, quelques nuages épars, à l'intérieur des terres, la minuscule silhouette d'un faucon qui volait en cercle. Je fermai les yeux et regrettai de ne pas me trouver à des milliers de kilomètres d'ici. Bella intervint à nouveau :

« Je n'ai rien à voir avec sa mort, Ryan. En fait, j'ignorais qu'elle avait été tuée avant que Jack me l'apprenne.

— C'est une belle après-midi. L'eau est bonne, je suis en charmante compagnie et la gnôle a du coffre. Si tu as quelque chose à me dire, je ne vois pas de meilleur moment.

— Que veux-tu savoir ?

— Vous vous êtes rencontrées comment ?

— Pas de la manière habituelle. Je veux dire par là qu'elle ne cherchait pas à vendre son rein. Elle n'était pas au courant. C'était une prostituée. Je l'ai ramassée sur Santa Monica Boulevard une nuit. Nous avons couché ensemble. Elle m'attirait et je lui ai demandé qu'on se revoie. Au fur et à mesure, nous nous sommes rapprochées. Nous sommes tombées amoureuses.

— Vous avez dû passer des nuits plutôt torrides. »

J'entendis Bella, agacée, soupirer. J'ouvris les yeux. Elle s'était redressée dans l'eau et ses seins émergeaient.

« Elle venait me voir régulièrement. Elle restait parfois plusieurs jours d'affilée. Elle m'avait raconté qu'elle vivait avec un homme horrible vers Venice, mais je n'ai jamais su où. Elle parlait peu de sa vie privée. Je crois qu'elle venait ici pour fuir.

— Elle a raconté qu'il était horrible, hein ? »

J'évitai le regard que me lançait Ryan.

« J'avais ce sentiment.

— Continue.

— Elle n'était pas dans le haut du panier. Elle bossait dans la rue, avait des problèmes de drogue. Peut-être que je t'explique des trucs que tu sais déjà.

— Je pourrais t'écouter pendant des heures.

— Il lui fallait sans cesse de l'argent. Je lui en ai donné, mais ça ne changeait rien, elle en voulait toujours plus la fois suivante. Un jour, elle m'a annoncé qu'elle avait besoin d'une voiture. Je lui ai suggéré de vendre son rein.

— Pourquoi tu ne t'es pas contentée de la lui payer ? T'es assez riche.

— J'avais peur qu'avec une telle somme elle aille faire une overdose ou se fasse suriner par un voleur. Je pensais que si elle subissait l'opération et y laissait un rein, elle connaîtrait assez la valeur de l'argent pour être prudente.

— Mon Dieu, que c'est beau, la manière dont vous, les riches, prenez soin des pauvres.

— Je tenais à elle. Je ne voulais pas la voir tout gâcher.

— J'en suis tout retourné. Continue, avec les reins.

— Elle a sauté sur l'occasion. Je l'ai payée correctement. Trente mille dollars.

— Et ?

— Et rien. Après l'intervention, elle est restée ici une

quinzaine de jours, puis elle m'a déclaré qu'elle devait rentrer. Je ne voulais pas l'autoriser à partir, mais elle m'avait promis de revenir. Je ne pouvais pas la retenir. Je ne l'ai jamais revue.

— Est-ce qu'elle portait des agrafes ou quelque chose de ce genre ? Elle ne devait pas se les faire enlever ?

— Elles se dissolvent d'elles-mêmes. Bien sûr, elle aurait dû être placée sous surveillance médicale, seulement…

— Et tu ne l'as jamais revue ? Pas une seule fois ?

— Non. Je me souviens du jour où elle est partie. Elle avait mis tous ses bijoux au clou un peu avant — pour se droguer, je présume — et je lui avais offert un bracelet antique en or. Elle l'aimait beaucoup. Est-ce que tu sais si elle l'avait sur elle quand vous l'avez trouvée ?

— Je me rappelle du gros trou là où il y aurait dû y avoir son ventre.

— Je n'ai pris qu'un rein.

— Alors qui s'est chargé du reste ?

— Mon père.

— En voilà une surprise. Jackie essaye de me convaincre du même bobard. Où est-il, ce Powell, au fait ? Il a des appartements ici mais je ne le vois jamais.

— Il est irrité par la relation que j'entretiens avec Jack. Il possède un autre domicile dans le centre-ville.

— Tu veux dire qu'il ne se pointe pas pour ses parties de cul glauques quand je ne suis pas là ? »

Bella me jeta un regard sévère. Ryan embraya avant que j'aie eu à m'expliquer.

« Jackie m'a montré votre collection vidéo. Pourtant je ne lui jette pas la pierre, il croyait t'aider.

— Alors tu peux comprendre pourquoi Powell est

plutôt réticent à ce que je prenne un amant. Tu es au courant des mutilations qu'il inflige aux chiens, tu sais qu'il a été chirurgien. Tu n'arrives pas à faire le rapport ? Ma relation avec Karen n'était pas une passade. Ça ne te semble pas au moins envisageable que quelqu'un qui fait une fixation sur moi perde les pédales et assassine un rival pour s'en débarrasser ?

— Ouais. Mais tu aurais pu aussi bien avoir une querelle amoureuse avec Karen, et l'avoir débitée toi-même. Je n'affirme pas qu'une hypothèse prévaut sur l'autre, mais si tu veux que je croie à la culpabilité de ton père, il va falloir que tu me montres autre chose que ta chatte ouverte dans le jacuzzi. En parlant de ça, tu as d'autres vidéos sexy de Karen ?

— Tu as vu l'ensemble des cassettes de ma salle de montage ?

— L'intégralité de ce qu'il y a dans ce joli placard secret.

— C'est tout ce que j'ai. Karen n'aimait pas être filmée. La seule séquence que j'ai d'elle est celle que tu as vue. »

Il y eut un moment de silence. L'eau faisait des bulles. Ryan se servit un autre verre. Puis Bella reprit la parole.

« J'ai une question à te poser, Ryan.

— Il suffit de demander.

— Pourquoi n'as-tu jamais dit que tu connaissais Jack ? »

Une telle question signifiait qu'elle n'était pas totalement persuadée de la véracité de mes propos sur Ryan, peut-être même sur Karen. Et si elle l'interrogeait devant moi, c'était qu'elle voulait que je sache. Ryan demeura silencieux un instant, comme s'il réfléchissait à sa réponse. Le but était de me faire flipper, évidemment.

« Nous nous occupons d'un meurtre. Pour quelqu'un qui sait quelque chose, Jackie plus moi égale Karen. J'aurais été idiot d'en parler plus tôt. »

Bella n'avait pas l'air convaincue. Étant donné les circonstances, c'était encore ce que je pouvais espérer de mieux.

Elle m'embrassa sur la joue, sortit du jacuzzi, et marcha à poil jusqu'à la maison.

« J'ai sauvé ton cul, là, mon petit Jackie. »

Nous restâmes dans l'eau tandis que l'après-midi déclinait. Il n'y avait plus grand-chose à faire, alors je bus du Southern Comfort jusqu'à être légèrement bourré.

Cette nuit-là, pour la première fois, Ryan resta dormir avec Bella. Pas juste une partie de jambes en l'air, mais les huit heures pleines, du crépuscule à l'aube, tel un amoureux. Une fois, j'allai les observer, mais la vue de cet animal grassouillet, le nez enfoui sous son aisselle comme un énorme bébé, était trop répugnante. Je m'enfilai quelques cachetons et partis m'écrouler dans une autre pièce.

Ryan dormit tard. Bella et moi prîmes le petit déjeuner en tête à tête. Elle était hargneuse, peu patiente.

« Il ne semble pas très intéressé par Powell.

— C'est pour ça que tu l'as laissé dormir avec toi ?

— Il s'agit d'une étape logique.

— Vraiment ?

— Je ne veux pas finir en prison. Et tu ne veux pas perdre ton émission. Nous devons nous en occuper sérieusement, Jack. Tu dois prendre le problème dans sa globalité.

— O.K., O.K.

— Bien. Il a besoin de quelque chose de concret pour être convaincu, les belles paroles ne suffisent pas.

— Comme quoi ? Nous avons fouillé chez Powell.

— Tiens. »

Bella me tendit un trousseau. Trois clefs dessus.

« L'immeuble, l'ascenseur, l'appartement. Powell a appelé tantôt : il a trouvé un nouveau donneur. Nous serons en salle d'opérations ce soir. Sa résidence sera vide. Prends Ryan avec toi, et cherchez. »

Aux alentours de midi, Ryan émergea. Il était de bonne humeur. En fait, il était presque resplendissant. Je supposai qu'il était si peu accoutumé à l'amour que l'ersatz de sentiments distillé par Bella tout au long de la nuit lui faisait croire que quelqu'un tenait à lui. Il voulait aller faire les magasins avec moi.

Seulement, il ne s'agissait pas de vos courses habituelles dans les grandes surfaces. Nous errâmes pendant deux heures, de modèle d'expo en modèle d'expo, pour que Ryan se retrouve enfin propriétaire d'une ancienne Bentley décapotable. Je ne vis pas combien il payait, mais la somme devait constituer une portion substantielle du million que Bella lui avait donné. Je me demandai soudain dans combien de temps il réclamerait une rallonge.

Nous partîmes en virée. Les gens se retournaient sur la voiture. C'était bon de savoir que les autres me prenaient pour quelqu'un d'important.

Un peu après trois heures, nous nous garâmes devant un lycée sur Fairfax Avenue. Le trottoir était rempli de gamins qui rentraient chez eux. Ryan avait adopté l'attitude du prédateur.

« J'ai toujours voulu faire ça, pas toi ? Bien sûr que si. Comme tout le monde, hein ? Nous devons en chercher deux ensemble, pour qu'elles n'aient pas peur. Le genre salope, tu vois ? La petite pute de la classe. Rien au-dessus de quinze ans, en tout cas. »

Les gosses admiraient la caisse. Les plus jeunes garçons sifflaient, les plus âgés avaient envie de la vandaliser. Deux minettes vêtues de T-shirts moulants et de shorts en lycra passèrent devant nous. Peut-être qu'elles sortaient d'un cours de gym. Elles fumaient toutes les deux et étaient maquillées. Les meilleures amies, sans doute, du style à partager les expériences. Dépucelées, à coup sûr.

Elles virent la voiture, nos vêtements, nos montres, et leur attitude, leur façon de se tenir changèrent de manière imperceptible. Leur démarche devint plus ostentatoire, les tétons en avant. Ryan déboîta et roula au pas.

« Hé, les filles, vous voulez qu'on vous emmène ? »

Elles gloussèrent sans s'arrêter de marcher.

« Non, c'est vrai, je suis sérieux. Regardez la voiture. Vous nous prenez pour des pervers ou quoi ? »

Ryan était à moitié allongé contre moi. Il parlait d'une voix légère, bienveillante, que je n'avais jamais entendue auparavant. Les filles chuchotèrent entre elles et s'arrêtèrent. Ryan me donna un coup de coude.

« On n'est pas d'ici. On a plein de fric. On aimerait bien le claquer avec des filles aussi jolies que vous. Vous savez pas comment on pourrait s'éclater ?

— Combien d'argent ?

— Hé, autant qu'il faut. »

Elles chuchotèrent à nouveau. Monter en bagnole avec deux mecs n'était pas un problème, si on y mettait le prix.

« Cinq cents, déclara l'une d'elles sans être sûre de ne pas demander trop.

— Chacune ? Pas de souci. Mais qu'est-ce qu'on a pour cette somme ?

— Tout ce que vous voulez, mais il faut qu'on soit rentrées pour six heures. »

Dans un motel, en bordure de Hollywood, là où tout le monde se foutait de la différence d'âge. Coke, gnôle : les filles étaient à poil, déchaînées. Leur corps était lisse et fin, leurs poils pubiens soyeux. Ryan avait raison, tout le monde voulait faire ça.

Nous en baisâmes une chacun. La mienne avait de long cheveux blonds et quelques boutons sur le menton. Elle était bonne quand même. On aurait dit qu'elle avait passé des heures à la plage. Je n'arrivais pas à croire à quel point son corps était ferme.

Ensuite, Ryan voulut se distraire. Les filles minaudaient, mais il fit des suggestions jusqu'à ce qu'elles acceptent d'aller chier sur le sol de la salle de bains. Nous éjaculâmes sur elles pendant qu'elles étaient en plein effort. Mon foutre était épais cette fois, et resta collé au dos de la seconde nana, un peu au-dessus de ses fesses.

« Putain, je suis claqué. »

Les ados se trouvaient dans un taxi, quelque part, en train de compter leur argent. Nous étions dans la voiture outrageuse de Ryan, en route vers le centre-ville et l'appartement de Powell.

« Vous n'avez pas peur de faire des trucs pareils ? Je veux dire, elles étaient plutôt jeunes.

— Merde, Jackie, tu devrais passer plus de temps dans la réalité. Dans un ou deux ans, tu les retrouveras sur le trottoir. Petites salopes ingrates.

— Quoi ?

— Laisse tomber. »

Je jetai un coup d'œil à Ryan. Il avait un regard dur qui ne cadrait pas avec la fiesta que nous venions de nous payer au motel. Il demeura silencieux un moment, focalisé sur sa conduite. Nous quittâmes Fairfax pour Wilshire que nous longeâmes jusqu'au bout. Aux alentours de La Fayette Park, il prit un tonicardiaque et recommença à parler.

« Les gosses croient tout savoir. Ils voient les choses d'une certaine manière et ne vous pardonnent jamais si vous ne pouvez pas exaucer leurs vœux. Inutile d'essayer de leur expliquer que la vie n'est pas aussi simple qu'à la télé, ils n'écoutent pas. Ces deux petites putes sont probablement les plus heureuses à l'heure actuelle : deux mille à se partager, elles doivent bien se marrer en pensant à quel point c'est pathétique qu'un vieux schnock prenne son pied à les regarder déféquer. Donne-leur quelques années de plus, donne-leur une assistante sociale, et tu les entendras geindre : si elles se prostituent, c'est de la faute de Papa, s'il les avait plus aimées, elles auraient été infirmières ou quelque chose dans le genre.

— Qu'est-ce que vous me faites, vous avez décidé de me révéler que vous avez un doctorat en psychologie infantile ?

— J'ai eu un gosse, dans le temps.

— Connerie. »

Il fixa sans la voir la circulation du soir à travers le pare-brise.

« Comme tu veux, Jackie. »

Il n'y avait qu'un type aussi enragé que Ryan pour conduire une décapotable dans le centre-ville à la nuit tombée. Il la gara néanmoins au parking souterrain plutôt qu'en pleine rue. Je lui tendis les clefs fournies par Bella et il se servit de l'une d'elles pour l'ascenseur. Nous nous tenions au milieu, debout, à observer la progression des numéros.

« Beauté a l'air de sacrément tenir à ce que Powell soit l'assassin.

— Vous vous attendiez à quoi, à ce qu'elle prenne tout sur elle ?

— Pas si elle est innocente. Mais d'habitude, les membres d'une même famille se serrent un peu les coudes.

— S'ils s'apprécient. Ce n'est pas leur cas. Il en a après son cul et elle le hait au plus profond d'elle-même. On ne peut pas vraiment appeler ça une famille épanouie. Et puis, elle lui en veut pour la mort de sa mère.

— Il vaudrait mieux qu'on ait quelque chose de plus consistant qu'une vengeance pour Maman écra-bouillée. »

L'appartement était vide et calme. La déco était l'exacte réplique du domaine de Powell à Malibu. Je suivis Ryan tandis qu'il fouillait, je priai pour un miracle. Il y en eut deux.

Dans le secrétaire d'un bureau, nous trouvâmes un Polaroïd : un chien éventré, une bite tenue par une main assez vieille pour être celle de Powell, en train d'éjaculer dans les entrailles.

« Vous voyez ? C'est exactement ce qui est arrivé à Karen. Elle a été éviscérée et quelqu'un a…

— Je n'ai pas besoin qu'on me mette les points sur les "i", Jackie. »

Ryan scruta l'image un moment avant de me la tendre.

« T'aimes ce genre de choses. Tu la veux ? Non ? »

Il sourit en coin et la fourra dans sa poche.

L'argument décisif se trouvait dans une pièce munie d'un écran large. Une collection de vidéos : copie conforme de celles que nous avions vues chez Powell à Malibu et dans la salle de montage de Bella. Il y avait une cassette en plus. Un enregistrement que nous n'avions jamais vu. Dessus, Karen, nue, de dos. Allongée sur le côté, une jambe relevée, elle était occupée à se masturber avec un vibro. Sur le mur en face, un miroir la dévoilait de manière fugitive au gré des mouvements de son corps. C'était un plan rapproché, mais on apercevait suffisamment les boiseries et le tapis couleur olive pour déduire, sans se tromper, qu'il s'agissait de l'appartement dans lequel nous nous trouvions.

Le phallus en plastique était humide. Sa main bougeait vite. De temps en temps, la raie de ses fesses s'écartait et nous pouvions voir son anus. Il était évident qu'elle y mettait du cœur. Les regards qu'elle jetait à intervalles réguliers par-dessus son épaule montraient clairement que le but était d'exciter quelqu'un. À titre personnel, la vision de ma femme morte en train de se branler ne me stimulait pas. Karen était passée du statut d'être humain à celui d'un jeton de casino, une pièce de puzzle dont l'emplacement scellerait mon destin. Son image, sur l'écran, avait pour moi autant d'intérêt qu'un documentaire sur les animaux d'Afrique. Jusqu'à ce que quelque chose brille à son poignet. J'aboyai presque.

« Elle porte un bracelet.

— Et alors ?

— Elle portait le même la dernière fois que je l'ai vue. Ce doit être celui dont Bella nous a parlé.

— Le cadeau d'adieu.

— Bella a affirmé qu'elle le lui avait donné quand elle était partie de Malibu, avant qu'elles se séparent. Et elle le porte là, sur cette vidéo qui a été prise dans cet appartement. Cette séquence n'a pu être filmée qu'après l'opération.

— Peut-être qu'il voulait offrir à Beauté un souvenir d'elle.

— C'est ça ! Bella ne possède pas de double de cette cassette. Si ç'avait été le cas, nous l'aurions vue avec les autres.

— Qui dit un truc pareil ?

— Vous avez examiné tout ce qu'elle possède : moi qui la baise, Powell qui la baise, même ces putains de donneurs qui la baisent. Si elle avait eu quelque chose à cacher, elle aurait planqué le reste aussi. Elle était amoureuse de Karen. Ç'aurait été le clou de sa collection, pour l'amour de Dieu.

— Alors après s'être fait enlever le rein, Karen s'est juste pointée ici pour accorder au vieux un petit frisson ?

— Elle aurait écarté les jambes dès qu'il aurait ouvert son portefeuille. Vous la connaissiez. Possible que ce n'était pas la première fois, possible qu'ils aient eu une aventure, on s'en fout. L'important, c'est ce qui est sur cette cassette : il existait un rapport entre elle et Powell *après* l'opération.

— Ça ne prouve rien.

— Regardez comment elle se branle. Elle devait avoir bien récupéré, ce qui ne laisse pas beaucoup de temps entre ce film et le meurtre. Je pense qu'elle a subi l'opération, s'est remise assez pour quitter Malibu et revenir vers moi : nous nous sommes disputés et ensuite, qu'elle ait déjà eu des relations avec lui ou pas, elle est allée le voir. À partir de là, nous avons deux solutions. Soit elle a essayé de le faire chanter et il y a remédié en la supprimant. Soit, et je penche pour cette option, il a cru que tant qu'elle serait dans les parages, sa relation avec Bella serait menacée : Karen le séparait de sa fille. Les deux mobiles sont valables.

— Mettons que ce soit Powell qui ait filmé, pourquoi n'y a-t-il pas de caméra ici ?

— Putain de merde, Ryan, elle peut se trouver dans sa voiture ou à Malibu, il l'a peut-être jetée. Où est le problème ? Comme vous avez dit, s'il y a un élément qui le relie à Karen, alors Powell est un meurtrier en puissance. Comment vous appelez ça ? C'est un putain de lien, bon Dieu.

— Calme-toi, Jackie. »

Ryan rembobina la cassette et remit sur marche. Il la regarda en silence. Je retenais mon souffle.

« Il y a un truc qui cloche.

— Quoi ?

— Je ne sais pas. Quelque chose qui ne colle pas. »

Il rembobina de nouveau. La repassa encore une ou deux fois, à la recherche du détail qui le chiffonnait.

« Est-ce que vous avez une idée, Ryan, de combien elle va vous être reconnaissante quand vous l'aurez débarrassée de cette affaire de meurtre ?

— Tu aimerais prendre la place de Powell, non ?

— Pas vous ? »

Ryan fixa l'écran encore un moment, puis éteignit.

« O.K., voyons ce que ce vieil enculé a à dire pour sa défense.

— Vous pensez qu'il peut s'agir de lui, alors ?

— Le seul moyen d'en être sûr, c'est de comparer son ADN avec celui du sperme retrouvé dans Karen. »

De retour à Malibu, nous nous séparâmes. Il attendait avec une impatience juvénile que Bella rentre à la maison pour tirer son coup, mais je savais qu'avec le donneur elle en aurait pour des plombes. Je pris la Mustang, direction le domicile de Lorn.

La conduite était agréable. La cassette que nous

avions trouvée chez Powell était ce que je pouvais espérer de mieux. Tous mes soucis allaient s'envoler. Ryan aurait son tueur. Il ne serait plus question de foutre cette connerie de meurtre sur mon dos ou celui de Bella. Et avec Powell hors jeu, je serais libre d'exploiter sa fille jusqu'au bout. Il ne subsistait qu'un emmerdement : la présence de Ryan à Malibu, bien entendu. Mais, aussi sûr que le sperme de Powell correspondrait à celui découvert dans Karen, j'avais la conviction que le problème se résoudrait tout seul.

Quand j'arrivai, Lorn était au salon. Elle regardait ses propres enregistrements à la télé. Elle fut d'abord légèrement distante. Elle m'en voulait encore un peu d'avoir refusé qu'elle passe la nuit à Willow Glen. Au bout d'un moment, néanmoins, je réussis à détendre l'atmosphère. Nous parlâmes boulot et stars de ciné avant de baiser par terre. Plus tard, nous visionnâmes *Arnold le Magnifique*, submergés par les torrents d'émotions que suscitait l'ascension de Schwarzenegger.

Chapitre 34

Ce fut un épisode très désagréable. Nous quatre, dans une pièce remplie de livres et de meubles en cuir : moi, Ryan, Bella et Powell. À trois contre un. Je n'avais jusqu'alors jamais fait attention à cette salle, il n'y avait pas de télé et aucun des livres qui la meublaient ne parlait de Hollywood. Elle paraissait tout à fait appropriée à l'instant présent : hermétique, calme, propice au drame. Dehors, c'était la nuit, il pleuvait. L'unique source de lumière provenait de la cheminée. Les ombres bougeaient sur les murs, semblables à des oiseaux de proie.

Le donneur de Bella devait avoir récupéré sans complication, car elle était rentrée avant le crépuscule. Papa, après qu'elle l'eut appelé, était arrivé en début de soirée. Il y avait ensuite eu des bruits de dispute dans les appartements de Bella, les plaintes horribles de Powell, en quête d'un réconfort que sa progéniture ne lui accorderait pas. Maintenant, affalé dans une grande chaise, il fixait le feu d'un œil malveillant. Il était parti de la maison depuis si longtemps qu'il semblait ne plus y avoir sa place, une personne de trop dont nul ne voulait plus. Il sentait arriver la tuile. On lui avait

406

expliqué qui était Ryan et comment il avait trouvé, voilà peu, le moyen d'améliorer son ordinaire de flic. Seul un demeuré n'aurait pas compris que la réunion de ce soir avait un but précis.

Ryan et moi avions un verre à la main. J'écoutais le feu, la pluie, dans l'attente de la chute de Powell. Ryan l'observa de longues minutes sans mot dire, mais le vieux junky était trop défoncé pour être embarrassé comme n'importe quel individu normal. Au bout d'un moment, mon gardien de l'ordre préféré en eut marre et le poussa de la pointe du pied. La tête de Powell pivota lentement.

« Je n'aime pas qu'on me donne des coups de pied.

— Tu préfères autre chose ?

— C'est une menace ?

— Putain oui. Et j'en connais un rayon, demande à Jackie.

— Vous êtes une brute.

— Parle-moi de Karen. »

Powell hésita. Il cligna des yeux en direction de Bella, mais elle ne lui était plus d'un grand secours.

« Elle faisait partie des donneurs.

— Et ?

— Et elle a été l'amante de ma fille pendant quelque temps.

— Comment ça s'est terminé, de manière exacte ?

— Ces choses suivent leur cours naturel. Je pense qu'elles se sont fatiguées l'une de l'autre. Où voulez-vous en venir ?

— Je veux en venir à son décès après qu'elle t'a vendu son rein, espèce de vieux con. »

Ryan élevait la voix, il s'adossait à sa chaise comme s'il devait se retenir de sauter sur Powell. C'était tellement déplacé que je songeai peut-être à une technique d'interrogatoire. Powell avait l'air un peu effrayé.

« Elle était en assez bonne santé. L'opération a été un succès. Elle n'a pas pu conduire à la mort.

— Je sais que c'est pas l'absence du rein qui l'a tuée, trou du cul. Je te cause de ce qui s'est passé après, la seconde opération, celle où tu as embarqué tout ce qui restait avant de la balancer dans le parc. »

Powell fit mine de se lever. Ryan le repoussa.

« Non, non, Papa, on est loin d'avoir terminé.

— Bella… »

La voix de Bella était tranchante. « Il est au courant de ce que tu as fait. Moi aussi. Tu ne pouvais plus supporter de me voir avec quelqu'un d'autre, alors tu t'es débarrassé d'elle.

— Bella, ma chérie, qu'est-ce que tu racontes ? Tu sais que je n'ai tué personne.

— Karen et ma mère. Tu les as assassinées toutes les deux, espèce de malade. Maintenant, dis-lui ce qu'il veut entendre.

— J'étais jaloux de la fille, j'avoue, mais je ne l'ai pas liquidée. Et ta mère… Tu ne m'as toujours pas pardonné ?

— Jamais. Et je ne te pardonnerai pas pour Karen non plus. Tu l'as charcutée comme un de tes chiens et tu l'as jetée comme un vulgaire tas d'ordures.

— Bella, non ! » L'angoisse montait à vitesse grand V chez Powell. « Tu sais ce qu'il en est, pour les chiens. Ils ne signifient rien. Dis-lui. Ils ne signifient rien. »

Lorsque Bella parla à nouveau, ses traits étaient aussi durs que l'acier. Elle le défiait.

« Si ce n'est pas toi, qui est-ce ? »

Powell mâchonna ses lèvres mais s'abstint de répondre. Ryan reprit les commandes.

« J'ai une preuve.

— Impossible. »

Ryan se hissa d'un coup hors de sa chaise et domina Powell. Il respirait avec difficulté, les poings serrés.

« Pourquoi ? Parce que tu t'en es assuré ? Tu crois que, sans organes, personne n'est en mesure d'affirmer qu'elle a subi une intervention ? Et si on n'est pas au courant de l'opération, on ne peut pas remonter jusqu'à toi ? C'est ça que tu es en train de me dire, fils de pute ? C'est ça que tu es en train de me dire ? »

Powell parvint à contrôler sa frayeur et détacha les syllabes, calmement, dans un effort pour faire appel au bon sens de Ryan. Dommage que personne ne l'eût prévenu que Ryan n'en possédait pas.

« Je vous assure qu'il est impossible que vous ayez une preuve, parce que je suis innocent.

— Vraiment. Parlons de ces films maison. Un en particulier : Karen en train de simuler avec un vibro. Beau plan sur son cul. Filmé, comme par hasard, dans ton appartement.

— Je vois de quoi il s'agit.

— Je veux. C'est toi le putain de réalisateur.

— C'est une copie de chez Bella. Elle vous le confirmera.

— Ce que Bella me confirme, c'est qu'elle n'a jamais possédé un tel enregistrement. »

Powell reporta son regard sur sa fille.

« Bella, s'il te plaît... Cet homme veut ma peau. Avoue-lui que c'est ta cassette.

— Ce n'était pas ma cassette.

— Oh mon Dieu, je comprends ce qui se passe. Je t'en prie, il n'a aucune preuve que nous soyons impliqués. Il bluffe. Tais-toi. Je te promets qu'on va s'en sortir. »

Bella se leva et quitta la pièce. Quand Powell la rappela, sa voix se brisa. Sans un regard, elle s'éloigna. La porte se referma derrière elle. J'avais un peu peur. Les choses semblaient désormais inéluctables, une suite d'événements, lancés comme une locomotive vers une destination inconnue mais inévitable. Je devais marquer une pause.

Ryan étouffa un rire.

« C'est pas bon pour toi, Papa. Mais il te reste une chance. Remonte ta chemise. Tu as encore une veine en bon état ?

— Qu'est-ce que vous avez l'intention de faire ? »

Ryan extirpa une seringue de la poche de sa veste, la décapsula.

« Je veux un échantillon de sang pour comparer avec l'ADN trouvé dans le corps.

— Vous avez trouvé quelque chose dans le corps ?

— Tu vas coopérer, ou non ?

— Bien sûr que oui. Le test prouvera que je ne suis pas coupable.

— Ouais, bien sûr. »

Il pompa du sang sur le bras droit de Powell, puis fixa la capsule avant de remettre la seringue dans sa poche. Powell déroula sa manche de chemise et s'apprêta à se lever. Mais avant qu'il ait pu se redresser, Ryan dégaina une paire de menottes et lui attacha les mains dans le dos.

« Jusqu'à ce que j'obtienne les résultats, Papounet, je te garde au frais. »

Ryan et moi nous rendîmes dans une remise au sous-sol, le traînant à moitié derrière nous. La porte n'avait pas l'air très solide, aussi Ryan ouvrit les menottes, les passa autour d'une canalisation, puis les rattacha. Powell paraissait avoir abdiqué. Lorsque nous nous en allâmes, il ne leva pas les yeux. Il demeura recroquevillé à la base du conduit, muet.

Au rez-de-chaussée. J'accompagnai Ryan à la porte d'entrée.

« C'était un peu violent.

— Peut-être que ça se justifiait…

— Le menotter et le séquestrer n'est pas une super idée, en cas de procès.

— Laisse-moi m'occuper de cette partie-là.

— On va se contenter de le laisser en bas ?

— Tu veux faire quoi, lui tailler une pipe ?

— C'est un junky.

— Il y a quelques jours, le but de ta vie était de le faire tomber. Commence pas à jouer les chochottes maintenant que ça chauffe. Si t'es si inquiet, donne-lui une dose. »

Ryan partit apporter l'échantillon sanguin au technicien de labo qu'il connaissait, quel qu'il fût. Je montai à l'étage et baisai Bella. Pas un mot sur son père. Quand elle s'endormit, je m'assis devant la télé pour mater des séries policières jusqu'à m'assoupir moi-même.

Vers trois heures du matin, je m'éveillai et descendis jeter un coup d'œil à Powell. Aucune flaque de vomi dans le débarras. Il n'avait pas encore atteint ce stade, mais puait la transpiration. La crise de manque n'allait pas tarder. Il m'indiqua où se trouvait son matos. Je me rendis dans ses appartements, puis lui préparai son shoot. Une fois soulagé, en pleine montée, il tenta de discuter avec moi. Je ne restai pas pour l'écouter. Je ne voulais rien savoir de plus.

De nouveau à l'étage, j'allai regarder Bella, mais Ryan était rentré. Il grognait, la tête entre ses jambes. Je me dégottai un lit ailleurs dans la maison et m'y étendis, les yeux ouverts. Je regrettai de ne pas pouvoir prendre quelque chose. Mais j'étais de tournage dans la matinée, et ne pouvais pas me permettre de tomber dans les vapes.

Chapitre 35

Lorn avait un ami, à Hawaii, qui lui envoyait parfois de l'Ice : tout à fait ce qu'il fallait ce matin, au sortir d'une nuit blanche qui m'avait laissé d'une humeur massacrante. Nous fumâmes dans une pipe à eau qui semblait tout droit sortie d'une boîte de petit chimiste. Les effets du dosage de méthamphétamine se prolongeaient, et se prolongeaient encore. Fulgurance de la pensée, augmentation des capacités physiques, concentration accrue. Une came d'excellente qualité qui ne s'était pas diffusée car elle était trop bon marché pour les dealers, qui lui préféraient le crack. Ils prétendaient qu'on commençait à entendre des voix en cas d'abus, mais ils étaient prêts à raconter n'importe quoi.

James grommela que nous étions trop agités devant la caméra, nous dûmes alors contrebalancer les effets de l'Ice à l'aide d'un ou deux Quaalude. À l'heure du déjeuner, nous parvenions presque à simuler un comportement normal. Nous étions dans un bus à impériale qui emmenait les touristes sur les différents lieux d'accidents qui avaient impliqué les stars de Hollywood. Nous interviewâmes le chauffeur et déconnâmes un peu, dans le style imposé en général aux présentateurs sur ce type de production.

En fin de journée, Lorn me demanda de l'accompagner à un sauna coréen qu'elle avait déniché. La perspective de me laisser flotter nu, de faire comme si rien n'existait plus, excepté son corps, la chaleur et l'eau, était tentante, mais impossible. La situation, à Malibu, devenait critique. Je ne pouvais pas prendre le risque de rester éloigné trop longtemps. De plus, je me sentais en quelque sorte responsable de Powell et si je ne lui donnais pas sa dose, personne ne le ferait à ma place.

Sur le chemin du retour, je songeai à Rex. En ce moment, il devait être avachi, défoncé dans une pièce sombre, avec la télé allumée vingt-quatre heures sur vingt-quatre. C'était sans doute une réponse appropriée aux années 1990, et à l'angoisse générée par les buts existentiels propres à cette période. Bien sûr, il fallait faire attention à quel programme on s'adonnait. Les documentaires, les films animaliers, les émissions sur le quart-monde étaient un bon choix car les différences entre ces trains de vie et le vôtre restaient minces. Mais il fallait se retenir de penser aux existences menées par les producteurs, les réalisateurs, les cameramen, les présentateurs… Et on devait à tout prix éviter de zapper sur un truc de Spelling ou Starr.

Je l'appelai avec mon portable. La ligne avait l'air d'avoir été coupée. Pas une grande surprise, quand on réfléchissait à tout ça.

Une fois revenu à Malibu, je préparai le fix de Powell et me rendis directement au sous-sol. Hormis un ruban adhésif sur la bouche, personne ne semblait avoir fait quoi que ce soit pour lui. Sa chemise était en partie trempée de sueur. Une flaque de pisse s'étalait en bas d'un mur, aussi loin qu'il lui avait été possible d'uriner entravé par les menottes. J'envisageai de lui donner de l'eau, mais je redoutais de lui enlever le sparadrap. Je me contentai donc de le shooter avant de remonter.

Ils m'attendaient, assis autour d'une table en noyer. La pièce donnait sur la forêt qui s'estompait au crépuscule. On aurait dit qu'ils étaient là depuis un moment.

« Jackie, on parlait justement de toi. Tu avais raison sur toute la ligne. L'ADN désigne Powell.

— Vous avez les résultats de l'analyse ?

— Depuis une demi-heure. Le sang correspond au sperme. Moi et Madame Beauté, ici présente, étions occupés à étudier la marche à suivre.

— L'appréhender, bien sûr.

— Ce n'est pas la solution que nous désirons privilégier.

— Qu'est-ce que vous racontez ? C'est indispensable. »

Bella intervint.

« Jack, la situation est compliquée. Pour tout le monde. J'avoue que l'arrestation était mon premier réflexe aussi, seulement on ne peut pas. Il a trop de liens avec moi.

— Mais tu n'as rien à voir avec le meurtre.

— Bien entendu. Cependant, certains de mes centres d'intérêts pourraient susciter la désapprobation des services de police. Je suis sûre que tu comprends à quoi je fais allusion.

— Elle fait allusion, Jackie, au fait qu'elle finirait en détention tout comme lui. La mort de Karen est trop rattachée aux opérations médicales pour qu'ils ne fassent pas le rapprochement. Et ce n'est pas le genre de choses qu'on peut faire semblant d'ignorer. De plus, il est impossible de savoir où va mener une enquête.

Même si elle débute avec la culpabilité évidente de Powell, elle peut prendre une tournure imprévue. La richesse de Madame Beauté pourrait foutre en rogne un flic, une preuve pourrait faire l'objet d'une analyse différente de la mienne. Qui sait ? La seule certitude, c'est que si on choisit la voix légale, on se fera tous baiser d'une façon ou d'une autre. Beauté tirera sa peine de son côté. Quant à toi, tu pourras espérer au mieux une inculpation pour dissimulation de preuves. Inculpation qu'ils n'auront aucun mal à requalifier en complicité. Et encore, je ne te parle pas de la difficulté que tu auras à préserver ton niveau de vie en l'absence de Bella.

— Et encore, je ne vous parle pas du chantage que l'enquête mettrait au jour.

— Bien, Jackie, tu commences à piger : on est tous dans le même bateau. »

Bella posa sa main sur la mienne. Sa voix était douce.

« C'est affreux à dire, mais il n'y a qu'une chose que nous puissions faire. »

Elle marqua une pause et ramena ses cheveux en arrière comme si elle essayait de se donner du courage. « Nous devons le tuer.

— Ouais, c'est ça.

— Je suis sérieuse. Nous n'avons pas d'autre solution.

— Vous voulez vraiment le tuer ?

— Tu as vu ce qu'il fait aux chiens. Je suis certaine que Ryan peut te détailler le traitement infligé à Karen, si tu veux. Il est imprévisible. Comment crois-tu qu'il soit capable de réagir, si nous ne nous occupons pas de lui ? Il n'aura plus le choix, il devra nous supprimer tous.

— Je croyais que tu ne voulais pas aller en prison.

— Je suis sûre que Ryan possède les compétences techniques pour nous éviter ce genre de déconvenue.

— C'est lui qui va s'en charger ? »

Ryan s'accouda à la table et se pencha vers moi.

« Tout à fait, Jackie. Qui refuserait, pour un million de plus ? Et puis, j'ai mes raisons.

— Vous voulez un autre million de dollars ?

— Madame Beauté me l'a promis, juste après que j'aurai rendu le service demandé. Et je la crois sans problème. Mais nous devons discuter de ta participation, mon petit Jackie. Tu vois, il va falloir que tu m'aides un peu.

— Allez vous faire foutre. »

Ryan affecta la surprise.

« Pourquoi, Jackie ? Ne sois pas grossier.

— Vous pouvez vous passer de moi. Vous vous en sortirez mieux tout seuls.

— Faux. J'ai vraiment besoin que tu me prêtes main-forte. Tu comprends, je n'ai pas envie que tu te tires de ce guêpier avec la conviction que tu as les mains propres, et que dans quelques années tu ressentes le désir impérieux de soulager ta conscience. Pas question. Je serais beaucoup plus rassuré si tu étais bien muselé. Et pas seulement ça. Tu profites de tout, en long, en large et en travers : une maison par-ci, une bagnole par-là, ta propre émission de télé. Je serais bien con de porter seul sur mes épaules le poids de la culpabilité. L'heure est venue de mettre la main à la pâte, mon garçon.

— Non.

— Tu n'auras pas à appuyer sur la détente. Tu seras juste là en appoint, pour le tenir s'il s'agite, ce genre de truc. C'est quand même pas la mer à boire.

— Ted, peut-être devrais-tu nous laisser une minute en tête à tête. »

À l'instant où j'entendis Bella l'appeler par son prénom, je compris que j'étais foutu. Ryan s'éclipsa et elle s'approcha de moi.

« Tu dois réfléchir, Jack. On ne peut pas laisser Powell dans la nature. On est allés trop loin. Tôt ou tard, il me détruirait. Ça ne t'inquiète pas ?

— Bien sûr que si.

— Et tu es d'accord : il mérite un châtiment pour ce qu'il a infligé à Karen ?

— Eh bien ouais, mais un meurtre... Écoute, tu retires des reins, tu te masturbes avec, et Ryan considère que tuer est un des avantages du métier. Mais je suis juste un mec ordinaire. J'ai jamais donné dans des trucs pareils. Tu ne peux pas me demander de dézinguer quelqu'un, pour l'amour de Dieu.

— Pourtant je le fais, Jack. Ryan l'a dit : tu dois participer. Tu n'as qu'à l'accompagner. Il veut juste que tu sois témoin.

— Mais si je suis présent, c'est aussi dur que si on se faisait attraper.

— Jack, je te demande de me prouver que tu m'aimes. Je t'ai beaucoup offert, mais la situation ne peut pas continuer ainsi, à sens unique.

— Et Ryan ? Il ne partira plus jamais après une histoire pareille.

— Il partira. Et ce sera encore mieux qu'avant entre nous.

— Non, il restera. Pour toujours, putain, et il te prendra ton argent.

— Il partira. »

Lorsqu'elle répéta ces mots, je commençai à la croire. Il y avait quelque chose dans sa voix qui m'aurait effrayé si j'avais été concerné.

Alors... Le message était clair : refuser de regarder quelqu'un se faire zigouiller et dire adieu à mon morceau de paradis, ou surmonter l'épreuve et en avoir encore plus. Pas vraiment le choix. J'acceptai. Je suppose que c'était le genre d'issue vers laquelle je me dirigeais depuis la mort de Karen : après avoir vendu mon cul, après m'être branlé sur des photos de macchabées, après m'être farci un cadavre de gonzesse à la morgue, accompagner Ryan n'était pas le grand saut vers l'inconnu. Pas si on prenait en compte ce qui était en jeu.

Ryan revint dans la pièce. Le reste de la soirée défila à vitesse grand V. J'étais malade, j'avais froid.

Nous préparâmes la Jaguar aux alentours de onze heures. Ryan et moi portions des combinaisons imperméables achetées un peu plus tôt au rayon chasse et pêche d'une grande surface. Nous avions des capuches. Powell s'assit avec difficulté à la place du mort, les mains attachées dans le dos, quelques bandes d'adhésif supplémentaires sur la bouche. Ryan conduisait, j'étais derrière. Les vitres teintées nous dissimulaient au reste du monde, ce qui était tout aussi bien, parce que deux gars habillés comme pour la mousson dans la douce nuit californienne et un autre type bâillonné n'auraient pas manqué de susciter l'intérêt.

Ryan voulait que le meurtre ait l'air d'une passe homo qui aurait mal tourné, et il voulait un endroit où la coopération entre les services serait restreinte. Nous nous rendîmes donc au tapin. Je pouvais voir le profil de Powell. Il paraissait vaincu, accablé par une fatigue intense. Vingt-quatre heures enchaîné à une canalisation et moins d'héroïne qu'à l'accoutumée l'avaient certes entamé, mais c'était pire que ça. Il savait ce qui allait arriver et il savait qu'il n'y pouvait plus grandchose. Je détournai mon regard et comptai les palmiers.

Nous roulâmes. Devant les putes, puis à Tantouzeland.

Nous fîmes deux fois le tour. Au cas où quelqu'un remarquerait la voiture, on en déduirait qu'elle était en maraude. Je prenais conscience que chaque mètre parcouru nous rapprochait de l'échéance. J'avais un besoin presque incontrôlable de pisser. Je pressais mes cuisses l'une contre l'autre et serrais les genoux. Mes mains étaient moites à l'intérieur des gants de vaisselle que Ryan et moi avions ajoutés à nos combinaisons. J'aurais préféré des gants de latex chirurgicaux, mais ils n'étaient pas assez solides. Selon Ryan. Ses connaissances étaient effrayantes, mais l'expérience dont il jouissait me procurait un étrange sentiment de sécurité. Je supposais que si quelqu'un pouvait réchapper d'une enquête pour meurtre, c'était bien lui.

Nous quittâmes le tapin au milieu du territoire réservé aux garçons, et nous enfonçâmes dans le dédale d'abris de fortune et d'entrepôts qui composait le côté sud du quartier. Les rues n'étaient presque pas éclairées, nulle âme alentour. Ryan délaissa la route pour gagner un quai de chargement en retrait, propriété d'une ancienne usine alimentaire mexicaine. De grandes plages d'ombre, pas de vis-à-vis.

Contact coupé, frein à main. L'heure des comptes. L'heure des comptes, avec l'espoir fou de tenir le coup ensuite.

Ryan se tourna sur son siège, comme s'il se préparait à discuter avec Powell, mais il n'avait pas une tête à vouloir parler. En fait, le petit cercle de graisse pâle qu'on voyait au centre de sa capuche serrée était comparable à du mastic.

« Je suppose que tu te doutes du résultat de l'analyse sanguine. »

Powell fit une espèce de bruit aigu avec son nez.

« C'est quoi, ça, Papa ? Tu es innocent ? Tu n'as pas

découpé ma petite fille et éjaculé dans le trou ? Putain, tu crois que je pourrais me tromper ? »

Le visage de Ryan se plissa. On aurait dit qu'il réfléchissait. Enfin, il secoua la tête.

« Nan. Pas d'erreur, enculé. Tu l'as éviscérée et tu as pris ton pied. Maintenant, c'est mon tour. »

Ryan sortit un couteau du compartiment de la portière droite, identique à ces outils dont on se sert pour dépecer les animaux : une double lame, courte et large. Powell commença à branler du chef, il se mit à faire du raffut. Les sons portaient très fort dans l'habitacle. Ma peur et la sienne se rejoignirent dans un état de tension extrême. Mon sexe devint dur. J'en fus un peu surpris, mais je mis cette réaction sur le compte du stress.

Ryan écarta les pans de la veste de Powell, déboutonna sa chemise, le dénuda de la gorge au pubis. Une chair blanchâtre, comme celle de Bella en moins ferme.

« Le type qui m'a vendu ce couteau a affirmé qu'il était assez aiguisé pour pratiquer une opération. Voyons s'il a dit la vérité. »

Powell se débattait sur son siège. Il manquait de force car il était de nouveau en manque, mais compliquait tout de même la tâche de Ryan. C'est là que j'entrai en scène. Je me penchai et le ceinturai pour qu'il se tienne tranquille.

Lorsque la pointe de l'arme s'approcha de son sternum, je l'entendis péter. Pas un simple gaz, mais un long bruit chevrotant qui suggérait l'évacuation intégrale du contenu de son rectum. Une puanteur immonde envahit l'intérieur de la Jag. Nous maintînmes pourtant les vitres fermées.

« Oh putain. T'as bouffé quelque chose qui n'est pas passé ? Peut-être que je peux le récupérer pour toi. »

Ryan planta la pointe de la lame et effectua une incision rectiligne superficielle, peut-être cinq millimètres. Il y avait quelques petits replis de peau autour du nombril de Powell, il dut s'y reprendre à plusieurs fois pour les franchir. Pendant quelques secondes, la blessure ne fut qu'une trace un peu bizarre, blanche sur les bords avec une fine ligne rouge au centre. Elle ressemblait davantage à une écorchure qu'à une coupure. Puis le sang afflua. Powell sursauta avec violence. Je serrai plus fort. Afin d'adopter une meilleure posture, j'avais collé ma poitrine au dos du siège passager. Le visage tout près de lui, mon menton presque sur son épaule. Le cri perçant qu'il poussa me fit mal aux oreilles. Je voyais le sang s'amasser entre ses jambes. Ce que nous faisions me rendait malade. Je ne voulais qu'une chose : que tout se termine. Je bandais toujours.

Ryan trancha de nouveau au même endroit. Il enfonça plus la lame, sous l'épiderme et la graisse de la couche basale des abdominaux. Powell se cabra et Ryan me hurla de le maintenir. Je faisais ce que je pouvais, mais c'était difficile. Le sang continuait de jaillir, j'en avais dans les yeux, je libérai une de mes mains pour m'essuyer. Ryan attendit que Powell s'affaisse, puis il recommença à couper. Il était très attentif aux gestes qu'il accomplissait.

Lorsque la panse s'ouvrit enfin, ce fut une espèce d'explosion de viscères. Les bords de la plaie s'ouvrirent comme s'ils avaient été tendus à bloc. Les tripes et la merde furent projetées partout. Powell cria et se dégagea. Je jouis si fort que je crus qu'on m'avait aspergé le pantalon. Si j'en avais eu le loisir, j'aurais éprouvé de la honte, mais Ryan était en train d'arracher les organes de Powell et il fallait que je le tienne droit.

« Enculé de vieux vicelard. » Ryan éjecta d'une pichenette un truc glaireux sur son gant et s'adossa. Il respirait avec difficulté, il avait l'air crevé. « J'aurais dû faire durer encore plus. Qu'est-ce que t'en dis, j'ai été trop vite ? Bordel, je regrette que Karen ne puisse pas voir ça. »

Powell était à présent trop lourd pour que je le soutienne, aussi, je relâchai ma prise. Sa tête partit en avant, mais sinon, il demeura immobile.

« Tu sais, Jackie, tu vois ces flics à la télé, ils pleurnichent, ils se sentent mal quand ils ont tiré sur quelqu'un : c'est des conneries. Je suis super bien à chaque fois que j'en tue un. En particulier maintenant. Et toi ? Tu te sens bien ? T'oublieras pas la sensation de sitôt, je parie. »

J'examinai l'intérieur de la voiture. Il y avait un sacré paquet de sang. Il dégoulinait le long des vitres, s'écoulait au sol, le joli tapis anglais baignait dedans. Non, ce n'était pas quelque chose que j'étais près d'oublier.

« T'as pas l'air dans ton assiette, Jackie.

— Je ne suis pas dans mon assiette.

— Rappelle-toi juste que ce salopard a tué ta femme, ça ira mieux. Enlève-lui son bâillon, et cassons-nous d'ici. »

Ryan s'extirpa du véhicule et entreprit d'ôter sa combinaison étanche. Je relevai la tête de Powell et décollai le sparadrap. Une espèce de souffle rauque s'échappa de lui, semblable à un soupir d'intense soulagement, et il ouvrit les yeux. Je sursautai. J'étais sur le point d'appeler Ryan mais il murmura quelques mots. Sa voix paraissait provenir du tréfonds des égouts.

« Dans le frigo… »

Puis il vomit un plein seau d'hémoglobine sur ses entrailles exposées et mourut pour de bon.

Hors de la voiture, entre la carrosserie au vernis noir et les rampes de béton poisseux où les camions, garés à cul, attendaient d'être chargés, j'enlevai mon K-way et m'essuyai la figure avec un bout de chiffon. Ryan entassa nos affaires souillées dans une valise. Il m'indiqua qu'il s'en débarrasserait quelque part, loin des lieux du crime.

Nous regagnâmes le tapin comme si de rien n'était, puis remontâmes Hollywood Boulevard avant d'emprunter chacun un taxi différent jusqu'à l'intersection de Sunset et de la Pacific Coast Highway, où Ryan avait laissé sa Plymouth.

Il y avait peu de circulation vers Malibu. Je fixais la ligne blanche au milieu de la route. Je méditais combien Karen, pourtant à l'origine de tout, était désormais étrangère à ce micmac. Le choc causé par l'effusion de sang, son réalisme, m'obligeait à clarifier mes pensées. Je me rendais compte, à présent, que la vengeance de sa mort n'avait jamais vraiment constitué une fin en soi. C'était juste le nom d'un jeu. Pendant un moment, je me demandais pourquoi une personne avec qui j'avais vécu deux ans était devenue aussi insignifiante. C'est alors que je me souvins d'une réflexion, lorsque nous étions dans la Jaguar.

« Comment ça se fait que vous avez dit "ma petite fille" ?

— Hein ?

— Avant d'attaquer Powell, vous avez appelé Karen votre petite fille.

— Je raconte ceci, cela. Qu'est-ce qu'on en a à foutre ?

— Vous n'avez jamais employé ce type d'expression avant.

— J'ai dit, qu'est-ce qu'on en a à foutre ?

— Quelque chose cloche.

— Bienvenue dans la vraie vie.

— Je n'arrive pas à comprendre comment on peut

423

assassiner quelqu'un, prendre un tel risque pour une pute qu'on a croisée. Ça ne vous ressemble pas. Et la manière dont vous vous y êtes pris… On aurait pu tirer un paquet de pognon de Powell, mais dès que vous avez eu une preuve, vous l'avez zigouillé. Vous êtes allé si vite que vous n'avez même pas pensé à l'argent. Vous auriez plutôt été du style à le plumer avant.

— Peut-être que je me préoccupais de Bella. Peut-être que je suis plus humain que tu ne le crois.

— Bon Dieu, arrêtez votre cirque. Il est possible que vous aimiez la baiser, mais vous n'iriez jamais trucider quelqu'un pour l'aider.

— Et le million de dollars ?

— Vous auriez aussi bien pu l'obtenir grâce à un nouveau chantage sur les opérations. Merde, même Powell aurait pu lever ce genre de fonds pour éviter de se faire tuer. »

Ryan ne répondit pas. Il se contenta de laisser errer son regard de l'autre côté du pare-brise et fit mine de se concentrer sur le trajet.

« Et grosso modo, vous l'avez torturé à mort. Pourquoi pas juste une balle dans la tête ? Ç'aurait été beaucoup plus sûr que de rester assis là-bas tout ce temps. Vous en avez retiré trop de plaisir pour une simple exécution. C'est plus que ça.

— D'accord, Jackie ! Assez.

— Je vous ai aidé. J'ai le droit de savoir. »

Ryan me jeta un regard noir, puis ses traits s'apaisèrent et il soupira.

« Personne n'a de droits, Jackie. Pas quand on touche à l'essentiel. Nourriture, abri, amour, vie… Tu n'as droit à rien. Tout ce que tu peux faire se résume à en profiter un maximum et à espérer t'en payer une bonne tranche avant de clamser. Mais je suppose que ceci est terminé maintenant. Toi et moi, on a partagé un certain nombre de trucs, alors je vais te raconter. Une précision cependant. Bella ne doit pas être au courant. Jamais.

— C'est évident. »

Ryan se déhancha pour prendre son portefeuille. Il l'ouvrit d'un geste sec et passa en revue le contenu jusqu'à tomber sur une photographie toute froissée : une fille au seuil de l'adolescence, innocente, mignonne, cheveux blonds coupés court, même à l'époque, short et débardeur, alanguie contre la barrière d'un lotissement, de ceux qu'on trouve dans les régions les plus merdiques de la vallée. Karen, sans aucun doute possible.

« Je ne comprends pas.

— C'était mon enfant. »

La voix de Ryan était plate. On aurait dit qu'il craignait de laisser filtrer la moindre émotion et d'être ensuite submergé.

« Je l'ai eue avec une pute que je tringlais à l'époque où je suis entré dans la police. On s'est séparé avant la naissance, mais je suis resté en contact. Avec Karen, pas avec la pute. Je n'avais plus grand-chose d'autre, et je pensais que c'était ce qu'il fallait faire. Notre relation s'est prolongée comme ça un moment. On passait du bon temps, mais elle est devenue enragée dès que ses seins ont poussé. Elle m'a demandé d'arrêter de venir. J'ai essayé de persévérer, mais je suppose qu'elle était furax contre moi parce que je n'étais jamais là et tout le bazar. À quinze ans, elle est partie de chez elle. Après, je ne l'ai pas vue pendant cinq ans. Et puis, une nuit, je bossais sur Santa Monica et je l'ai abordée. Elle était en train de fourguer sa chatte. Je ne l'ai pas emmerdée, bon Dieu, je voulais juste établir un contact. Quand t'as un gosse, ce genre de désir ne s'en va jamais. Elle n'était pas dans les mêmes dispositions. Elle m'a déclaré que si j'avais envie de passer du temps avec elle, il fallait que je paye la passe. Elle avait tenu ce discours uniquement pour se venger, je sais, mais j'ai été tellement en rogne que je l'ai fait : j'ai payé pour baiser ma propre fille. Au début, je m'en suis voulu. Mais c'était un bon coup et puis j'allais faire quoi ? Tu arrives à cinquante balais, pas de famille, le monde est un endroit plutôt froid. On s'est fréquentés sur une longue période. Environ quatre mois avant qu'elle soit tuée, cette situation l'a fatiguée et elle m'a envoyé me faire foutre. La dernière fois que je l'ai vue, c'était à la morgue. »

Ryan reposa la photo et s'éclaircit la gorge.

« Voilà pourquoi j'ai tué Powell. Et voilà pourquoi je m'en suis acquitté de cette manière. Lorsque les résultats du test ADN sont arrivés, il n'y avait plus aucune raison d'attendre. Quelle plaisanterie, ce million de dollars de Madame Beauté, hein ? Je l'aurais fait gratuitement.

— Vous n'avez jamais eu l'intention d'arrêter quiconque, n'est-ce pas ? Que ce soit moi, Bella, n'importe qui d'autre.

— Karen méritait mieux que ce que lui offrait l'ordre établi. Qui allait s'occuper d'elle ? Merde, quand une pute crève, ils doivent tirer au sort pour savoir qui va prendre en charge le dossier parce que personne ne veut s'y coller. Tout le monde est trop accaparé par les affaires qui peuvent rapporter. Et même si un flic acceptait de se bouger assez le cul pour aller au procès, le tueur prendrait une dizaine d'années, moins les remises. S'il s'agit d'un fumeur de crack, d'un junky, ils plaident les circonstances atténuantes. Si c'est quelqu'un qui a de la thune, ils négocient la peine. Je n'allais pas laisser un truc pareil se produire. Je voulais être sûr que le châtiment serait à la hauteur du crime. »

J'en restai sans voix. Je faillis éclater de rire à l'idée ridicule que Karen soit la fille de Ryan, mais je m'abstins car, en même temps, c'était triste à pleurer.

Ryan goba un tonicardiaque et alluma une cigarette. Les phares découpaient un trou dans la nuit. À notre droite, l'océan était ramassé sur lui-même, telle une bête à l'affût. Je suggérai d'y jeter la valise. Ryan me répondit d'arrêter de m'inquiéter, qu'il s'en occuperait plus tard.

À Malibu, la nuit se termina dans une débauche de sexe. Bella considérait sans doute que nous méritions une récompense. J'aurais préféré me prendre un cacheton et dormir pour une éternité, mais le meurtre m'avait secoué, il m'avait rendu parano. Ils allaient peut-être comploter contre moi si je les laissais seuls. Lorsque la partie de baise prit fin, je me mis en chien de fusil et réfléchis à ce que Powell avait murmuré dans la voiture remplie de sang. *Dans le frigo*. Qu'avait-il voulu dire ? Était-il possible que la douleur, la peur l'aient égaré et que ses paroles n'aient eu aucun sens ? D'un autre côté, quand un moribond fait une confidence, il est plutôt difficile d'en ignorer l'importance, d'une façon ou d'une autre.

Ryan partit le lendemain. Il emporta le liquide, la Bentley, et m'obligea à le suivre avec la Plymouth jusqu'à un bungalow qu'il avait loué sur Westwood. C'était une jolie petite maison dans un joli petit quartier. Rien d'ostentatoire, mais typique de la classe moyenne supérieure : le genre d'endroit où personne n'ira vous demander d'où vient votre argent tant que vous vous tenez à carreau. J'empruntai un taxi pour regagner Malibu. Je rassemblai mes affaires dans la Mustang.

Ryan m'avait conseillé de disparaître avant que les flics ne contactent Bella pour lui annoncer qu'on avait retrouvé son père. Un amant qui traînait dans les parages ne ferait pas bonne impression, avait-il prétendu.

Bella se tenait debout, la main sur la portière, tandis que j'étais sur le point de m'en aller.

« Tu as été très courageux, Jack.

— Ouais.

— Tu ne peux pas savoir ce que ça signifie pour moi d'être libérée de son emprise.

— Il y a encore Ryan. Il reviendra dès que ça se sera tassé.

— Il ne fait pas partie de notre avenir.

— J'espère. »

Nous nous embrassâmes, puis je mis le moteur en marche. Avant que je démarre, Bella me tapota la joue.

« Ça va être dur d'être loin l'un de l'autre. Je penserai à toi chaque minute.

— Moi aussi. »

Chapitre 36

Huit semaines, c'était la marge de sécurité qu'avait préconisée Ryan. Il n'en fallut que quatre à la police pour conclure que le meurtre de Powell était le fait d'individus non identifiés, sans doute lors d'une passe, et pour classer l'affaire avec un million d'autres cas non résolus. Ryan, néanmoins, préféra jouer la prudence.

Les jours s'égrenaient avec l'angoisse d'une catastrophe imminente. Au début, j'avais flippé de me faire arrêter, puis j'avais flippé que l'éloignement prolongé n'ait raison de ma relation avec Bella et des bénéfices subséquents. Quand je travaillais, ça allait à peu près, mais dès que je m'arrêtais, la situation devenait vite insupportable. Dans l'espoir de trouver un dérivatif à mon anxiété, j'invitai Lorn à Willow Glen. La seule chose qui rendait l'initiative moins stupide qu'à l'époque où Lorn l'avait elle-même suggérée, était que Bella ne risquait pas de se pointer pendant cette période de séparation forcée.

Lorn finit par rester quatre nuits sur sept. Elle avait l'air d'apprécier cette fréquentation assidue. J'avais l'impression qu'elle voulait passer au stade supérieur, déménager là où nous pourrions enfin nous dévoiler l'un à l'autre. Je n'avais bien entendu pas l'intention d'entrer dans son jeu. Parfois, cependant, quand je la tenais dans mes bras avant de m'endormir, je me surprenais à regretter qu'elle ne possède pas les maisons, les voitures et le pouvoir de décision adéquats. J'aurais alors été comblé.

Les nuits où j'étais seul, et parfois pendant la journée en dehors du boulot, je conduisais sans but à travers les rues de L.A. J'étais persuadé que si je restais en mouvement, mes peurs s'estomperaient. Sans résultat. Une fois, je me sentis même si mal que je dus m'arrêter à une cabine pour appeler Bella, en quête d'un peu de réconfort. Je fus soulagé quand elle m'assura qu'elle m'aimait et me rappela combien ce serait génial lorsque nous nous retrouverions. Elle prétendit même avoir commencé à regarder *28 FPS*, tellement je lui manquais. Je regardais aussi l'émission, mais ça me déprimait. Je chronométrais mes apparitions à chaque demi-heure. J'excédais rarement les quatre minutes.

Lorn et moi ne sortîmes qu'une fois, à cette époque : dans un club qui appartenait à Dan Aykroyd. Pendant que nous étions là-bas, je lui fis prendre quelques Polaroids de moi, au bar, avec les clichés de stars en arrière-plan.

Cette nuit-là, à la maison, je m'enfermai dans les toilettes et examinai les photos, à la recherche d'un indice qui expliquerait pourquoi cette race supérieure était tellement mieux que moi. Mais ce secret m'était inaccessible. Alors, je mélangeai les instantanés avec les images que m'avait données Ryan, puis les passai en revue : moi, à quelques pas de Woody Harrelson, la nana morte avec le pied-de-biche dans l'anus, mon visage qui émergeait de l'ombre derrière Oliver Stone et un réalisateur néo-zélandais en grande conversation, une prise de vue du couple de macchabées en train de forniquer, les sacs sur la tête. Ces visions fugitives reflétaient une partie de moi-même. Mais laquelle ? Sans doute avais-je la réponse devant les yeux, mais je ne parvenais pas à la saisir.

La fin des huit semaines approchait. Bella allait de nouveau entrer en scène. Je cessai de demander à Lorn de venir. Malheureusement, elle continua à me rendre visite. Elle commença à débarquer à l'improviste, à s'incruster, tant et si bien que je fus obligé d'être plus explicite : mon enthousiasme à bâtir une relation stable avait pris un coup dans l'aile. Je ne voulais pas rompre tout à fait, mais je ne pouvais pas non plus risquer que sa présence à mon domicile me compromette vis-à-vis de Bella. J'étais sur la corde raide. Et ce fut plus ou moins un échec. Lors de son dernier passage, elle partit avant l'aube, pas en larmes ni quoi que ce soit, mais je voyais, à l'expression de son visage, que ça ne s'était pas déroulé comme elle l'escomptait. J'éprouvai un certain malaise pendant un moment, mais que faire ? Même si je l'avais aimée, ça n'aurait rien changé.

Chapitre 37

Retour à Malibu. C'était un soulagement d'être revenu près de Bella et de son argent. Nous baisions beaucoup, des retrouvailles dans les règles de l'art. La période où Ryan s'incrustait était révolue, mais une ou deux fois par semaine, il arrivait de Westwood, tel un spectre corpulent, pour exercer son droit de cuissage et être trimballé là où les riches se rassemblaient : une gratification supplémentaire pour s'être chargé de Powell, un bonus dont je n'avais pas été prévenu. Il avait quitté les forces de l'ordre avec la conviction absurde que s'il fréquentait les puissants, il pourrait obtenir un poste de conseiller technique sur une série policière.

Il me donna un autre jeu de photos. Il affirma que c'était le dernier : sans contacts privilégiés, il n'était pas vraiment facile d'obtenir ce genre de choses. Ces photos-ci provenaient d'un dossier récent : deux infirmiers qui se faisaient de l'argent de poche et alimentaient les goûts extrêmes. Lorsqu'ils avaient un cadavre à l'arrière de leur véhicule, ils tendaient un drap, de manière qu'on ne puisse pas localiser l'endroit, et sortaient l'appareil photo. J'empochai trois clichés sur papier glacé : une blonde dans les vingt ans, les jambes maintenues écartées, le câble électrique avec lequel elle s'était pendue encore enfoncé dans la peau du cou ; la même fille, retournée, avec le poing de l'infirmier introduit dans la chatte ; un plan rapproché d'une brune, intacte mais tout à fait décédée, le regard fixe, les lèvres entrouvertes.

Le boulot en compagnie de Lorn, sur *28 FPS*, suivait son cours. Elle était parfois un peu froide, mais en dehors de ça, nous préservâmes de bonnes relations. Nous nous arrangeâmes même pour tirer un coup par-ci par-là. La stagnation de mon temps d'antenne constituait le seul accroc à ma vie professionnelle. J'envisageais de demander à Bella d'y remédier, tant que nos rapports étaient encore au beau fixe. Alors, une nuit, peu après mon retour à Malibu, je fis semblant d'être irrité jusqu'à ce qu'elle le remarque.

« Tu n'es pas heureux, Jack ?

— Si, bien entendu…

— Mais ?

— La présence de Ryan dans les parages m'effraye.

— Ça ne durera pas toujours.

— Tu sembles bien sûre de toi.

— Qu'est-ce que tu veux entendre d'autre ? Nous avons déjà parlé de tout ceci, de quoi s'agit-il exactement ?

— Juste des emmerdes à propos de l'émission.

— Le travail ne te plaît plus ?

— Si, bien sûr, j'y prends du plaisir. C'est un rêve qui devient réalité. Mais je ne vais nulle part. J'ai à peine plus de temps d'antenne maintenant que quand j'ai débuté. »

Bella demeura silencieuse un instant. Elle paraissait réfléchir à l'éventualité de m'accorder une immense faveur.

« Peut-être pourrais-je suggérer à Howard d'en toucher un mot à Burns. Ce sera un peu délicat, ils devront prendre sur le temps de la fille et c'était son émission, à l'origine. Mais je ne vois pas en quoi quelques minutes de plus pourraient poser problème. Néanmoins, j'aimerais bien te demander quelque chose en retour.

— Hé, tout ce que tu veux.

— Je trouve merveilleux que Powell ne soit plus là, cependant, cela ne va pas sans difficultés.

— Je croyais que tout se passait bien, avec la police.

— Je parlais de mes opérations.

— Tu vas continuer avec ça ?

— Évidemment.

— Ce n'est pas un tantinet risqué ? Ils ont à peine clos l'enquête.

— Pas plus qu'avant. Mais là n'est pas mon propos, je ne peux pas arrêter.

— Ne me dis pas que tu veux que j'aille chercher les donneurs.

— Si.

— Bon Dieu, je viens de participer au meurtre de ton père. J'étais persuadé que cette histoire était terminée. Vois avec Ryan.

— Ne sois pas ridicule. Tu n'auras qu'à patrouiller en voiture, trouver les gens qui conviennent et leur proposer de l'argent. Ils se précipiteront sur l'occasion, crois-moi.

— Sauf si je me plante de gus et que je finis en taule. Tu ne pourrais pas entamer une thérapie, plutôt ?

— Le risque est minime. Et je n'ai pas l'impression que ce soit trop demander à quelqu'un qui dit vous aimer.

— Je t'aime sincèrement.

— Bien. Il m'en faut un assez vite, Jack. Ça fait deux mois. »

Le lendemain, après avoir fini l'enregistrement dans les studios, Burns me convoqua dans les bureaux de la production et m'annonça qu'ils allaient augmenter ma présence à l'antenne. Je devais reprendre la chronique des nouveautés, une séquence prestigieuse qui, jusqu'alors, était la chasse gardée de Lorn. Le fatalisme avec lequel il m'apprit la nouvelle n'entama pas l'exaltation que je ressentis à la perspective d'accroître ma visibilité. Tandis que je franchissais les plateaux pour gagner le parking, je jouais avec l'idée de ne plus être un imposteur au sein de l'authentique confrérie des stars de ciné. L'enthousiasme fut de courte durée. Le temps de prendre la voie rapide vers les collines, je mesurai les conséquences d'une telle promotion. Lorn allait être folle de rage de se faire voler la vedette, en particulier si tôt après notre rupture. Pire, j'étais désormais pieds et poings liés avec Bella : il m'était à présent impossible de refuser d'aller lui chercher des reins.

Chapitre 38

La nuit. Bella était au sous-sol de sa clinique, sur Apricot Lane. Elle attendait. J'avais accepté de dénicher une victime. Pour la première, au moins, j'avais une solution plus supportable que d'aller la pêcher sur le tapin.

Sur Benedict Canyon, la capote de la Mustang ouverte. J'avais mis la radio à fond, j'essayais de ne pas réfléchir à ce que je faisais. J'y réussis pendant un moment, mais tandis que je me garais devant le domicile de Rex, les chances d'échapper à celui que j'étais en train de devenir se réduisirent comme peau de chagrin. Peut-être que ça avait toujours été le cas. Et puis merde, si c'était aussi facile d'atteindre le sommet, tout le monde y serait.

Je n'étais pas venu depuis longtemps. L'endroit semblait désert. Le petit morceau de pelouse entre le trottoir et la maison avait besoin d'un bon coup de tondeuse. Il était parsemé de feuilles de papier journal et de canettes vides. Des tortillons de jacaranda pendaient au-dessus de la porte d'entrée. J'avais tenté de l'appeler un peu plus tôt, mais son téléphone était toujours débranché. Je n'étais même pas certain qu'il vive encore ici.

Pourtant si. Et sa situation avait empiré depuis ma dernière visite. La télé pour unique éclairage, la moquette poisseuse sous mes pieds, la tapisserie décollée, repliée sur elle-même là où on l'avait arrachée du mur, un tas de merde dans un coin, la puanteur des excréments et du vomi. Au beau milieu de tout ce foutoir, Rex, affalé par terre, adossé aux restes du divan, tout droit sorti d'Auschwitz. Il avait perdu beaucoup de poids et s'était rasé la tête une ou deux semaines avant. Sous le poil ras, la peau de son crâne était grise, trop tendue. Ses bras n'avaient plus de veines et des marques de piqûres suintait un pus clair.

« Tu es venu me sauver ? »

Sa voix était nasillarde. Il me reluqua d'un air sadique, ses dents n'étaient pas belles.

« D'une certaine manière. Tu veux gagner de l'argent ?

— Combien ?

— Trente mille. »

Il ne broncha pas. Vu comme nous nous étions quittés la dernière fois, il devait se douter que je ne passais pas pour tailler le bout de gras. Je l'observai, occupé à convertir mentalement la somme en doses de came. Il en aurait assez jusqu'à la fin de sa vie. Plus qu'assez, vu son état.

« Éponger ton copain le flic est un peu au-delà de mes capacités maintenant. Si tu as quelque chose d'autre, vas-y. »

Je lui exposai l'histoire des reins et il n'y vit aucun inconvénient. Je téléphonai à Bella, puis nous montâmes en voiture.

Sur la route d'Apricot Lane, son regard se perdit au loin. On aurait dit que L.A. était une nouvelle ville pour lui, une gigantesque étendue, symbole du désœuvrement urbain, qu'il n'arrivait plus à reconnaître. Je pris

Benedict Canyon jusqu'à Mulholland pour lui offrir un meilleur panorama. Peut-être pouvais-je regagner un peu de son amitié : c'était ici que nous étions venus lors de ma première prestation rémunérée. Peut-être espérais-je simplement retrouver l'époque où je n'étais pas encore un meurtrier, où je ne bandais pas devant des photos de macchabées, où je ne donnais pas les amis de longue date à une millionnaire cinglée en échange d'un passage à la télé.

Il ne parla pratiquement pas de tout le trajet. Une fois, cependant, il quitta la vitre des yeux et me regarda avec une telle tendresse que je manquai de me mettre à chialer.

« Je suis désolé. »

Au moment où je souriais à ses mots, sur le point de lui dire que tout allait bien, il se ferma de nouveau et retourna à la contemplation des lumières vides de sens.

Bella vint à notre rencontre au bas des marches du garage, déjà en tenue médicale. Son regard était noir, brillant. Elle ne se donna pas la peine d'essayer de faire la conversation à Rex pour le mettre à l'aise. Il était là pour l'argent, elle était là pour prendre son pied. C'était tout.

Elle le fit se déshabiller et se doucher. Elle fronça les sourcils à la vue de son postérieur décharné, quand il gagna la salle de bains qui jouxtait le bloc préopératoire.

« C'est un ami proche ?

— Pourquoi ?

— Il va te manquer ?

— Tu ne lui prends qu'un rein.

— Il est dans un sale état. Sans Powell, je vais devoir l'anesthésier en intraveineuse. Je vais réduire l'action

438

au minimum, mais il subsiste un risque de détresse respiratoire avec ce type de produit sur un organisme détérioré à ce point. Et s'il survit à l'opération, le rein qui lui restera n'arrivera peut-être pas à compenser.

— Il peut mourir ?

— Il est possible qu'il souffre d'une insuffisance rénale quelques jours après l'intervention. De même, le mélange d'anesthésique et d'héroïne dans son système sanguin représente un danger.

— Mais il peut aussi s'en sortir ?

— Je ne promets rien, ni dans un sens ni dans l'autre.

— Putain, tu veux que je fasse quoi ?

— Je me moque de ce que tu fais tant que j'ai un donneur. Si tu veux repartir et trouver un autre candidat, libre à toi. Si tu veux le mettre en garde et qu'il décide de renoncer, eh bien, à ta guise… »

Elle laissa les mots en suspens. Reporter l'opération serait sans doute une initiative mal perçue. Ce n'était pas un problème : je pouvais toujours repartir et mettre la main sur quelqu'un d'autre. La rue ne manquait pas d'épaves prêtes à se précipiter sur trente mille dollars. Cependant, c'était risqué et ça m'emmerdait. Et puis Rex aurait été furieux que je bousille sa chance de toucher le pactole. Malgré tout, la balance pencha définitivement quand je m'aperçus que le résultat de l'opération m'importait peu. Il allait crever de toute façon. Autant que sa mort procure du plaisir à quelqu'un.

J'aidai Bella à le préparer : raser une zone de poils fins sur le côté gauche, le badigeonner d'un liquide antiseptique brun et visqueux. Son regard croisa le mien tandis que Bella insérait un cathéter au dos de sa main et le mettait sous moniteur. Je n'y vis pas grand-chose : une résignation de circonstance, une étincelle d'incertitude, peut-être un peu de soulagement. J'aurais pu prononcer quelques paroles rassurantes, mais ce genre d'attention ne signifie rien lorsque la personne à qui l'on s'adresse court après la mort. Alors, je la fermai et le regardai sombrer dans l'inconscience.

Pour m'aguerrir, Bella désirait que je reste. Mais inciter Rex à subir une opération qui pouvait provoquer des dommages physiques irréversibles était une chose, être présent quand ça se produirait en était une autre. Aussi, après l'avoir aidée à pousser le chariot par les portes battantes dans la salle d'opérations d'un vert éclatant, après avoir installé Rex sous le réflecteur, je montai à l'étage me planter devant la télé. Je m'endormis pendant un documentaire consacré aux baleines et ne me réveillai qu'au moment où Bella me secoua.

Elle affichait un sourire langoureux. Son regard s'était adouci. Elle ressemblait à un vampire rassasié.

« Comment va Rex ?

— L'opération s'est bien passée. Il est dans un état stationnaire mais j'ignore pour combien de temps.

— Je veux le voir. »

Il avait l'air mal en point. Sa peau était grise, il n'y avait plus beaucoup de vie à l'intérieur de lui. Il était encore dans les vapes à cause de l'anesthésie, mais déjà assez lucide pour s'enquérir de l'argent. Il voulait rentrer tout de suite chez lui. Bella refusa. Nous le laissâmes avec une perfusion dans le bras et un doseur sur pieds qui lui fournissait la quantité de morphine adéquate toutes les cinq minutes s'il actionnait le bouton. Bella ferma derrière nous.

Nous passâmes la nuit dans une des chambres à l'étage. Bella ne fit aucun geste vers moi, ce qui me convenait car, à l'heure actuelle, je n'avais pas envie d'être proche d'elle.

Chapitre 39

L'aurore, les palmiers contre le ciel, un vent poussiéreux et doux à la fois. L.A. À la hauteur de la vie qu'on pouvait mener. Des Noirs en train de s'entre-tuer dans Watts, des stars en train de baiser entre elles à Beverly Hills. Être d'un côté ou de l'autre n'était qu'une question de chance. Mais lorsque cette dernière intervenait, c'était avec des accents grandioses : une bimbo des plages devient une héroïne du petit écran, une salope un mannequin adulé, un dealer de crack une star du rap… toujours à l'extrême. Et j'étais quelque part au milieu de ce foutoir, à surfer sur la vague urbaine, à jouer mon modeste rôle dans cet endroit où surgir de nulle part était proverbial.

Bella avait été bizarre avec moi ces derniers jours. Quand je m'adressais à elle, elle me répondait d'un ton amer à peine dissimulé. Elle me refusait sa chambre et son lit. Un tel revirement était effrayant. J'en déduisis qu'elle regrettait sans doute de m'avoir dévoilé la partie d'elle qui éprouvait le besoin de détruire les reins des gens. Peut-être s'en voulait-elle de s'être montrée sous un jour vulnérable.

Malgré cette tournure inquiétante, je me sentais plutôt bien. J'avais passé l'après-midi avec mon agent, à Century City, à me faire relooker et maquiller, photographier et filmer. Une audition masculine se préparait, et ils voulaient faire des tests pour voir si on pouvait me vendre. Si jamais l'audition se concrétisait, ce serait énorme : diffusion nationale, campagne d'affichage et couverture presse assurées, renouvellements de contrats jusqu'à l'année prochaine et au-delà. Il s'agissait de représenter un produit de marque, l'équivalent pour hommes d'Isabella Rossellini ou Elizabeth Hurley.

Je ne m'étais pas donné la peine d'ôter le maquillage et, quand je m'arrêtais aux feux, je vérifiais du coin de l'œil si les gens, dans les autres voitures, me remarquaient. Quelques visages se tournèrent dans ma direction. Je supposai qu'ils cherchaient, parmi la liste des célébrités qu'ils connaissaient, à qui je pouvais correspondre.

Santa Monica Boulevard, directement jusqu'à Beverly Hills, remonter Doheny vers Sunset puis prendre Laurel Canyon sur la gauche. Je téléphonai à Bella. Pas pour lui raconter ma journée — j'avais l'intuition qu'il serait plus judicieux de passer sous silence les opportunités qui ne la concernaient pas — mais pour m'enquérir de Rex. Les nouvelles n'étaient pas bonnes. Au bout d'une semaine et demie, il en avait marre d'être convalescent et insistait pour rentrer chez lui dans l'après-midi. Bella, qui n'avait plus à le mettre sous moniteur, était déjà rentrée à Malibu. Ryan venait d'arriver. Elle désirait que je sois présent. Elle voulait me faire partager la galère. Je refusais de déprimer plus tôt que nécessaire, alors j'acceptai, mais lui précisai que ce ne serait pas avant un moment car je devais faire un crochet par Willow Glen pour prendre des affaires. Bien entendu, j'avais tout ce qu'il me fallait à Malibu, cependant mon agent avait tiré quelques-unes de mes photos, et je voulais y consacrer un peu de temps en solitaire.

Chez moi, le répondeur affichait plusieurs messages de Lorn. Nos occupations respectives nous avaient éloignés l'un de l'autre. Elle était au courant de l'accroissement de mon temps d'antenne et il était clair que ça ne la mettait pas en joie. Impossible de lui en vouloir. Perdre l'exposition médiatique était comme perdre une partie essentielle de soi-même en tant qu'être humain. Je savais que je devais la rappeler, cependant je ne le fis pas. Si j'avais eu de la coke, j'aurais sans doute trouvé l'énergie, mais j'avais décidé de calmer le jeu question came : je devais garder le teint frais.

Je décidai plutôt d'examiner les tirages que j'avais apportés à la maison. Je les disposai à côté de plusieurs photos de stars masculines pour comparer. C'était encourageant. Puis je sortis ma collection de clichés de cadavres et mélangeai les images. Je les étalai sur le plancher. Je mis la cassette de la femme trucidée dans la bijouterie. J'essayai d'envisager la totalité de ce que je possédais : les visages de Hollywood, moi, les morts baisés, la maison luxueuse dans laquelle j'étais... Je me branlai et éjaculai sur l'écran de télé. Puis je pris une douche. Lorsque je sortis, je réalisai que les trucs étalés par terre étaient dangereux : des preuves à charge qui ne demandaient qu'à être découvertes. C'était déjà assez compromettant pour quelqu'un d'anonyme, alors si j'étais sélectionné pour la campagne de pub, ce serait une catastrophe. J'aurais dû brûler le tout, mais je ne pus m'y résoudre. Je rangeai l'ensemble dans un tiroir en prévision d'une fois prochaine.

Ryan cracha deux fois la purée. D'abord sur les seins et la figure de Bella. Puis, une demi-heure plus tard, entre ses fesses écartées. Il avait dû faire abstinence car elle fut trempée. Ça gicla comme une fontaine. Je le regardai, assis sur une chaise dans un coin de la pièce, surpris que son cœur tienne le coup.

Plus tard, nous dînâmes tous les trois sur Santa Monica avant de nous rendre à une fête de fin de tournage sur les collines. Bella m'ignora toute la soirée. Nous nous tenions en retrait, dans une pièce semblable à un temple, et Ryan discutait avec sa vulgarité habituelle jusqu'à ce que Bella en ait assez et s'éclipse aux toilettes.

« Tu ne fais pas de cauchemars, Jackie ?

— Quels cauchemars ?

— Tu ne vois pas ce vieil enculé se débattre sur le siège avant, lorsque tu fermes les yeux ?

— Je ne rêve pas. »

Il grogna, jeta un coup d'œil alentour et me tira de manière que nous soyons dos à la direction prise par Bella. Il reprit d'une voix sourde.

« J'ai là quelque chose qui va t'empêcher de dormir à coup sûr. T'as déjà eu ce genre de hobby, quand tu étais gosse et que tu devais trouver ce qui clochait dans un dessin ?

— Où vous voulez en venir ?

— Cette pute ment. »

Avec un air de conspirateur, il extirpa une cassette vidéo de sa veste et me la tendit. C'était un de ces boîtiers petit format qu'on utilise pour les caméscopes.

« Une copie de l'enregistrement que nous avons trouvé chez Powell. J'ai compris ce qui me faisait tiquer. Ramène-la chez toi, vois si tu arrives à piger aussi.

— Arrêtez votre petit jeu, Ryan, et dites-moi juste de quoi il s'agit.

— Où serait le plaisir, sinon ? Je te donne jusqu'à

après-demain. Ensuite, viens me rendre visite et on pourra parler. »

Il glissa le document dans ma poche et regarda par-dessus mon épaule pour vérifier où était Bella. Elle était à trois mètres de nous. Elle fit comme si elle revenait à peine des toilettes mais j'eus le sentiment qu'elle était près de nous depuis plus longtemps et avait entendu une partie de la conversation.

Nous traînâmes un peu, puis Ryan voulut nous emmener dans une boîte à partouze qu'il connaissait à l'époque où il était aux mœurs. Même si je n'étais pas très motivé, je fus stupéfait quand Bella prétendit qu'elle irait uniquement avec lui. J'essayai d'argumen-ter, mais la décision semblait irrévocable.

Nous nous séparâmes et je rentrai à Willow Glen où je trouvai Lorn, assise dans sa voiture garée devant mon domicile. Une fois à l'intérieur de la maison, elle fit tout ce qu'elle put pour rester calme, mais elle était trop en colère pour continuer à se maîtriser. Elle commença à crier presque tout de suite.

« Pourquoi tu as fait ça, Jack ?

— Tu t'attendais à quoi, à ce que je refuse ?

— Une telle promotion ne tombe pas du ciel. C'est une des séquences les plus importantes de l'émission. Tu as été pistonné.

— Je ne connais personne.

— Menteur.

— Tu as presque tout le reste, tu ne crois pas que ta réaction est disproportionnée ? »

Je tentais de paraître plus raisonnable qu'elle. En vain. Nous savions tous les deux à quel point ces minutes supplémentaires étaient primordiales.

« Tu as conscience de ce que ça sous-entend dans la profession. Ça sous-entend que je suis évincée.

— Conneries. Personne ne va rien remarquer.

— Tu me prends pour une imbécile ? T'es cinglé, si tu crois que je ne vais pas récupérer cette séquence. Tu n'es pas le seul à avoir des amis au sein de la chaîne, tu sais. »

Elle repartit en coup de vent. Je restai là, à me demander ce qui arrivait : Bella refusait que je la touche, et maintenant, de toute évidence, Lorn aussi. Je ne pouvais m'empêcher de me sentir en quelque sorte rejeté.

Pour me changer les idées, je visionnai la cassette que Ryan m'avait filée. Toujours le même topo : Karen allongée, dos à la caméra, face à un miroir, en train de se farcir un vibro. Qu'est-ce qui n'allait pas ? Je passai et repassai l'enregistrement sans rien y déceler. Le bracelet brillait à son poignet, mais Ryan et moi l'avions déjà remarqué la première fois. Que pouvait-il y avoir d'autre ?

Dehors, le ciel s'éclaircissait. La vue brouillée, j'abandonnai. Ryan devrait m'expliquer quand je le verrais.

Cette pute ment...

Chapitre 40

Chez Rex. Impossible de lui téléphoner pour vérifier comment il allait, avec la ligne H.S., alors je décidai de passer le voir. Personne ne répondit quand je frappai à la porte. C'était ouvert, j'entrai. Je le trouvai dans le salon, recroquevillé par terre. Nu et mort. Je le sentais venir, mais cette vision fut malgré tout difficile à encaisser. Au contraire des gens qui figuraient sur mes photos, je connaissais Rex. J'avais l'habitude de le voir bouger, respirer, de l'écouter parler, de m'asseoir avec lui dans la voiture, partager une bière. Le contempler ainsi, tellement calme, exempt de cette flamme qui avait fait de lui ce qu'il était, demeurait inconciliable avec le souvenir que j'en gardais. Un tel changement aurait dû le transformer, le rendre méconnaissable, et pourtant, ce corps était toujours le sien, ce visage aussi.

Mon premier réflexe fut de le toucher. Je passai ma main sur son flanc, à l'extérieur de la hanche. La texture était froide, dure. Sous les côtes, les agrafes brillaient, identiques à une rangée d'épines noires.

Je scrutai la pièce dans le but de glaner quelques informations sur les conditions de sa mort. Les vêtements qu'il portait à Apricot Lane formaient un tas sur les ressorts du divan. La télé était allumée, sa lueur tachetait le sol et les murs. Au-dessus du poste était posé un sachet plastique transparent qui devait contenir environ deux cent cinquante grammes d'héro. Juste à côté, un sac papier rempli de canettes de Pepsi et de pots de dessert au chocolat.

Overdose ou défaillance rénale ? Qu'est-ce que ça faisait ? Il avait obtenu ce qu'il cherchait, quelle que soit la manière d'y parvenir. Pourtant, ce n'était pas si simple. À l'époque où je l'avais mis sur le coup, c'était peut-être le cas, mais plus maintenant.

Je savais que si je ne l'avais pas livré à Bella, il serait sans doute encore en vie. Avoir conscience de ma part de responsabilité dans son décès n'était pas agréable. J'aurais dû mieux lui exposer les risques. J'aurais dû éviter de l'entraîner là-dedans. Merde, à un moment, il avait été pour moi ce qui se rapprochait le plus d'un ami : il m'avait montré comment sortir du rang, m'avait donné l'impulsion pour transformer ma queue en espèces sonnantes et trébuchantes. Il m'avait même mis, d'une certaine façon, sur la route qui mènerait à Bella.

Pendant longtemps, j'observai son visage, à la recherche du jeune homme plein d'avenir qu'il avait été. J'étais sur le point de pleurer, mais je ne pouvais pas. Je ne voyais qu'un gros plan sur des pores bouchés et des touffes de poils implantées bizarrement. Je demeurai au milieu de la pièce, à me demander quoi faire. Aucune idée ne me vint. Je ne voulais pas de l'héro. Il y en avait trop pour pouvoir la trimballer avec soi de toute façon. Je me dirigeai vers la porte. J'allais la franchir, j'allais vraiment le faire, regagner le monde, loin de cette puanteur, loin de cet appartement dévasté. Mais ça n'arriva pas. J'étais à mi-chemin dans le cou-

loir lorsque je compris que l'occasion ne se représente-
rait peut-être jamais.

Je retournai dans le salon et le mis dans la posture
adéquate. Sa raideur, s'il avait été positionné autrement,
aurait pu constituer un obstacle, mais la manière dont il
s'était recroquevillé m'arrangeait plutôt. Lorsque je le
disposai à genoux, épaules au sol, son cul avait l'incli-
naison idoine. Je le calai entre l'extrémité du divan et la
télé. Il était bien bloqué. Enfin, je me rendis dans la
cuisine où je dénichai une bouteille d'huile d'olive.

À Malibu, cette nuit-là, nous eûmes un invité pour
dîner.

En revenant de chez Rex, j'allai dans la salle à manger
et les trouvai, assises confortablement toutes les deux en
bouts de table, devant leur assiette de poisson-salade :
Bella et Lorn. Lorn et sa nouvelle meilleure amie au sein
de la chaîne. Pendant de longues minutes, je restai planté
là, incapable d'ordonner mes pensées. Puis tout d'un
coup, les choses se mirent en place. Je me rendis compte
qu'il y avait de très fortes chances pour que je sois baisé.
Cette association nocturne ajoutée à la froideur récente
de Bella signifiait qu'elle avait découvert mes escapades
avec Lorn. Je n'imaginais que trop les conséquences.

Bella ne se donna pas la peine d'expliquer ma présence. Elle m'indiqua une chaise et continua à discuter
comme si de rien n'était. Quand elle m'aperçut, Lorn
eut d'abord l'air surprise. Mais ce fut bref. Elle n'était
peut-être pas une lumière, mais elle était assez futée
pour comprendre les arcanes du business médiatique. Je
vis son regard se durcir au moment où elle réalisa que
j'étais pistonné, que tout ce que je lui avais raconté la
nuit dernière, à propos de la promotion uniquement due
à la chance, n'était qu'un tissu de mensonges.

Je m'emparai d'une bouteille de vin presque intacte posée entre elles, me servis un verre, puis m'installai et observai Bella jeter des regards évocateurs à sa nouvelle copine par-dessus la table. Lorn les accepta pour ce qu'ils étaient : l'assurance grâce au sexe, selon elle, d'un beau tas de biftons et la restitution du temps d'antenne sur Channel 52. En d'autres circonstances, ce postulat n'aurait pas été si farfelu, mais j'avais le sentiment que Bella avait arrangé cette petite entrevue plus à mon intention que pour séduire Lorn. Au premier abord, l'objectif semblait évident : des représailles envers mon infidélité. Mais il pouvait aussi s'agir de quelque chose de beaucoup plus dangereux. Si elle avait entendu une partie de la conversation avec Ryan, à la fête de fin de tournage, son comportement pouvait être une incitation à ne pas creuser. Quoi qu'il en soit, le message était clair : j'étais loin d'être irremplaçable.

Une fois le repas terminé, elles montèrent dans les appartements de Bella. Je n'étais pas le bienvenu. Alors, je pris la voiture pour me réfugier à Willow Glen. À cet instant précis, c'était une initiative aussi bonne qu'une autre.

Chapitre 41

Le lendemain matin, je me réveillai tôt pour mon rendez-vous avec Ryan. J'ignorais ce qui allait arriver entre Bella et moi : l'histoire avec Lorn pouvait faire long feu ou pas — mais si Ryan avait découvert des éléments susceptibles d'être dangereux pour elle, ainsi qu'il l'avait sous-entendu, je voulais être au courant le plus vite possible.

Westwood était assoupie sous le soleil dans le brouillard matinal, les arbres de la rue où résidait Ryan dessinaient des ombres agréables sur la route. Des enfants, des chiens, quelqu'un en train de tondre la pelouse : un quartier normal pour des gens normaux. Bizarre qu'un gars tel que Ryan ait choisi de vivre en un lieu pareil.

La sonnette résonna d'un son étouffé quelque part dans la maison. On devinait, à la réverbération, que toutes les pièces étaient vides. Je persévérai néanmoins. Pas de réponse. Je fis donc le tour — joli jardin, bougainvilliers, jacarandas, poivriers, une piscine ovale. C'était peut-être ce qui l'avait attiré ici : un environnement familial pour un type seul qui avait passé sa vie dans le trou du cul de la mégapole.

Je regardai à travers les vitres mais rien ne bougeait. Les meubles que je discernais étaient luxueux mais manquaient de goût. Les illustrations aux murs étaient des clichés artistiques de gonzesses à forte poitrine.

Je ne pouvais pas rentrer. La porte de derrière était verrouillée et les fenêtres étaient protégées par des grillages de sécurité. Cependant, un garage aveugle en stuc blanc était accolé à une des cloisons, indépendant de la maison. Le portail roulant était baissé, mais sur le côté, une porte d'accès en bois s'ouvrit lorsque je la poussai. Je refermai derrière moi et attendis que mes yeux s'habituent à l'obscurité.

Des odeurs : ciment séché, essence, huile. Deux voitures émergèrent de la pénombre : la Plymouth et la Bentley prétentieuse couleur argent, capote relevée. Ryan conduisait la Bentley la nuit où il avait lâché le morceau à propos de la cassette avec Karen.

Je dégotai l'interrupteur et l'actionnai. Les néons clignotèrent puis s'allumèrent. Et je vis Ryan. Le siège conducteur de la Bentley était baissé mais sa tête était toujours visible à travers le pare-brise. J'ouvris la portière et me penchai à l'intérieur. Mort. La chemise ouverte en entier, le pantalon baissé sur les genoux, du foutre séché emmêlé dans sa toison et sur la peau juste au-dessus. On pouvait distinguer un filet de merde sous ses couilles, le véhicule empestait. Il y en avait encore plus de chaque côté des fesses, comme s'il s'était vautré dedans. Son visage était congestionné, bleu. Ses yeux étaient gonflés. Un sentiment d'irréalité m'envahit. Deux macchabées en vingt-quatre heures, c'était trop.

Les bourrelets de son ventre avaient l'air durs maintenant, comme du saindoux rance. Ses cheveux noirs étaient ébouriffés. On voyait davantage le crâne que lorsqu'ils étaient coiffés en arrière. Plus de Béla Lugosi pervers, plus de peur, plus rien pour vous poursuivre dans vos cauchemars ou menacer de vous inculper pour meurtre. Juste un tas de chair avec une tête d'une couleur bizarre posée dessus.

Tout d'abord, je fus soulagé. Que dire ? Ça faisait six mois que le gars me terrorisait. Même après que Powell eut payé pour Karen, ses relations avec Bella menaçaient toujours mon avenir. Désormais, c'était terminé : fini les chantages, fini de partager la chatte de Bella. Sa disparition simplifiait énormément la situation.

Jusqu'à ce que j'aperçoive le flacon sur le tableau de bord.

Verre transparent, inscriptions bleues. Le bouchon, qu'on transperçait avec l'aiguille d'une seringue. Identique à celui que Bella avait utilisé pour Rudy, au motel.

J'imaginai ce qui s'était passé. Après la fête, Bella qui dit : « Allons chez toi plutôt qu'à la boîte à partouze. » Ryan, trop content d'obéir. Ils se garent ici, le portail se referme et l'un d'eux pense que ce serait le pied de le faire dans la nouvelle bagnole de Ryan. Elle, assise sur lui, empalée sur sa queue, lui, bloqué par le volant, les bras, les jambes, ça n'avait pas dû être trop compliqué de lui planter l'aiguille dans le cou, de le maintenir, et d'attendre qu'il se mette à tressauter, à chier sous lui et que son cœur explose. Exactement comme elle l'avait prévu.

Je m'installai sur le siège passager et fouillai les poches de Ryan dans le but de trouver une note, un indice qui m'auraient mis sur la voie de ce qu'il avait trouvé. Pas de chance : de la monnaie, un portefeuille, des morceaux de papier, ses pilules, un peu de coke, rien qui soit d'un grand secours. Je demeurai assis un moment dans la puanteur, je fixai la fiole sur le tableau de bord avec l'espoir que la proximité du corps me donne une idée. Je posai ma main sur sa cuisse dénudée pour voir si le contact m'aidait. En vain. La sensation était à l'image de l'individu : désagréable. C'était tout, pas de message, pas d'illumination, juste une grosse carcasse qui baignait dans sa propre merde.

Cependant, je n'avais pas tout à fait perdu mon temps. Quelque chose m'intriguait à propos du flacon. D'abord, je ne sus pas quoi, puis le déclic se produisit. Il était disposé de manière trop ostensible, trop proche du bord de la tablette. Il n'avait pas pu se trouver là avant que Ryan meure, ses sursauts l'auraient fait tomber. De plus, Bella devait avoir rempli la seringue avant qu'ils s'y mettent : effectuer la manipulation sous son nez aurait été le meilleur moyen de susciter des questions embarrassantes. Pourquoi était-il là, d'ailleurs ? Elle n'était à coup sûr pas assez stupide pour laisser traîner une telle preuve si elle voulait qu'on croie à une crise cardiaque. Une seule réponse : elle se doutait que je viendrais, elle voulait que je sache. C'était sa façon de me dire ce qu'elle avait fait, de m'avertir de ne pas chercher plus loin. Peut-être même s'attendait-elle à ce que je dissimule la pièce à conviction, histoire de me compromettre davantage, de me lier encore plus à elle.

Le corps de Ryan n'éveillait pas la moindre excitation sexuelle en moi. Je l'abandonnai sans toucher à sa bite ni tenter d'introduire la mienne en lui. J'effaçai mes empreintes, glissai la fiole dans ma poche et rabattis la portière derrière moi. J'éteignis les lumières et ressortis. La matinée était douce et éclatante. L'automne, dans d'autres parties du monde, devait offrir le même spectacle. Le soleil m'éblouit et je fermai les yeux autant que possible pour regagner la Mustang. Tout comme j'essayai de ne pas trop réfléchir au fait que Bella était une meurtrière.

Chapitre 42

À partir de Westwood, je me rendis sans détour à un cinéma d'art et d'essai situé à proximité de l'université. Une avant-première branchée y était prévue. C'était mon premier reportage. Lorn était censée venir me soutenir. Je ne fus nullement surpris de ne pas la voir au rendez-vous. J'étais content d'être seul. Avoir à gérer les conneries qu'elle mettrait sur table aurait été trop pour moi à l'heure actuelle.

Quand la séance fut terminée, j'allai dans un café pour prendre des notes, mais je fus incapable de me rappeler quoi que ce soit à propos du film. Je n'arrivais même pas à me concentrer pour inventer quelque chose.

À la place, je fumai comme un pompier et contemplai le paysage par la fenêtre. De l'autre côté de la vitre, des gamins passèrent, très décontractés, avec des barbes style beatnik et des piercings sur le visage. Je ne pouvais m'empêcher de songer à ce que ce serait d'aller à l'université, promis à un bon métier, à une épouse, à une carrière. Le mieux, c'était qu'on devait se sentir propre. On n'avait pas à enculer des mecs à l'arrière des voitures ou à éjaculer sur une femme riche d'âge mûr. On n'avait pas à participer à un meurtre juste parce que

455

c'était financièrement plus avantageux que d'aller voir la police. Je repensai aux actions commises. Je vis Rex, en train de se faire pilonner par terre, la bite de Ryan dans le cul. Je me vis, ma queue dans sa bouche. Je le vis mort, tel qu'il était quand je l'avais retrouvé la veille, ces agrafes noires plantées dans le flanc…

Et eurêka. L'association d'idées boucla soudain la boucle. Je jetai l'argent sur la table et retournai à Willow Glen, la Mustang poussée au maximum dans la circulation.

Devant l'écran, télécommande à la main, la cassette en marche. Je savais ce que j'allais trouver. Et je le trouvai.

Je fis défiler image par image. Karen introduisait le gode jusqu'à ce que le miroir en face dévoile son ventre. J'appuyai sur pause. Elle portait le bracelet que Bella prétendait lui avoir offert le jour où elle était partie de Malibu, après avoir récupéré de l'ablation rénale. Mais son abdomen était intact, pas d'agrafes. Elle n'avait pas encore subi d'opération.

Ce passage n'aurait rien révélé à personne, sauf à moi. J'avais l'impression que tout, autour de moi — le sol sous mes pieds, les murs de l'appartement, les fondements de mon existence dans cette ville — se délitait. Même mes facultés de réflexion, de déduction, de compréhension des effets et des causes paraissaient bâties sur une perspective au moins aussi traître que celle qui modelait les rues de L.A.

Ryan et moi avions cru que le bracelet prouvait que la séquence était postérieure à l'opération. Et parce que Bella avait déclaré n'avoir plus revu Karen après le lui avoir remis, nous étions persuadés que c'était Powell qui avait tourné la séquence de masturbation. Cela nous avait conduits au test ADN, qui lui-même avait très vite conduit à sa mort.

Je comprenais soudain, et Ryan l'avait compris aussi, que Bella avait menti. L'absence de cicatrice signifiait qu'elle avait donné le bracelet à Karen avant l'intervention. La cassette avait pu être enregistrée n'importe quand. En fait, j'avais la nette impression que Bella avait elle-même filmé : exactement comme Powell l'avait prétendu lors de l'interrogatoire mené par Ryan. Ça n'avait pas dû être très compliqué pour elle de l'amener chez Powell un jour où il était absent, puis d'ajouter la cassette à sa collection et enfin d'attendre qu'il en fasse une copie ainsi qu'il en avait pris l'habitude. Après ça, il lui avait suffi d'effacer l'original pour faire croire que son père, seul, avait entretenu des relations postopératoires.

Il n'y avait qu'une raison de faire une chose pareille : elle était impliquée dans le meurtre et s'était ménagé une porte de sortie pour le cas où la situation deviendrait délicate. Elle avait peut-être tué Karen sans aide, ou alors il s'agissait d'un meurtre perpétré avec la complicité de Papa. En réalité, peu importait. Le principal était qu'elle nous avait manipulés, Ryan et moi, et qu'elle s'était servie de nous pour se débarrasser d'un vieil homme qu'elle détestait. Elle en avait profité au passage pour détourner les soupçons qui auraient pu peser sur elle à propos de la mort de Karen.

Les éléments les plus dérisoires prenaient désormais une dimension significative : Bella, qui nous suggérait d'aller fouiller chez Powell, l'absence de caméra sur les lieux, le fait que Powell, un camé de soixante balais sexuellement obsédé par sa fille, n'aurait sans doute pas eu la force ou la volonté de s'occuper de Karen. Ces détails auraient dû nous sauter aux yeux.

La vérité, c'était que ni Ryan ni moi ne voulions croire à sa culpabilité. Nous avions les lubies de Powell avec les chiens, nous avions son ADN et, en comparaison de l'argent et de la chatte de Bella, ça avait suffi. Nous n'avions pas cherché plus loin car nous ne voulions rien savoir de plus.

Chapitre 43

Je m'éveillai avec un pressentiment funeste. J'étais sûr que quelque chose d'horrible allait se produire. Pile après neuf heures, au saut du lit, ce fut ce qui arriva. Deux coursiers à moto. Sur le seuil. Je les entendis déconner entre eux tandis que je franchissais le couloir. Quand j'ouvris la porte, ils me saluèrent d'un air moqueur et me filèrent des papelards à signer. Deux types en combinaison de cuir et casques rétro futuristes sous le bras, des logos au moindre endroit où il y avait de la place. Le premier me donna une enveloppe, le second un petit paquet. Ils s'appelèrent *mon pote* plusieurs fois puis grimpèrent sur leurs deux-roues et repartirent, à fond les manettes, en contrebas du canyon. Aucun doute : ils n'étaient pas au courant du sale tour qu'ils venaient de me jouer.

Je m'assis sur les marches et ouvris mes cadeaux. D'abord le paquet. De la part de Bella. Une cassette vierge encore sous cellophane et un morceau de papier plié avec à l'intérieur des poils pubiens blonds. Un message limpide qui disait JE SAIS TOUT. Les poils appartenaient à Lorn, la cassette faisait allusion à ce que Ryan avait découvert. Ensuite, la seule chose qui pouvait succéder à une telle nouvelle. Une lettre de Burns qui m'informait que j'étais viré de l'émission.

Je n'entendais pas les oiseaux, je ne voyais pas les maisons blanches aux toits rouges qui trouaient les feuillages des collines. J'étais assis, très calme, et tentais d'absorber le choc. De digérer le fait que c'était la fin de la belle époque, la fin de cette chance inouïe qui était devenue ma raison de vivre. Terminée l'antenne, terminées les fêtes et les avant-premières, plus aucune possibilité de devenir aussi bien que quelqu'un d'autre. Désastre était encore un mot trop faible. Et j'étais l'unique responsable.

Pendant un long moment, je fus incapable de bouger, mais finalement je me levai et rentrai pour appeler Bella. Le téléphone sonna longtemps dans le vide. Personne ne répondit.

J'allai au lit. Je me branlai comme un malade sur mes photos dans l'espoir d'évacuer la terreur que je ressentais à l'idée de ne plus être personne. Les éjaculations furent inutiles. Il m'était impossible d'échapper à la brûlure glacée et à la frayeur qui me dévoraient les tripes.

Je décidai de m'accrocher aux branches et contactai mon agent à Century City. Si par miracle j'étais retenu pour la campagne de pub, je n'aurais plus besoin de Bella, elle pourrait aller se faire foutre. Les signes étaient encourageants. Mes tests étaient entre les mains de l'agence qui avait le contrat et ils aimaient beaucoup. J'étais dans le peloton de tête sur la liste. Mais ce genre de décisions ne se prenait pas à la légère et j'étais dans une telle urgence que je ne pus obtenir, en attendant, qu'un soutien de pure forme. Pas grand-chose, quand on songeait que j'avais l'impression de me noyer dans un océan de merde.

Je fumai et bus une bouteille de Coca. Je me souvenais des derniers mots de Powell. *Le frigo...* S'il y avait un frigo quelque part avec quelque chose de précieux dedans, c'était à Apricot Lane. J'aurais pu aller là-bas jeter un œil, mais je m'en abstins. Peut-être qu'il s'agissait d'une épreuve, que Bella voulait juste voir si elle pouvait me faire confiance et que, si je courbais l'échine, si je restais docile, elle pouvait encore tout arranger. Le silence et la passivité pourraient lui confirmer qu'elle n'avait rien à craindre de moi.

Je feuilletai quelques magazines : on avait organisé une réception pour les noces de Brooke Shields à New York. Drew Carey avait touché une avance de quatre millions en prévision de sa biographie. Gary Oldman était sur le coup pour se goinfrer d'une partie du budget d'un film à quatre-vingt-dix millions de dollars et interpréter le Dr Smith au cinéma dans *Perdus dans l'espace*. Brad Pitt possédait désormais cinq maisons dans le même quartier.

Ces reportages en provenance du paradis ne pouvaient juguler l'angoisse qui me tenaillait. J'avais besoin d'un divertissement plus fort pour chasser les visions d'un avenir en ruine. Il me fallait un truc qui me permette de m'évader de moi-même pour un moment.

Je retournai sur le trottoir et posai des questions indiscrètes sur les snuff movies. Je cherchai pendant un bout de temps, mais ce que j'obtins de plus probant fut un type, au fond d'une rue transversale, qui vendait des cassettes dans le coffre de sa voiture. Je visionnai ses productions à l'aide d'un moniteur branché sur magnéto, mais je fus déçu. Ce n'était que de simples accidents de la circulation qu'il avait montés bout à bout. Je lâchai l'affaire et me rendis à un DAB. Le salaire versé par Bella avait été viré sur mon compte. Cela me redonna espoir. Tout n'était peut-être pas perdu. Pourtant, impossible d'en être sûr. Elle avait pu aussi ne pas avoir eu le temps de faire opposition.

En début de soirée, je m'installai dans un café sur Melrose, devant une tasse de café noir et un journal. Le cadavre trouvé voilà deux jours à Westwood avait été identifié : c'était un ex-flic. Il était décédé d'un infarctus, sans doute pendant une relation sexuelle. La police était à la recherche de la femme qui l'accompagnait.

Quelques lignes en page cinq. Pas vraiment à la hauteur d'un monstre tel que Ryan. Demain, il y en aurait encore moins, froissé au fond d'une poubelle ou collé sous la semelle d'un anonyme. La mort. J'avais toujours su que c'était comme ça. Quand on disparaît, on disparaît. À moins d'être passé à la télé avant.

À la rubrique des potins, un cliché me fit grincer des dents : Bella et Lorn, de virée la nuit dernière pour l'ouverture d'une nouvelle boutique de mode, très complices, sourires radieux, jolies robes de soirée. Photo en haut de page, leur nom dessous.

Je mangeai une salade qui me donna des aigreurs, mais je me dis qu'avec la campagne de pub qui se préparait, il était temps d'arrêter de déconner. Ensuite, je restai assis une demi-heure, à fumer et réfléchir. Rien ne me vint à l'esprit, aussi, après trois Southern, je bougeai mon cul et regagnai la Mustang.

Je patrouillai. L'activité de la rue me berçait. Les néons striaient le ciel marron-jaune à intervalles réguliers, ils palpitaient à la périphérie de ma vision, interrompaient le fil de mes pensées, relâchaient un peu la tension. En bas de Santa Monica, pour voir la mer. Aucune réponse ici. Aucune beauté non plus : l'eau s'étalait avec lourdeur sur le rivage, semblable à une flaque d'huile géante. Les clodos étaient plus misérables que jamais.

Je pris la Pacific Coast Highway et passai la moitié de la nuit à conduire jusqu'à Santa Barbara. Le toit était ouvert, je commençais à avoir froid. L'engourdissement avait quelque chose d'agréable. Lorsque je fus arrivé, je marchai vers l'océan sur une jetée qui faisait partie de la marina. Je me retournai et observai les montagnes à l'intérieur des terres, les maisons avec leurs lumières douces dispersées sur les hauteurs. Autour de moi, des bateaux immaculés se balançaient sous la houle.

Chapitre 44

À Willow Glen, je n'avais pas grand-chose à faire à part errer de pièce en pièce et admirer ce que je possédais : mes meubles, mes appareils technologiques, mes vêtements. Ce n'était pas une occupation très agréable car j'étais cruellement conscient que la maison, comme le reste, appartenait à Bella.

Dehors, à côté de la piscine, les feuilles des palmiers frémissaient. On aurait dit qu'elles attendaient de voir ce qui allait m'arriver ensuite. Je les regardais bouger dans la brise qui soufflait du canyon l'après-midi et songeais que ça n'aurait pas été si mal de leur ressembler, me contenter de pousser dans la terre, ne pas avoir à me soucier des déceptions interminables portées par l'indépendance et le libre arbitre.

Ciel bleu, soleil. Je m'assis au milieu de la pelouse, les oreilles bouchées avec du papier toilette, et fixai le zénith jusqu'à ce que des taches lumineuses dansent devant mes yeux. C'était inutile, je le savais. Prétendre que rien n'existait ne me permettait pas d'échapper à la meurtrissure de l'anonymat, mais si je n'avais pas eu ces brefs moments d'évasion, j'aurais été broyé par la réalité de ce qui se produisait.

Le temps passait avec lenteur. Je tentais de me persuader que chaque minute me rapprochait de l'instant où Bella me pardonnerait, puis m'autoriserait à revenir dans ce monde où le bonheur existait, mais il n'était pas facile d'en être convaincu sans rien pour vous encourager.

Je rentrai. Quelqu'un dans la rue aurait pu me reconnaître et vouloir engager la conversation. Il aurait été trop douloureux de mentir et faire semblant d'être toujours présentateur. Je me fis livrer mon repas. On pouvait aussi avoir à domicile les journaux dans lesquels s'étalait la vie des célébrités. J'avais des invitations pour des soirées et des projections qui dataient de l'époque où je travaillais sur l'émission. Je ne m'en servis pas. Elles concernaient quelqu'un d'autre, désormais.

Je n'avais aucun projet, je ne pensais pas au passé. Même lorsque mon agent de Century City me contacta pour m'apprendre que l'obtention du rôle dans la campagne de pub se jouait maintenant entre moi et un autre type, cela ne me fit ni chaud ni froid. Avec ce qui m'était tombé dessus récemment, croire que la chance aurait pu me sourire pour un truc de cette envergure me paraissait une pure perte de temps. Je dévorais les médias, c'était tout ce dont j'étais capable. Je me laissais submerger par une avalanche de potins avec l'espoir d'oublier qui j'étais et ce que j'étais devenu.

Une après-midi, je visionnai pendant une heure entière le logo animé de TriStar, encore et encore, le cheval ailé qui volait vers vous en plein ciel. Je mourais d'envie d'y figurer, dans les nuages et la lumière dorée, dans cette infusion de l'idéal cinématographique californien. Johnny Depp et Kate Moss devaient être quelque part là-dedans, en compagnie des autres, ceux qu'on vénérait, drapés dans leur gloire protectrice. Dans un de mes magazines, un article parlait de la maison de

Depp qui avait jadis été celle de Béla Lugosi. J'aurais voulu avoir une caméra cachée dans la maison pour les observer tous les deux quand ils n'étaient pas sous l'œil des objectifs. Je n'avais pas envie de les reluquer en train de baiser, même si ç'aurait été sympa. Je m'intéressais plutôt à ce qui se passait pendant le petit déjeuner ou des moments comme ça, des moments où les autres meublaient leur morne existence en se livrant à des activités insignifiantes. J'aurais été consolé de savoir que, même avec leur argent, même avec leur célébrité, ils partageaient un quotidien identique. Cependant, je pariais que ce n'était pas le cas. J'étais certain que tout, dans leur vie, était extraordinaire, qu'ils beurrent une tartine ou coulent un bronze.

Parfois, j'avais l'impression qu'il aurait mieux valu que je me sèvre de ces divagations hollywoodiennes. J'aurais ainsi pu végéter, retourner cuire mes hamburgers sans me poser de question. Misérable mais heureux. Enfin, peut-être pas heureux, mais au moins soulagé de la torture, chaque minute, chaque jour, infligée par l'envie d'être celui que je n'étais pas. Mais bon, si on n'a pas de rêves…

Trois semaines s'écoulèrent, et aucune nouvelle de Bella. J'avais espéré qu'elle appellerait bien avant. Lorn idem. J'avais téléphoné chez elle sans cesse, mais personne ne répondait. J'étais persuadé, persuadé à cent pour cent, qu'elle était avec Bella à Malibu.

Une nuit, elles firent une apparition à la télé. Lors d'une émission destinée aux fans, les stars avaient été filmées à la sortie d'un vernissage et je les avais aperçues en arrière-plan. Main dans la main, nom de Dieu. On aurait dit que la caméra allait se diriger vers Lorn, la présentatrice de *28 FPS*, quand un nom plus prestigieux entra dans le champ et la fit dévier. C'était du direct, je fus donc dans l'impossibilité de me repasser la séquence, mais durant ces quelques secondes, on ne pouvait pas se méprendre sur l'intensité avec laquelle Bella regardait sa partenaire.

Je n'aimais pas ça. Je n'aimais pas du tout ça. En fait, le soir suivant, le souvenir des deux femmes, si complices côte à côte, combiné à l'écrasante solitude me poussa à prendre la Mustang et à descendre sur Santa Monica.

J'avais de la chance. La morgue était calme et le Japonais était de service. Lorsqu'il me vit, il parut nerveux. Peut-être pensait-il que ça allait devenir une habitude et qu'il allait finir par se faire choper. J'avais un paquet d'oseille et son visage grassouillet se détendit lorsque j'exhibai les billets. Un morceau de nourriture avait séché au coin de sa bouche. Il tomba quand l'assistant me parla.

« Pas bon d'en emmener une derrière maintenant. Tu vas faire ça ici. Je fermerai la porte, mais sois pas trop long, O.K. ? Tu veux quoi, poilue, comme la dernière fois ? On a le choix. »

Il verrouilla la porte d'entrée et ouvrit les casiers. Mon choix se porta sur trois jeunes femmes. Il sembla mécontent quand je lui indiquai que je voulais les trois en même temps, mais j'empilai les biftons jusqu'à ce qu'il accepte.

Par terre. Trois corps nus, alignés. Je me déshabillai, m'installai sur celle du milieu et la pénétrai. Elle était beaucoup plus froide que celle que je m'étais faite avec Ryan car elle sortait du casier réfrigéré. Mais c'était sans importance. Elles étaient toutes les trois pareilles, un lit de chair grise et glacée. Grassouillet était pressé d'aller faire le guet, mais il devrait mériter son salaire d'abord. Je l'obligeai à hisser les deux autres carcasses et à les allonger à plat ventre sur mon dos. Je devinais les poils rugueux de la chatte de l'une d'entre elles contre la raie de mes fesses, les nichons et les côtes de la seconde près de mes épaules. Il me laissa pour aller se planter sur le seuil. Je restai allongé ainsi un moment, immobile, tranquille sous la pression.

La femme dans laquelle j'avais fourré ma bite avait les dents bousillées, sa bouche puait. Je lui tournai la tête et enfouis mon visage au creux de son cou. J'avais passé mes bras sous elle, je la tenais au niveau des épaules. Je me sentais en sécurité, à l'abri, mais j'avais du mal à bouger. Je devais m'écraser contre elle plutôt que la pilonner, afin que les autres ne tombent pas. Vers la fin, néanmoins, je ne pus m'empêcher de donner des coups secs et la gonzesse contre mon cul roula jusqu'à mes genoux. Son crâne heurta le sol en pierre. Le bruit sourd était si creux, si… mort que la réalité de ce que j'étais en train de faire me frappa de manière fulgurante. J'éjaculai à fond dans la fente stérile sous moi.

Je voulais demeurer dans cette position, avec ma queue qui ramollissait dans la viande. Je savourais les effluves corporels, aussi froids et humides que l'eau stagnante dans le compartiment dégivrage d'un frigo. Si on m'avait demandé quel était mon sentiment présent, j'aurais dit réconforté. Ces femmes avaient été des individus. Elles avaient vécu, elles avaient eu des opportunités et étaient désormais réduites à la plus totale impuissance.

Inoffensives.

Des enveloppes humaines dénuées du moindre danger.

Quand le Japonais se rendit compte que j'avais cessé de besogner, il commença à les retirer pour les remettre dans leur casier.

Chapitre 45

Lorn s'installa dans la partie restaurant d'Olympic. Je l'avais suivie à travers la circulation de fin de soirée, à partir de Burbank. La frénésie de l'heure de pointe ajoutée aux amphètes que j'avais prises plus tôt m'avaient rendu un tantinet fébrile. Provoquer une rencontre fortuite n'était pas malin. Vraiment pas. Je le savais, mais je ne pouvais pas m'en empêcher. Je devais savoir ce qui se tramait. Je devais savoir si j'aurais une seconde chance.

Je pénétrai dans cet endroit policé et demeurai à l'entrée. Elle leva les yeux, me vit, et son visage devint blanc. Ce n'était pas bon signe. Ça ne correspondait pas du tout au scénario de l'heureuse surprise que j'avais imaginé avant de m'endormir la nuit précédente. Mais mon besoin était tel que j'ignorai cette première réaction peu engageante. Je parcourus une allée en plastique moulé et m'assis en face d'elle. Elle avait déjà commandé. La serveuse était là quand je pris place. Elle posa devant Lorn un plat équilibré en protéines et glucides. Lorn attendit qu'elle s'esquive avant d'ouvrir la bouche.

« Qu'est-ce que tu veux ?

— Tu n'as pas répondu à mes appels.

— Et tu t'attendais… à quoi ?

— Tu es encore fâchée à propos des changements dans l'émission ?

— Tu ne m'avais pas parlé de Bella. Nous couchions ensemble et tu n'as pas pipé mot.

— Elle m'avait fait promettre.

— Mmmm. Quel garçon serviable.

— Lâche-moi. J'ai tout perdu à cause de toi.

— À cause de moi… Tu as tout perdu parce que tu n'as pas pu résister à l'idée de te taper une vedette. Ç'aurait pu être n'importe qui, il s'est trouvé que j'étais disponible. Comment as-tu pu croire une seconde qu'elle l'ignorerait ? Elle possède la moitié de ces putains de studios.

— Je ne sais pas, ça me paraissait sans importance, à l'époque.

— Ne t'amuse pas à ces conneries de chantage émotionnel avec moi. Tu veux quoi ? Elle sera furieuse si elle apprend que je t'ai parlé.

— Elle t'a dit de ne pas le faire ?

— Pas besoin de s'appeler Einstein.

— Vous avez l'air proches.

— Elle va me faire titulariser l'année prochaine. »

Au moment où j'entendis ça, je compris qu'il était inutile de demander à Lorn combien de temps elle comptait rester avec Bella, et plus encore d'essayer de la convaincre de mettre un terme à sa relation pour que je puisse retourner à Malibu. La titularisation était le Graal convoité par tous les présentateurs et Lorn s'y cramponnerait jusqu'à la fin des temps s'il le fallait.

Elle picora un peu de son assiette. Lorsqu'elle reprit la parole, sa voix s'était adoucie.

« Je sais que c'est dur, ce qui t'arrive, mais c'est entre

toi et Bella. Je n'y peux rien. C'est malhonnête de me demander à moi.

— Je ne l'ai pas fait.

— Mais c'est pour ça que tu es là.

— Je suppose… Écoute, Lorn, tu devrais être prudente avec Bella. Je la connais beaucoup mieux que toi et elle n'est pas ce qu'elle semble être. Tu crois te servir d'elle, mais c'est l'inverse. »

Lorn posa sa fourchette. Ses traits se durcirent.

« Tu me prends pour une imbécile ?

— Fais-moi confiance, elle va te demander plus que tu ne pourras jamais offrir. Elle est dangereuse.

— Bon sang, tu n'as aucune fierté.

— Je te préviens, c'est tout. Elle est impliquée dans un tas de trucs moches. Tu pourrais en souffrir, et ce ne sera pas sur le plan sentimental. Crois-moi. »

Lorn me regarda, incrédule, puis se leva et fit le tour de la table.

« Je n'ai jamais rien vu d'aussi lamentable. Ne m'approche plus, Jack. »

Elle quitta le restaurant sans se retourner. Quand elle fut partie, je restai assis un long moment à me fustiger intérieurement. Je n'osais pas imaginer ce qui allait se passer si elle rapportait notre échange à Bella.

Comme de juste, la serveuse se pointa pour s'enquérir de ce que je désirais manger. Je n'eus pas la force de répondre.

Chapitre 46

Le lendemain, ce qui devait arriver arriva. La preuve de la loyauté de Lorn. Un huissier et deux types balaises se pointèrent à Willow Glen alors qu'*Alerte à Malibu* passait à la télé et que j'étais en train de me demander quel effet ça ferait d'être Pamela. L'huissier me montra la signature de Bella sur divers documents et m'informa que j'avais une demi-heure pour vider les lieux. Je tentai de m'y opposer pour la forme, en pure perte. Elle était propriétaire. La totalité de ce qu'il y avait ici, l'ensemble de mes titres de propriété, avoisinaient zéro.

Ils me suivirent tous les trois tandis que je faisais mes bagages, afin de s'assurer que je n'emporte rien en dehors de ce qu'on pouvait qualifier de cadeaux officiels. Mes possessions se résumaient à un tas de vêtements, mes photos, la vidéo de Ryan, ma montre et mon portefeuille. Ils en vérifièrent l'intégralité. Le seul argent qu'ils m'autorisèrent à emporter fut ma carte bleue : accès libre à mon compte, mais découvert interdit.

Je me déplaçais dans un état proche de l'hébétude. J'avais l'impression d'être un de ces pauvres hères qu'on poussait vers les fosses, dans les films d'archives nazis. Et même avec les tripes nouées, incapable de penser, je sentais arriver par avance le coup fatal qu'ils gardaient pour la fin.

Sur le seuil. J'allai balancer mes sacs dans le coffre de la Mustang quand l'huissier secoua la tête et tendit la main pour que je lui donne la clef. De l'humiliation à la blessure. Comment un truc pareil aurait-il pu passer, de toute façon ? Ils me laissèrent appeler un taxi, puis reprirent le téléphone.

J'étais gêné d'attendre le taxi en leur compagnie. L'huissier sortit une autre liasse de papiers de sa mallette et les compulsa. Nul doute qu'il se préparait à jeter la personne suivante à la rue. Les malabars se contentaient de me fixer. Lorsque le véhicule arriva, l'un d'eux ouvrit la portière et le second me poussa avec ménagement à l'intérieur.

La route de Laurel Canyon à Hollywood était assez longue pour me permettre de réfléchir à nouveau. Mes cogitations ne me réconfortèrent pas beaucoup. Rex était mort, Lorn était occupée à brouter la chatte de Bella, les possibilités de soutien psychologique à L.A. étaient circonscrites aux chambres d'hôtel et aux putes. Il me fallait quelque part où m'enterrer, quelque part où je pourrais récapituler ce qui s'était produit et évaluer mes chances de m'en tirer.

Je demandai au taxi de ratisser Sunset, vers les motels. Plusieurs immeubles, deux ou trois étages de haut, chacun d'eux tellement strié de néons que le quartier ressemblait à une imitation de Vegas. Il était impossible de distinguer un établissement d'un autre. Je descendis au Palm Glove. En dehors d'une oasis de lumière à peine esquissée, les murs extérieurs, au niveau de la rue, étaient vierges : pas de fenêtres ni de balcons, juste les dalles de béton, de haut en bas.

Ma chambre était pas mal. Elle comportait des lits jumeaux, un poste de télé et un grand miroir sur le mur. La salle de bains était située derrière. À l'avant, côté porte, des rideaux étaient tirés pour boucher la vue aux passants du couloir. Deux étages plus bas, au milieu d'une cour intérieure, la piscine était terne, elle paraissait à l'abandon. J'étais certain que si je demeurais assez longtemps ici, je verrais les ordures s'accumuler au fond de l'eau.

Il me restait environ dix mille. Ce que j'avais réussi à économiser de la pub pour la chaîne de restauration rapide et du dernier salaire mensuel versé par Bella. De quoi subsister pendant un moment, mais ce ne serait pas éternel.

J'allumai la télé. J'allai pisser, puis déballai mes affaires avant de faire les cent pas, en pleine réflexion. Depuis la nuit où j'étais rentré à Malibu et où j'avais trouvé Bella qui dînait en tête à tête avec Lorn, j'avais entretenu l'espoir que la situation s'améliore, que mon histoire avec Bella puisse renaître de ses cendres. Maintenant, il était évident que ça n'arriverait pas. Se faire virer de l'émission n'avait rien d'irrémédiable, mais être expulsé de la maison, se faire confisquer la voiture sans même un coup de fil de sa part, signait l'arrêt définitif de l'aventure.

Je fis le point. Je n'avais pas envie d'encourir de nouveau ses foudres, mais qu'avais-je à perdre désormais ? Elle m'avait déjà tout pris. La médiatisation et l'argent étaient des drogues dont il était impossible de décrocher et je ne comptais pas m'en passer s'il existait un moyen, quel qu'il soit, de retrouver une source d'approvisionnement. Il était temps de redresser la barre. Temps de voir si ce qu'avait déclaré Powell, à l'agonie, avait un sens.

Cependant, au moment où je pris cette décision, il était trop tard pour aller récupérer la Prelude. Je devrais patienter jusqu'au lendemain pour rebondir. Alors je me rendis dans le quartier chaud. Je m'y baladai le temps de dégotter un cocktail de pilules et du poulet frit. Peu après, l'urgence disparut.

Chapitre 47

Quatre mois au dépôt, et la Prelude ronronnait comme au premier jour. Elle ne possédait pas le mordant de la Mustang et personne ne se retournait sur son passage, mais c'était toujours mieux que la marche à pied. Le marteau que j'avais acheté la veille au soir dans un magasin de bricolage sur Santa Monica cognait dans le coffre à chaque tournant.

Les rues étaient calmes après que j'eus franchi les quartiers plats de Beverly Hills et elles le furent encore plus lorsque j'atteignis Peavine Canyon.

Apricot Lane était aussi mort que lors de mes précédentes visites, personne alentour, aucune voiture sur la chaussée. Je roulai au pas jusqu'au bout et me garai. La maison n'était pas allumée, mais ça ne voulait rien dire. Il n'y avait pas de fenêtres au sous-sol et si quelqu'un était présent cette nuit, c'était là.

J'y allai mollo avec la porte du garage. Je la levai de quelques centimètres à la fois grâce au manche du marteau, jusqu'à ce que je puisse m'assurer, par l'entrebâillement, qu'il n'y avait pas de véhicule à l'intérieur. Bella aurait pu être là, en train de vérifier son matériel, voire d'opérer un donneur. Sans Powell ou moi pour dénicher les candidats, c'était peu probable. Et je ne voyais pas Lorn prendre la relève, mais on ne pouvait écarter cette possibilité malgré tout. L'absence de la 850ci impliquait que j'avais la libre jouissance des lieux. Je forçai la porte avec une espèce d'exultation violente. Le mécanisme céda et les lames métalliques s'enroulèrent jusqu'en haut sans faux pli.

La porte, à l'intérieur de la maison, avait été remplacée depuis ma dernière visite. On y avait ajouté plusieurs verrous ainsi qu'une barre de renforcement. Mon marteau et moi nous attendions à quelque chose de ce genre. Nous nous mîmes à l'ouvrage avec l'assurance que l'effort serait récompensé. Ce fut le cas, mais j'avais un peu la tête qui tournait, sur la fin.

Powell avait parlé d'un réfrigérateur. Au moins, je savais quoi chercher, ou presque. Il y en avait un dans la salle d'opérations. Je l'avais déjà aperçu, autant commencer par là. J'avais planifié une recherche méthodique et rapide, mais lorsque je poussai les portes battantes, je ne pus m'empêcher de m'arrêter quelques instants. Tous ces bords froids, le métal étincelant, je sentais naître une érection. Ce n'était pas parce que je me rappelais à quoi Bella s'était adonnée ici. Ç'avait plus à voir avec l'austérité irréelle de l'endroit, un lieu exempt des besoins élémentaires accordés en général aux êtres humains par leur environnement. J'allumai le réflecteur qui pendait, semblable à un visage inquisiteur au long cou. Tout s'éclaira. Sous la lueur brutale du tubage au mercure, la surface vinylique de la table scintilla comme de l'or.

Le frigo était contre le mur. Il ressemblait à un appareil ménager qu'on aurait trouvé dans une cuisine miniature. Son contenu ne signifiait rien pour moi : des fioles d'une drogue inconnue qui attendait d'être aspirée dans des seringues. Si Powell avait voulu m'indiquer quelque chose là-dedans, il avait expiré en pure perte. Néanmoins, je savais que sa condescendance de camé situait mes capacités de réflexion tout en bas de l'échelle, aussi je me doutais que l'objet de ma quête devait être relativement évident à dénicher. Je continuai à explorer. Je furetai dans toutes les pièces du sous-sol, même celles où j'étais certain de ne pas trouver de frigo. Au bout d'un moment, je découvris un débarras. Des étagères de matériel jetable : gants, blouses, scalpels, vêtements, mélangés à d'autres équipements en plastique couleur crème ou en acier chromé qui paraissaient, eux, réutilisables. Et dans un coin, un réfrigérateur qui ronronnait. Seulement, il ne s'agissait pas d'un appareil habituel. Celui-ci était rond, de couleur orange, identique à ces trucs qu'on envoie au fond des océans, mais en plus petit. Des tuyaux et des autocollants d'avertissements partout sur les côtés. À la place de la porte, il y avait une espèce de poignée-ventouse encastrée au sommet, à environ trente centimètres de la base.

Une paire de longs gants isothermes et un jeu de pinces étaient suspendus à proximité, sur un crochet mural. Il était clair qu'ils étaient là pour être utilisés. Ce que je fis.

À l'intérieur, une fois que le nuage de condensation se fut dissipé, la première chose que je distinguai fut une réserve de pochettes plastique froissées remplies de sang congelé. Je les retirai une à une avec les pinces. Elles avaient l'air assez dures pour se briser en mille morceaux. À moins que tout le stock n'appartienne à Karen, ce n'était guère probant. J'avais aussi du mal à envisager des trucs tordus, genre Powell et Bella en train de saigner à blanc quelqu'un. Cette réserve servait plus probablement aux transfusions pendant les ablations rénales. Le réfrigérateur contenait néanmoins d'autres éléments. Vers le fond, dans le dernier compartiment, je trouvai des petits sachets plastique pleins d'un liquide crémeux solidifié. Et puis autre chose encore, très plat, fin, enveloppé dans du film alimentaire. Je remis les pochettes de sang à leur place et refermai le frigo. J'emmenai le reste avec moi à l'étage et m'assis au salon pour attendre la décongélation.

Ce ne fut pas long : il ne s'agissait pas d'un poulet, après tout. Je pressai le liquide blanchâtre. Il était visqueux dans le plastique. Pas besoin d'être grand clerc pour comprendre que c'était du sperme. Et pour comprendre de qui il provenait : d'une manière ou d'une autre, Bella s'était débrouillée pour mettre de côté quelques giclées durant ses parties de jambes en l'air avec Powell. Je ressentis un frisson d'excitation. Cette trouvaille signifiait que le principal alibi de Bella — l'impossibilité matérielle pour elle d'éjaculer dans les entrailles de Karen — ne tenait plus. Il était désormais manifeste qu'elle avait dû se contenter de vider un de ces petits sachets dans le corps.

Bien sûr, d'autres options étaient envisageables. Powell avait pu stocker lui-même le sperme dans le réfrigérateur, ou alors la semence provenait d'un des donneurs de Bella. Mais j'étais presque certain que ce n'était pas le cas. Powell ne m'avait pas paru être le genre de type à préserver son patrimoine génétique pour le bien de l'humanité, et Bella n'avait aucune raison de conserver le foutre d'une des épaves repêchées dans la rue.

J'étais persuadé d'avoir baisé Bella pour de bon. J'avais la cassette et je connaissais désormais l'origine de la substance visqueuse à l'intérieur de Karen. Lorsque je déballai le truc enveloppé dans le film alimentaire, je savais déjà ce qu'il renfermait : un carré de peau sur lequel était tatoué, à l'encre noire, un scarabée égyptien. Le morceau d'épiderme qui manquait sur l'omoplate de Karen quand ils l'avaient trouvée dans le parc. Powell n'aurait jamais voulu garder un truc pareil puisqu'il venait de quelqu'un qu'il exécrait. Par contre, Bella aurait sans nul doute chéri l'objet.

Je disposai les sachets de sperme et le bout d'épiderme sur la table basse devant moi et allumai une cigarette. Je songeais à Powell. Ses derniers mots m'avaient conduit à cette pêche miraculeuse. Le fait qu'il sache ce qui était entreposé ici signifiait qu'il savait aussi pour le meurtre et ses implications. Et s'il connaissait les implications, il lui était impossible d'ignorer que Bella projetait de le piéger. Cette espèce de vieux con était tellement accro à elle qu'il l'avait bouclée, même quand sa vie avait été menacée, jusqu'à la fin, jusqu'à ce que ses tripes se répandent sur ses cuisses. Et rétrospectivement, au ton de sa voix à l'époque, je pris conscience qu'il n'avait jamais voulu porter préjudice à sa fille mais me dépouiller de ma supposée probité, démolir mes certitudes quant à son degré de responsabilité. Il savait que je voulais que ce soit lui, que je désirais à tout prix éviter de me confronter à la culpabilité éventuelle de Bella. Il n'avait jamais été question, pour lui, de me permettre de prolonger cette illusion confortable.

Si Bella et Powell étaient complices, tout allait bien. Powell avait mérité son sort et je possédais un moyen de pression sur Bella. D'un autre côté, si Bella avait agi seule — et en regardant les choses en face, c'était maintenant ce que je croyais —, alors le sperme constituait toujours une preuve, mais Powell était mort pour rien. Ce qui voulait dire que j'avais participé au meurtre d'un innocent ou, du moins, au meurtre de quelqu'un qui n'avait rien à voir avec la disparition de Karen.

J'essayai de revivre cette nuit-là, de retrouver le souvenir de la voiture maculée de sang, le ventre de Powell qui s'ouvrait, l'odeur des organes. J'essayai de ressentir une certaine douleur. De me haïr pour avoir perpétré un tel acte, manipulé par Bella. Mais il était vain de vouloir faire surgir ces sentiments. Je me réjouissais trop à l'idée d'avoir devant moi, sur la table basse, le pouvoir d'imposer mon retour dans le milieu que j'affectionnais tant.

Chapitre 48

J'entrai en contact avec Bella par l'intermédiaire de sa messagerie. Elle n'avait répondu à aucun de mes appels depuis mon éviction de *28 FPS*, mais j'évoquai en quelques phrases mon désir de m'entretenir avec elle de certaines choses que Ryan m'avait révélées la dernière fois où je l'avais vu vivant, et elle était au bout du fil avant midi.

Nous prîmes place dans sa salle vidéo, l'endroit le plus approprié. Bella avait les cheveux ramenés en arrière, elle était nue sous sa jupe. Lorsqu'elle bougeait sur la chaise, l'étoffe soyeuse de son vêtement dévoilait sa chatte. Elle ne prit pas la peine de se couvrir. Je sentais le musc de son intimité.

Je fis défiler l'enregistrement et lui précisai où auraient dû se trouver les agrafes sur l'abdomen de Karen. Bella regardait moins la cassette que moi et l'air satisfait qu'elle arborait depuis le début me donnait le mauvais pressentiment que les événements n'allaient pas se dérouler aussi bien que prévu. Pendant un instant irréel, j'eus l'impression que le but même de cette entrevue se retournait contre moi. Au lieu de l'accuser du meurtre, je me retrouvais coupable de posséder un document qui constituait un danger pour elle. Je fis de mon mieux pour combattre ce sentiment, mais ma voix paraissait faible :

« Ryan avait décelé ce détail la nuit où tu l'as tué, j'ai mis un peu plus de temps. Tu croyais quoi, que nous n'allions rien remarquer ?

— Oh, j'étais convaincue que vous le verriez. Mais j'étais persuadée que vous ne voudriez pas y croire.

— À cause de l'argent que tu possèdes ?

— Toi et Ryan, vous vous ressemblez beaucoup. Tu vois dans l'argent la justification ultime de l'existence. Ça te rend prévisible.

— Powell n'a pas assassiné Karen.

— Non, il ne l'a pas fait.

— C'est toi qui as filmé. Tu savais qu'il ferait une copie et que, tôt ou tard, nous mettrions la main dessus. Et tu savais ce que nous en conclurions.

— Je savais ce que vous en concluriez.

— Quand as-tu échafaudé cette stratégie ?

— Tuer Karen ? Ce n'était pas prémédité du tout.

— Mais le film a été tourné avant que tu lui retires son rein.

— Ce film était juste en ma possession, il ne faisait partie d'aucun projet, en tout cas pas à ce moment-là. Je l'ai tourné dans l'appartement de Powell pour lui faire du mal, pour raviver la plaie, si je peux m'exprimer ainsi. Point. Je n'ai élaboré le plan que lorsque j'ai compris à quoi pouvait servir la cassette. Effacer le double, inventer une histoire à propos du bracelet… Presque trop facile.

— Pourquoi tu l'as tuée ?

— C'est important pour toi ? »

Je ne répondis rien. Bella haussa les épaules, rembobina la cassette, puis la repassa au ralenti. Elle observait l'écran tandis qu'elle parlait.

« Karen est revenue beaucoup plus tôt que prévu. Nous avions envisagé de nous revoir seulement quelques semaines après qu'elle aurait récupéré de l'opération, mais elle avait des problèmes chez elle. L'homme avec qui elle vivait l'avait mise dehors et elle n'avait nulle part où aller. Je savais qu'elle était disponible, que c'était une femme qui ne serait pas vraiment réticente à l'idée de vendre une partie d'elle-même, c'était une perpétuelle tentation. La porte était déjà ouverte, vois-tu, et je voulais résister. Au bout d'une semaine, j'ai proposé de lui acheter son appendice, elle a accepté.

— Seulement, tu ne t'es pas arrêtée à son appendice.

— Non. Cette ablation était beaucoup plus simple à pratiquer, alors je me suis passée de Powell. Je n'avais pas imaginé prendre davantage que l'organe acheté. Mais j'étais là-bas, seule, avec elle allongée sur la table, tellement... offerte. J'aurais fait preuve de lâcheté si je m'étais imposé des limites une fois l'intervention commencée. Je lui ai presque tout enlevé.

— Mais pourquoi ?

— Je te l'ai déjà expliqué. Ces opérations constituent une épreuve. Même avec des parias, elles réclament une volonté extraordinaire. Pour Karen, quand je lui ai ôté le rein, j'ai franchi un nouveau cap. Il ne s'agissait plus d'une anonyme. Je l'aimais, elle représentait énormément pour moi. La mutilation me demandait, en comparaison, plus d'efforts. Et pourtant, on restait dans le domaine de la chirurgie. La deuxième fois, le défi était encore plus grand.

— Tu élèves ceci au rang d'acte de bravoure.

— Nous parvenons à la maîtrise totale par ces épreuves, Jack. C'est la seule façon de devenir plus que ce que nous sommes. Bien entendu, je ne m'attends pas à ce que tu comprennes.

— Et Powell, il a compris ? »

Bella se mit à rire.

« Pas vraiment, il voulait quitter le pays. Il était si effrayé qu'il a effacé la cicatrice, il croyait qu'elle permettrait de remonter jusqu'à nous. Je pensais qu'il était ridicule, mais Ryan m'a prouvé le contraire, je l'avoue. J'aurais préféré ne pas impliquer Powell du tout, mais j'avais besoin de lui pour me débarrasser du corps.

— Et tu l'as remercié en décidant de le trahir. De le tuer.

— Je ne pouvais pas lui permettre de maintenir son emprise sur moi avec une chose pareille.

— Il n'aurait jamais rien dit à personne.

— Peut-être pas. Mais l'équilibre de notre relation en a été bouleversé. Il s'est cru autorisé à formuler des exigences. Je ne pouvais pas le tolérer. Et puis, j'aurais été stupide de ne pas prendre toutes les précautions nécessaires pour parer à une enquête sur moi.

— Il était innocent. Il n'a rien fait.

— Tu sais ce que c'est, d'essuyer le foutre de ton père d'entre tes jambes ? »

Bella arrêta la cassette et se tourna vers moi.

« Puisque tu tiens tant à Powell, peut-être que tu devrais réfléchir à ceci : il est mort simplement parce que Ryan est venu à Malibu. Et Ryan est arrivé ici à cause de toi. Sans toi, Jack, Powell serait toujours de ce monde.

— Je ne marche pas. Je veux récupérer ma vie d'avant.

— Tu es toujours en vie, Jack.

— Ma maison, ma voiture, l'émission, tout. Je veux tout ravoir.

— Tu as dit à Lorn que j'étais dangereuse. C'était… une indiscrétion de ta part.

— Soit tout redevient comme avant, soit cet enregistrement va à la police.

— Oh, Jack, j'ose espérer que tu ne commettrais pas cette erreur. C'était tellement mieux quand tu faisais semblant de m'aimer.

— Je suis sérieux.

— Qu'y a-t-il vraiment sur la cassette ? Une fille qui se masturbe. C'est une preuve que je l'ai croisée, sans doute. Mais elle était prostituée, et rien ne dit que je l'aie jamais revue. Impossible de monter une accusation pour meurtre avec si peu. D'ailleurs, qui peut affirmer que je ne l'ai pas trouvée dans la rue ?

— L'autre enregistrement, celui avec les donneurs. Elle y figure aussi.

— Déjà effacé. Et tu oublies le sperme dans le corps. Un peu dur de me mettre ça sur le dos, non ? »

Je sortis de ma veste le tatouage et un des sachets remplis de semence. Je les jetai sur la console devant elle. Elle ne fit aucun geste.

« L'ultime plaisanterie de Powell, je suppose.

— À la toute fin, ton emprise sur lui a en quelque sorte pris un coup dans l'aile. Je crois que se retrouver piégé et voir sa vie menacée a ce genre d'effet sur un homme.

— Un événement auquel ta participation fut entière.

— Et le tatouage ? Elle était tellement périssable que tu avais peur de l'oublier si tu ne gardais pas un souvenir d'elle ?

— Je ne suis pas près de l'oublier, Jack. Nous l'avons fait faire au même endroit, en même temps. Le motif est inhabituel et il y avait une chance infime pour qu'il constitue un lien. Je devais l'enlever. Je n'aurais sans doute pas dû le conserver, mais c'est mon côté sentimental. »

Je reniflai et désignai le sachet de sperme.

«Charmante initiative.

— Efficace, en tout cas.

— Tu as dû boire du petit-lait quand tu t'es rendu compte que le chantage n'était pas le seul objectif de Ryan. Il était à point. Il te débarrassait de Powell et des méchantes emmerdes consécutives à une enquête.

— Et j'ai aussi obtenu autre chose. Je t'ai impliqué dans le décès de Powell. Amusant comme tout s'enchaîne.

— C'est Ryan qui m'y a obligé, pas toi.

— Qui l'a persuadé en premier lieu que c'était si important ?

— Conneries.

— Je ne vais pas argumenter là-dessus. Ceci dit, même si tu es en mesure de fournir une explication pour le sperme, tu n'iras pas voir la police. Tu es trop compromis. Maintenant que Ryan n'est plus, ils te tiendront pour seul responsable.

— Il n'existe aucune preuve que je sois mêlé à toute cette histoire.

— En fait, si. »

Bella éjecta la cassette de Karen, en piocha une autre sur l'étagère avant de l'introduire dans le magnétoscope. Sur l'écran apparut une paire de gants de vaisselle tachés de sang et posée sur du papier journal.

«De la part de Ryan. Avec tes empreintes à l'intérieur, je pense.

— Je le crois pas, putain ! Tu m'as piégé ! »

Elle retira la cassette et la mit de côté.

«J'ai pris une assurance. J'espère que je n'aurai pas à m'en servir. »

Un revirement express semblait être la seule issue, vu la tournure défavorable que prenaient les événements. J'y mis un maximum de conviction.

« Écoute, je n'allais pas vraiment montrer ces trucs aux flics. J'essayais juste de récupérer mon ancienne vie. Je veux dire, c'est insupportable, Bella. Tu ne comprends pas ?

— Tu n'aurais pas dû parler de tout ça à Lorn.

— Je sais. Bon Dieu, est-ce qu'il y a quelque chose que je puisse faire ? »

Je m'emparai de l'enregistrement de Karen, le fourrai dans l'appareil et l'effaçai.

« Voilà, je déconnais. Jamais je n'aurais été voir la police. Tu sais que j'en suis incapable. Tu ne ressens plus rien pour moi ?

— Il ne s'agit pas de sentiment, il s'agit de sécurité.

— Mais tu es en sécurité. Garde le tatouage et le sperme. Je ne peux rien faire sans eux.

— Il y avait un autre sachet.

— Ouais, bien sûr, tiens. »

Je pris le second échantillon de sperme dans ma poche et le lui tendis.

« Maintenant, tu as tout. S'il te plaît, Bella, je t'en supplie. Tu veux bien me rendre l'émission, au moins ? »

Bella soupesa les sachets un instant, puis se pencha pour éteindre la console.

« Laisse-moi ton numéro. Je vais y réfléchir.

— Super ! »

Je lui filai une carte du Palm Grove. J'espérai la voir ébaucher un sourire qui m'aurait indiqué que tout était arrangé entre nous désormais. Mais elle resta de marbre. Elle m'examina d'un regard froid et rabattit sa jupe.

« Je ne te promets pas que j'appellerai, Jack. »

Le retour au motel fut loin d'être agréable. L'océan paraissait gelé et hostile sous la demi-lune. Je ne pouvais pas m'arrêter de penser à la pauvre merde que j'étais. Ma stratégie grandiose qui devait forcer Bella à me donner ce que je désirais n'avait mené à rien, elle avait été réduite en cendres par la puissance de sa volonté. J'étais arrivé avec des preuves en mesure de la détruire et j'étais reparti bredouille.

Chapitre 49

Télé, télé, télé. La convoitise me rendait fou. Je la regardais sans interruption. Les jours défilaient et Bella ne rappelait pas. Il devenait de plus en plus difficile d'échapper au sentiment qu'elle n'allait jamais le faire, qu'on allait m'oublier pour toujours dans ce monde cauchemardesque fait d'hôtels borgnes et d'anonymat.

Parfois, je sortais, surtout pour admirer les couleurs du ciel à l'arrivée du soir. J'arpentais la rue en face du motel dans l'espoir de maintenir un contact avec la ville. Mais tout m'était étranger, comme si j'étais perdu dans une cité d'Asie où l'on parlait une langue incompréhensible et où il était impossible d'appréhender les conduites les plus élémentaires.

J'avais obtenu du proprio qu'il raccorde un magnéto et je visionnais les casseurs de la bijouterie baiser la femme de ménage à mort. Je passais et repassais le film devant lequel je me branlais sans fin, avec la volonté de chasser l'angoisse qui grandissait. J'avais acheté un deuxième poste, comme ça je pouvais mater *Melrose Place, Alerte à Malibu* ou *Beverly Hills* en simultané. Mais rien ne marchait et chaque fois que je crachais la

purée sur la moquette, je restais dans un état d'insatis-
faction qui confinait à la rage.

Brad Pitt et Gwyneth Paltrow, Johnny Depp et Kate
Moss, Keanu Reeves, Matthew McConaughey, Chris
O'Donnell, Leonardo DiCaprio, Drew Barrymore, Linda
Hamilton, Winona, Sigourney, Woody, Pamela... Mon
Dieu, c'était insupportable. L'ensemble des médias des
États-Unis me bombardait de ces gens. Je fermais les
yeux, bouchais mes oreilles, mais c'était trop tard. Ils
étaient déjà incrustés dans ma tête, je n'avais aucun
moyen de les en déloger.

J'ingurgitais un tas de pilules — Rohypnol, Valium,
Lorazepam —, n'importe quoi qui m'aide à contrer les
assauts, à tenir à distance ces stars de ciné qui étaient
devenues si gigantesques par rapport à moi. Les substances chimiques étaient insuffisantes. Elles ralentis-
saient le processus, mais elles ne pouvaient m'ôter de
l'esprit l'idée que je n'existais pas. À ce stade, vu que
Bella n'avait toujours pas appelé, je fus obligé de partir à la recherche d'un mode d'évasion plus radical.

La soirée était brumeuse, le ciel menaçant : de sales
nuages noirs à la panse ensanglantée. Une brise légère
avec des fragrances d'eucalyptus et de jasmin descen-
dait des collines. J'avais les vitres ouvertes, le vent
s'engouffrait dans la voiture. Pendant un moment, son
rugissement masqua les hurlements dans mon crâne.
Au feu rouge, je branchai la clim afin de prolonger le
vacarme.

Le tapin n'avait pas changé en mon absence. La
même puanteur de fast-food et de chattes, les néons qui
déferlaient par vagues de couleurs poussiéreuses sur les
cuisses dénudées, les épaules des putes fatiguées en
train de se pavaner. Il était trop tôt pour le coup de
bourre, mais les gens semblaient tout de même se mou-

voir avec une certaine fébrilité. Peut-être était-ce dû à la pression atmosphérique, peut-être désiraient-ils finir ce qu'ils avaient à faire avant qu'il ne flotte. Je me garai et me mis en quête de Rosie, la pute qui avait laissé Ryan lui déféquer dans la bouche.

Elle n'était pas sous son porche habituel. J'explorai quelques rues environnantes sans succès, avant d'abandonner et d'opter pour un substitut sur l'artère principale. Comme de coutume, les femmes entre lesquelles choisir étaient nombreuses, cependant j'avais du mal à me décider. J'entamai l'approche une ou deux fois, mais il y avait toujours quelque chose pour me dissuader. Soit elles paraissaient trop futées, soit trop fortes.

Je commençais à me dire que je ferais mieux de regagner la voiture, rentrer chez moi, prendre des cachetons, et me taper une branlette. Pourtant, j'étais poussé par une faim carnassière intarissable, une envie qui refusait de lâcher prise, issue des profondeurs du tissu cellulaire, indéfinissable et incontrôlable.

Je parcourus le quartier de long en large. Il se faisait tard et la pluie se mit à tomber. Je marchai jusqu'à avoir mal aux jambes. Les videurs, devant les boîtes de strip-tease, se mettaient à me regarder d'un drôle d'œil. Les tapins les plus repoussants, ceux qui poireautaient depuis le début de mon périple, me hélaient désormais à chaque passage. Il y eut un moment de flou dans la nuit, un moment composé de lumières éclatantes et d'eau, jusqu'à ce que, aux alentours de deux heures, je repasse devant le porche de Rosie au cas où, et elle était là.

Elle portait une robe moulante rose qui n'allait pas très bien avec son corps flasque. Mais elle était pourvue de nichons et d'une chatte et je vis qu'elle était déglinguée au point d'accepter n'importe quoi.

Dans un taxi, en route pour un taudis sur Lexington, elle s'enquit de mon régime alimentaire et de mon transit intestinal. De toute évidence, elle ne se souvenait pas de moi.

Le motel comprenait un bâtiment principal et quelques bungalows derrière. Deux bagnoles, ornées d'autocollants vantant le port d'armes, étaient stationnées en retrait de la rue, sur des emplacements envahis par les mauvaises herbes et jonchés de canettes vides. On aurait dit une planque pour les fuyards.

À la réception, je donnai un faux nom, réglai en liquide et évitai tout contact visuel. Le réceptionniste fixa Rosie et se passa la langue sur les lèvres. Il puait le bourbon. Nous nous rendîmes à l'un des bungalows. Pas particulièrement retiré ni tranquille, mais néanmoins indépendant.

Une fois à l'intérieur, Rosie déplia sa bâche plastifiée, se déshabilla et s'allongea sur le dos. Son corps était blafard. Je pouvais voir ses petites lèvres bâiller à travers la touffe entre ses jambes. Elle ouvrait la bouche aussi grand qu'il lui était permis puis la refermait.

Je prenais mon temps pour ôter mes vêtements, conscient d'avoir obtenu ce que j'attendais de cette nuit. C'était un peu effrayant de savoir que je serais incapable de me trouver des excuses le lendemain. Qu'il ne s'agirait pas d'un corps fourni par Ryan ou de celui de Rex, des cadavres. Et que personne ne m'avait obligé, comme ç'avait été le cas pour Powell.

Elle commença à marmonner, elle voulait que je me dépêche, alors je m'accroupis et la laissai me lécher l'anus tandis que je me concentrais. Quand mon cul fut tout à fait propre, je me redressai et lui dis que ça m'exciterait encore plus si je l'attachais. Elle n'y vit pas d'inconvénient. Je déchirai un des draps et lui liai les mains derrière le dos. J'aurais aimé aussi lui attacher les pieds à quelque chose, mais il n'y avait rien à proximité.

Toute cette mise en scène semblait se dérouler à l'extérieur de moi. J'étais davantage accaparé par la vision de la femme sur le sol : la violence de la lumière fluorescente, si rude contre elle, incrustait son image dans ma rétine, en exacerbait le réalisme. J'étais également absorbé par l'urgence ardente de fourrer ma queue en elle, de savoir ce qu'on ressentait lorsque quelqu'un mourait juste en dessous de vous.

Je grimpai sur elle et la pénétrai. Elle se mit à se plaindre que nous avions convenu qu'elle mangerait ma merde d'abord, que les mains dans son dos l'incommodaient. Je bus la moindre de ses paroles, je l'étudiai avec un maximum d'intensité, dans l'espoir de m'imprégner de chaque détail de sa physionomie : les expressions de son visage, la sensation des mouvements de son corps sous le mien, sa chaleur. Sa vie.

Je lui assurai que je la baiserais en premier, et lui chierais dessus ensuite, ce qui la calma. Une fois qu'elle se tint tranquille, une fois que j'eus humé les parfums de sa chevelure, de sa peau, de sa chatte, je posai mes mains autour de son cou.

Tout d'abord, elle ne se rendit pas compte de ce qui arrivait car je n'avais jamais fait ça et j'ignorais à quel point il fallait serrer. J'avais la tentation bizarre de ne pas vouloir lui faire mal, d'essayer que ça se déroule aussi paisiblement que possible. Ce n'était, bien entendu, pas de cette manière que j'allais m'acquitter de ma tâche, alors je pressai d'un coup, les pouces enfoncés à la naissance de la gorge. Peut-être que ç'aurait été mieux au milieu mais le cartilage à cet endroit me répugnait.

Elle comprit tout de suite et roula de bâbord à tribord

pour m'éjecter. Il lui était impossible de crier tant ma prise était ferme, mais elle fit des bruits de suffocation affolants. Les sons étaient tellement horribles que je m'arrêtai presque. Cependant, la façon dont ses hanches battaient contre moi, la chaleur de l'urine tandis que sa vessie se relâchait étaient si agréables que je continuai.

Du moins jusqu'à ce que quelqu'un tambourine à la porte.

Je me pétrifiai. Les coups redoublèrent et celui qui frappait, qui qu'il fût, commença à vociférer.

« Hé, mon pote, ouvre ! J'ai un truc à te demander ! »

Le réceptionniste. Je détachai mes mains de la gorge de Rosie. Même si elle s'était évanouie, je lui enfournai un morceau de drap dans la bouche, au cas où. Je me retirai et demandai en criant au gars dehors ce qu'il voulait.

« Laisse-moi entrer. Je peux pas rester là à gueuler derrière la porte, il y a des gens qui essayent de dormir. »

Je jetai un coup d'œil à Rosie qui baignait dans sa pisse, allongée sur le sol. Elle n'avait pas l'air très frais, mais elle était vivante. J'apercevais sa poitrine se soulever quand elle respirait. C'était le seul mouvement discernable, sinon elle était K.O. Le type reprit son battage. À l'évidence, il n'allait pas lâcher l'affaire. Il paraissait bourré.

J'entrouvris la porte de quelques centimètres et scrutai les alentours. De là où il était, il ne pouvait pas voir Rosie.

« Qu'est-ce que tu veux ? »

Sa peau était grasse. Il ne s'était pas rasé depuis environ trois jours. Ses cheveux aussi étaient gras, plaqués en arrière sur son crâne avec une espèce de gomina démodée. Il me fit un large sourire.

« Allez, mon pote, tu sais ce que je veux. J'ai vu ce

morcif que tu as ramené, j'ai les yeux en face des trous. Avec un truc pareil, tu peux te faire virer. Arrêter aussi, si on se réfère à l'incitation à la débauche.

— Va te faire foutre.

— C'est une pute. J'ai raison ou pas ? »

Il gloussa et sortit de mon champ de vision un instant. Quand il réapparut, il tenait une bouteille de Jack Daniel's aux trois quarts pleine qu'il agita devant mon nez.

« Je pensais que toi, moi et elle, on aurait peut-être pu trinquer.

— Je ne crois pas.

— Eh, sois pas comme ça. Quand t'es assis sur ton cul toute la nuit, tu deviens chaud bouillant, tu sais ? Je vois pas ce que ça te fait de la partager, j'ai de quoi payer.

— Va te faire foutre. »

Je tentai de refermer la porte, mais il glissa son pied à l'intérieur.

« Pas besoin d'être grossier, pas quand c'est ma tournée. Si tu fermes cette lourde, je sors mon passe et je la rouvre. »

Je regardai Rosie par-dessus mon épaule. Elle était toujours dans les vapes et semblait en avoir encore pour un bout de temps.

« D'accord, tu peux tirer un coup, mais elle est plutôt défoncée à l'heure actuelle. Elle a pris un tas de pilules et de merdes.

— Mon pote, je m'en fous, même si elle est dans le coma.

— Laisse-moi enfiler un futal. »

Il enleva son pied de l'entrebâillement et je refermai. J'allai vers Rosie et la secouai. Pas de réponse, mais sa respiration était calme et régulière. J'ôtai le bâillon, la détachai, cachai le drap déchiré sous le lit et me rhabillai. J'estimai que si je laissais ce tordu s'y mettre, je serai parti longtemps avant qu'il se doute de quelque chose. Lorsque je l'autorisai à entrer, son visage s'illumina.

« Hé, par terre, bonne idée. T'as essayé de la réveiller ? C'est quoi toute cette eau ?

— De la pisse. Elle s'est oubliée quand elle est partie à dache.

— Oh, dommage que je ne sois pas venu plus tôt. Une chance que tu aies étalé ce plastique, ça aurait pu niquer la moquette. Qui y va en premier ?

— Je l'ai déjà baisée.

— Je tire le gros lot, alors. »

Il lui écarta les jambes, plongea un ou deux doigts dans son vagin.

« Hé, génial. Par contre, je vais me mettre de la pisse partout.

— T'es pas obligé de la fourrer.

— Tu rigoles ? »

Il sortit sa queue et donna quelques coups de poignet. Je me dirigeai vers la porte.

« Écoute, mec, je dois aller chercher des clopes. Je reviens. Si elle émerge, ne l'écoute pas pour l'argent. J'ai déjà payé.

— Impec, mon pote. »

Il était trop occupé à passer les jambes sur ses épaules pour être vraiment attentif.

Je redescendis la rue à vitesse grand V jusqu'à ce que je chope un taxi. Cinq minutes plus tard, à mi-chemin sur le tapin, je réglai la course. Je revins à pied là où j'avais garé la Prelude. Peu après, j'étais de retour au Palm Grove, en train de m'enfourner des pilules et de m'assurer que la porte était bien verrouillée.

Chapitre 50

Le téléphone me réveilla aux alentours de midi. Un appel de Bella, et une possibilité de résurrection.

« Tu peux faire quelque chose pour moi.

— Tout ce que tu veux.

— Il faut que tu m'aides pour Lorn.

— C'est-à-dire ?

— Je n'ai pas eu de donneurs depuis longtemps. J'ai besoin de son rein.

— Qu'est-ce qu'elle en pense ?

— Je ne lui ai pas demandé. Je sais ce qu'elle me répondrait.

— Donne-lui plus de temps d'antenne, elle se pliera à tes quatre volontés.

— J'utilise déjà de cette carotte pour coucher avec elle. Et avec l'argent, ça ne donnera rien. Elle n'est pas assez désespérée.

— Alors tu veux que je fasse quoi ?

— Sers-toi de ton imagination.

— Tu préconises la force ?

— La force, c'est un bien grand mot.

— Mais il s'agit de cela, non ?

498

— Nous n'utiliserons pas la violence. Je la droguerai. Il me faut juste un coup de main pour la porter.

— Elle va dire quoi, quand elle va se réveiller ?

— Que veux-tu qu'elle dise ? Il sera trop tard, à ce moment-là.

— Elle sera un peu en colère, tu ne crois pas ?

— Je m'en occuperai.

— Comment tu peux t'occuper d'un truc pareil ? Ce n'est pas comme si elle n'allait pas remarquer la cicatrice.

— Je te répète que je m'en occuperai. Si c'est un problème, elle ne sera pas au courant de ta participation. Je la rendrai inconsciente avant qu'elle puisse te voir et tu pourras partir avant qu'elle n'émerge.

— Mais Lorn est une personne normale. Elle n'est pas liée à Ryan ou Karen ni rien. Tu ne peux pas prendre quelqu'un dans la rue ?

— C'est elle que je veux.

— Quelle différence ça fait ? Un rein est un rein, putain de Dieu.

— Elle ne te rappelle pas quelqu'un ?

— Qui ?

— Karen. Elle ressemble à Karen, Jack. Même corps, même chevelure, juste un peu plus lisse. Je n'arrive pas à croire que tu n'aies jamais fait le rapprochement.

— Non, je n'ai jamais fait le rapprochement. Et je n'aime pas l'idée que tu essayes de revivre ce que tu as infligé à Karen.

— Jack, il ne me faut que son rein, je n'ai pas l'intention de la tuer. Si tu m'aidais, ça pourrait être très bénéfique pour toi.

— Bénéfique comment ?

— Ta maison et ta voiture. De plus, je suis certaine que Howard serait disposé à t'obtenir une place dans l'une de ses émissions.

— Et si ça ne suffit pas ?

— Je te donne l'opportunité de récupérer ce que tu as perdu. C'est inespéré pour toi. Bien sûr, si tu rechignes, je peux toujours choisir une autre méthode de persuasion, une méthode que tu trouveras beaucoup moins agréable.

— Les gants.

— Si tu m'y obliges. C'est un boulot d'un soir, Jack. Ce n'est pas une concession énorme en regard d'une inculpation pour meurtre. »

Elle demeura silencieuse quelques instants, j'écoutai le léger souffle du bruit résiduel sur la ligne. Puis Bella reprit la parole, pleine d'assurance, sexy : « Tu ne vas pas faire la fine bouche, hein, Jack ? »

Après que Bella eut raccroché, je m'assis au bord du lit et songeai à Lorn. Ce n'était pas l'amour de ma vie, mais participer à sa mutilation était difficile à envisager. À un moment, je contactai les studios et parvins à l'avoir au bout du fil. Cependant, lorsqu'elle prit le combiné, je restai muet. Le téléphone à la main, je l'entendis dire allô plusieurs fois et demander qui était là. Je voulais la prévenir, l'informer de ce que Bella préparait, mais j'en fus incapable. Je ne trouvai pas le courage de gâcher mon billet de retour dans le monde.

Par chance, ma conscience ne me tortura pas trop longtemps.

Chapitre 51

Dès le lendemain, Bella avait ferré le poisson. Elle désirait que nous nous rencontrions à Apricot Lane en début de soirée. Lorn serait avec elle.

Je me douchai et me changeai, puis, assis, les yeux dans le vague, je contemplai par la fenêtre un morceau de mur et une porte en tout point identiques à la mienne de l'autre côté de la piscine. Ensuite, l'heure de prendre la direction des collines arriva. Je n'avais rien mangé de la journée. Je me sentais faible et vide. Vu ce à quoi j'allais participer, sans doute était-ce un état approprié.

Il me restait deux cigarettes dans le paquet lorsque mon agent de Century City appela. Il m'enjoignit de venir au bureau sur-le-champ. Il ne donna pas plus de précision au téléphone et j'y allai pied au plancher.

Quand je sortis de l'ascenseur, l'équipe entière, alignée, m'accueillit. L'agent lui-même fit péter une bouteille de champagne sous mon nez et passa son bras autour de mes épaules. Tout le monde se mit à applaudir. J'avais décroché la campagne de pub de produits pour hommes. Une décision ferme et irrévocable. J'allais être le gars à la télé, sur les affiches, les magazines, à travers tout le pays. Très, très populaire. Cible potentielle, trois cents millions de personnes. Ils ignoreraient peut-être encore mon nom pendant quelque temps, mais le fait de marcher dans la rue deviendrait vite une expérience inédite.

Cette campagne reléguerait mon ancienne vie aux oubliettes. Ce que j'avais eu à *28 FPS* serait de l'histoire ancienne. J'avais un contrat de deux ans pour incarner l'image de la marque. J'étais une de ces success stories typiques de L.A. J'étais ce dont tous les autres rêvaient.

Je traînai un moment, signai des papiers, étudiai le planning des séances photo et vidéo à venir, profitai jusqu'au bout de l'attention de ces gens qui, soudain, m'aimaient. Puis je regagnai la voiture et me dirigeai vers les collines.

Je n'avais plus besoin de Bella pour accéder à la gloire et à la visibilité médiatique. La campagne de pub allait me faire entrer dans plus de foyers que la plupart des vedettes du petit écran, et l'argent que j'en retirerais me mettrait à l'abri pour le restant de ma vie. Tout à coup, Bella était obsolète.

Pour autant, je n'étais pas en mesure d'éviter la petite soirée divertissante qui se préparait à Apricot Lane. Bella découvrirait ma bonne fortune tôt ou tard, et si je lui faisais défaut lors de sa fiesta rénale, elle riposterait sans hésiter. Peut-être userait-elle de son pouvoir financier pour faire pression sur l'agence de pub, peut-être emploierait-elle les grands moyens et enverrait-elle les gants utilisés pour le meurtre de Powell à la police. D'une façon ou d'une autre, le résultat serait le même : je perdrais tout.

Santa Monica Boulevard, Beverly Drive, San Ysidro Drive : les rues d'une ville à laquelle j'appartenais enfin. Les maisons et les voitures que je voyais défiler n'étaient plus les possessions chimériques de gens meilleurs que moi, mais des biens qui deviendraient, de manière naturelle, aussi les miens. J'estimais les prix, planifiais mes futurs achats. Pour la première fois, j'avais la possibilité de réfléchir en termes d'emplacement, de disposition, de design, de comparer les avantages de l'appartement à ceux de l'isolement sur les hauteurs. J'envisageais de reprendre une Mustang, à moins que je n'essaye une Corvette, voire une marque européenne. Ces décisions étaient délicates.

Au moment où je franchissais le portail de la clinique et entrais dans le garage, le ciel s'assombrissait sur les pourtours. La 850ci de Bella était déjà là. Elle en jaillit, énervée, comme si je l'avais fait poireauter. Elle ouvrit la portière passager. Lorn était affalée sur le cuir rembourré, inconsciente. Seule la ceinture de sécurité l'empêchait de s'écrouler au sol. Elle semblait pâle, vulnérable. Pendant un instant, je me demandai si c'était vraiment moi qui allais participer à ce viol viscéral ou s'il s'agissait d'une pauvre âme, désespérée, avide de célébrité, qui avait pris le contrôle de ma personne. Je passai mes bras sous elle et la traînai en bas de l'escalier. Le transport fut laborieux car elle n'arrêtait pas de s'affaisser.

Lumières aveuglantes, instruments aiguisés sur un plateau. Lorn était allongée, dénudée sur la table. Une aiguille plantée à la saignée du bras droit diffusait l'anesthésie dans son système sanguin à partir d'un goutte-à-goutte sur une potence. Son visage était si blanc qu'il était difficile de voir d'où partait sa chevelure peroxydée.

Bella était nue sous sa blouse. L'ouverture, dans son dos, était à peine nouée et je pouvais distinguer la raie de ses fesses ainsi que, parfois, l'arrière de son con lorsqu'elle se penchait pour terminer de préparer Lorn. Elle portait des gants de latex, un bonnet, mais pas de masque.

« Rien ne sera plus pareil après cette nuit, Jack.

— Elle ne t'aimera plus autant, c'est sûr.

— Je n'ai jamais eu l'intention d'entretenir une relation durable.

— Tu voulais juste me punir.

— Il fallait que je fixe des limites.

— Et maintenant que je les connais, qu'est-ce qui se passe ? Tu veux que je revienne ?

— Ce n'est pas ce que tu désires ? »

Je biaisai pour éviter de répondre.

« Veux-tu que je la mette sur le flanc ?

— Non. Je vais passer directement par l'abdomen.

— Pourquoi ?

— Donne-moi un scalpel. »

Bella était dans son truc. Elle ne me regardait pas. Son attention était concentrée sur la panse blanche et lisse devant elle. Elle passa ses mains sur la poitrine de Lorn, puis descendit sur le côté de la hanche. On aurait dit qu'elle essayait de transformer le corps sur la table en un souvenir tactile. Je lui tendis l'instrument le plus tranchant que je trouvai sur le plateau, puis me plaçai derrière elle, un peu en biais.

La lumière du réflecteur brillait sur la lame. Je retenais mon souffle. Bella s'inclina et embrassa longuement Lorn. Elle lui tapota la joue. Il me semblait qu'elle murmurait. Alors elle se redressa, puis se tint tout à fait immobile. Le monde entier parut l'imiter. Même l'atmosphère dans la pièce se figea.

Mais ça ne dura pas. Bella s'empara du scalpel. Et, tandis que sa main voyageait, je compris que quelque chose clochait. Elle se dirigeait vers un point situé pile au-dessous du sternum, beaucoup trop haut pour concerner le rein. Je reculai d'un pas, pris d'une hésitation. Je veux dire, je n'étais pas toubib, il aurait pu s'agir d'une technique éprouvée. Bella entama l'incision. Elle tenait le scalpel comme un stylo et traça avec fermeté une ligne nette jusqu'au pubis de Lorn : ça ressemblait à un charcutage, trop proche de ce qu'avait subi Karen quand on l'avait trouvée dans le parc.

Je l'éloignai violemment de la table et lui fis faire volte-face.

« Qu'est-ce que tu fabriques, putain ? »

La main de Bella jaillit. Le scalpel passa à un doigt de mon visage.

« Dégage. Tu t'es bien amusé avec elle, maintenant c'est mon tour.

— Tu avais dit juste le rein.

— J'ai changé d'avis. Va attendre en haut, si tu ne veux pas assister à ça. »

Bella affectait une mine dégoûtée. Elle retourna à la table. Du sang coulait à gros bouillons de la plaie, de part et d'autre du ventre de Lorn. Sa touffe était détrempée et des filets d'hémoglobine ruisselaient déjà du chariot et éclaboussaient le sol. La coupure était profonde, mais la paroi abdominale tenait le coup. Bella n'en avait pas encore terminé. Elle allait frapper de nouveau. J'attrapai son bras, seulement elle était rapide et réussit à planter la lame au dos de ma main avant que j'aie pu assurer ma prise. La douleur fut abominable, je bondis en arrière pour éviter une récidive. Mais elle ne me poursuivit pas. Elle se contenta de rester planter là, semblable à un animal qui protège une carcasse, le visage crispé, laid.

« Ne fais pas l'imbécile, Jack. Tu as beaucoup à perdre. »

Elle me fixa avec intensité, et estima sans doute que l'entaille sur ma main m'avait assez impressionné pour que je me garde d'intervenir. Elle fit mine de se remettre au boulot. Pourtant, j'étais uniquement effrayé par la certitude que rien, excepté l'usage de la force, ne pourrait l'empêcher de couper Lorn en deux et de l'étriper.

Fallait-il dès lors partir et la laisser achever son carnage ? Ou y mettre un peu du mien ? Le choix n'était guère difficile. Les sentiments que j'éprouvais pour Bella étaient morts la nuit où Ryan et moi avions supprimé Powell. Et désormais, avec mon contrat publicitaire, je n'avais plus aucune raison d'être attaché à elle. D'un autre côté, j'appréciais toujours Lorn, d'une certaine manière.

Il existait par ailleurs deux autres motifs qui jouaient en faveur de l'élimination de Bella. D'abord, je serais débarrassé du problème tenace des gants : l'unique preuve physique de mon lien avec la disparition de Powell. Ensuite, je pourrais en profiter pour la baiser en même temps.

Cette dernière option fit office de déclencheur, et avant qu'elle puisse inciser de nouveau, je m'approchai et la frappai de toutes mes forces à la tempe. Elle tomba comme une masse au pied de la table d'opération, évanouie. Je parcourus en vitesse la pièce, quelques objets saisis au passage, les vêtements ôtés. J'enlevai la blouse de Bella et lui ligotai les mains par-devant avec des bandages. Enfin, je la retournai sur le ventre et attendis qu'elle revienne à elle. Cela ne prit qu'une minute, ce qui était un bon point car je m'inquiétais de laisser Lorn trop longtemps sans surveillance.

Bella poussa quelques gémissements de douleur avant d'ouvrir les yeux. Alors, ses plaintes se muèrent en colère et je jugeai qu'il était temps de se mettre à l'ouvrage. Elle était encore étourdie, je n'eus pas trop de mal à redresser ses fesses, passer ses genoux sous elle, et la pénétrer par-derrière. J'avais passé un segment de tuyau médical jaune-brun autour de son cou. Nous demeurâmes dans cette position, ma queue, dure comme de l'acier en elle, le tuyau bien en place, mais pas trop serré, jusqu'à ce qu'elle s'agite et tente de discuter. Alors, je déclenchai les hostilités.

J'agrippai le tuyau comme les rênes d'un canasson et lui coupai la respiration. Je fus surpris de constater à quel point le caoutchouc s'enfonçait dans son cou, c'en était presque caricatural. Elle essaya de se dégager par l'avant et se mit à secouer la tête. Ses mouvements étaient saccadés. Je tirai plus fort et la pilonnai. Elle était silencieuse depuis que j'avais commencé à serrer, mais à présent, elle poussait des grognements étouffés. Je supposai qu'il s'agissait d'un réflexe pour chercher de l'air. Son vagin se relâcha aussi, ce à quoi je ne m'attendais pas. Elle releva ses mains entravées pour se griffer le cou. Je relâchai soudain ma prise. Elle perdit l'équilibre et retomba tête la première. Il y avait du sang sur le carrelage lorsque je la redressai.

Je sentais les contractions de son corps, les muscles tétanisés, les os qui paraissaient tout à coup vouloir saillir aux endroits où ils avaient naguère été si charnellement enrobés. Elle tenta à plusieurs reprises de passer ses doigts sous le tuyau afin de l'écarter de la trachée, mais son propre poids l'en empêchait. Elle s'enferma dans une espèce de cycle bizarre qui consistait d'abord à empoigner sa propre gorge, puis à plaquer ses mains au sol pour éviter que la gravité ne fasse son boulot et que son crâne ne rencontre à nouveau le carrelage.

J'avais du mal à garder les yeux ouverts. Je voulais les fermer et savourer le déluge de sensations que cette femme sous moi faisait déferler : son dos cabré, le goût de la sueur entre ses omoplates, l'odeur des gaz qu'elle lâchait tandis qu'elle luttait pour se libérer. Son vagin détendu vibrait autour de ma bite comme si son étroitesse, sa disposition conforme se résumaient désormais à un tunnel de viande molle et visqueuse. Je devinais la vie qui refluait. On aurait dit que l'instinct de survie drainait la substance vitale alentour pour la ramener, dans un ultime sursaut, au centre de son enveloppe charnelle.

Elle urina sur moi. C'était chaud, épais, ma tête tournait. Je veux dire, j'étais en train de le faire, j'étais en train de planter ma queue dans un corps en route vers la mort.

Parfois, quand elle bougeait, j'arrivais à distinguer son visage. Il avait pris une teinte sinistre. Sa langue était tellement gonflée qu'elle ressemblait à la pointe d'une chaussure qui dépassait.

Elle se contorsionnait avec un désespoir croissant, ruait, tentait de se remettre debout. À la suite d'un effort particulièrement violent, elle s'affaissa un moment et commença à déféquer. La merde jaillit de son cul sous forme de liquide brun. Cela dura si longtemps que je dus me retirer pour admirer. Mon ventre gargouillait. Une flaque d'excréments se forma autour de nos genoux.

Comme je ne pesais plus sur elle, elle parvint à passer ses pieds sous elle et à se redresser d'un coup. Je fus pris au dépourvu et lâchai le tuyau. Je croyais être en difficulté, mais elle glissa sur la flaque et chuta lourdement sur le coude. L'articulation craqua, cependant elle ne cria pas. Elle était trop occupée à reprendre sa respiration malgré sa langue.

Je bondis sur elle. Nous roulâmes jusqu'à ce que je bloque son bras entre son corps et le mien alors qu'elle était sur le dos. C'était malaisé de la pénétrer dans cette position car j'utilisais à présent mes deux mains pour l'étrangler. J'étais obligé de me coller à elle pour immobiliser son bras. L'autre était cassé et elle était déjà bien sonnée, par conséquent elle n'était plus assez forte pour m'arrêter.

Face à face, tout devenait instantané. Je voulais ma bouche contre la sienne pour pouvoir recueillir son dernier souffle, goûter sa bave, être aussi proche que possible de son agonie. Sa langue rendit la tentative périlleuse, elle n'arrêtait pas de secouer la tête. Je réussis à plaquer mon front sur le sien afin de humer les odeurs qui supplantaient celles de la merde.

Elle donnait de faibles coups avec ses hanches dans l'espoir de m'éjecter, mais elle n'avait plus aucune vivacité. Je la baisai aussi fort que je pus. Je pensais que son corps allait se détendre au fur et à mesure que la vie fuyait, mais quand ça se produisit, ce fut en un éclair, comme un interrupteur qu'on actionne, et la métamorphose fut spectaculaire. Je sentis, autour de mon sexe, dans mon ventre, mes bras, une tranquillité parfaite qui m'inonda soudain, qui prit possession de moi avec la promesse d'un calme éternel.

J'enlevai mes mains de son cou, scrutai avec attention ses yeux grands ouverts, la manière dont ses seins vibraient à chacune de mes poussées. Et lorsque le résidu d'air prisonnier de ses bronches s'échappa par le nez avec un chuintement semblable à un jouet gonflable crevé, j'éjaculai. L'orgasme parut se prolonger à l'infini, et quand ce fut terminé, quand j'eus craché jusqu'à la dernière goutte, si fort que je crus ne jamais plus être en mesure de jouir, je m'allongeai sur elle, à l'écoute des battements de mon propre cœur dans ma poitrine, et du silence dans la sienne.

Un peu après, je m'occupai de Lorn. Sa respiration était très faible et la quantité de sang par terre, autour de la table, terrifiante. J'envisageai de débrancher l'anesthésie, mais avec une telle blessure, reprendre conscience sans analgésiques appropriés pourrait être encore plus dangereux que les sédatifs dans son système sanguin. Je la laissai donc telle quelle. Je ne pouvais pas faire grand-chose de plus. Je laissai Bella en l'état, elle aussi.

Sur le chemin du retour vers Palm Grove, je m'arrêtai à une cabine pour appeler une ambulance.

ÉPILOGUE

Alors, qui prétend qu'on ne peut pas tout avoir ? La campagne de pub s'est déroulée comme prévu, une déferlante de réclames pour de la mousse à raser, du shampooing, du déodorant et du savon, diffusées à travers les États-Unis, avec mon visage en gros plan. J'ai gagné beaucoup d'argent, je suis devenu célèbre. Pas au niveau d'une star de ciné, pas tout à fait, mais on commence à me faire des propositions.

J'ai acheté une plus grande maison que celle de Willow Glen et j'ai opté pour une voiture plus rapide que la Mustang. Le soir, je vais dans des endroits où l'évocation des grands propriétaires sert à meubler les conversations entre les films. Lorsque je dois me rendre à un tournage, j'y vais en limousine. Si c'est en dehors de la ville, je dors dans des cinq étoiles. Dans n'importe quelle partie du pays, on me reconnaît, je suis interviewé, je peux baiser. Mon agent affirme que d'ici quelques années j'incarnerai le nouveau Brad Pitt.

Les ambulanciers avaient trouvé Lorn, mais ils n'avaient pas été assez rapides. Elle était morte avant qu'on l'installe dans l'ambulance : perte massive de sang associée à une détresse respiratoire causée par l'anesthésie. Si elle s'en était sortie, j'aurais sans doute essayé de renouer une relation stable avec elle. Je dois dire que, pendant longtemps, j'ai été très attristé par son sort.

Mais la vie a suivi son cours. Lors d'une séance photo sur la Marina Del Rey, j'ai sympathisé avec une fille au Hawaiian Tropic. Nous vivons désormais ensemble. Pour moi, elle est la partenaire idéale : une Californienne blonde avec de gros seins qui présente bien à la télé et dans les magazines. Nous sommes proches l'un de l'autre, nous partageons les mêmes centres d'intérêts, les mêmes buts et si ce n'est pas vraiment de l'amour, qu'est-ce qu'on en a à foutre ? Nous n'avons qu'à mettre un pied dehors pour en obtenir.

La police ne put tirer de conclusion définitive à propos de Bella. Ils ne surent jamais si les mutilations infligées à Lorn et le meurtre étaient l'œuvre d'un seul individu, ou si Bella avait elle-même porté les coups avant d'être assassinée. La raison sociale et les droits de propriété de la clinique d'Apricot Lane ne purent également être déterminés avec certitude car les documents officiels conduisaient à une compagnie sucrière sur l'île Maurice qui avait cessé toute activité depuis six ans.

Je suppose qu'après tout, j'ai pour ainsi dire vengé Karen. Mais même à l'époque de son décès, ce n'était pas un souci majeur, et aujourd'hui encore moins. En fait, je n'ai été affecté par presque rien avant que Bella n'avale son bulletin de naissance. Il y avait Rex, peut-être, un gars dont j'avais indirectement causé la mort. Et Powell, un mec presque innocent que j'avais aidé à tuer. Rex serait décédé de toute façon et Powell n'était pas un homme pour qui j'éprouvais une sympathie particulière.

Le seul qui me manquera à moitié est Ryan. Pas au point de vouloir qu'il ressuscite, mais au moins il demeure dans mon esprit comme une personne de quelque importance. Il avait tenté de me piéger, il m'avait battu, il avait tout bousillé entre Bella et moi, néanmoins, il m'avait aussi obligé à prendre conscience de certaines choses au fond de moi. Certains prétendront que ces choses devraient rester cachées. Je ne sais pas, peut-être. Pourtant, si elles sont là, je crois que les ignorer ne change en rien celui que vous êtes. Et puis merde, je suis un type plutôt normal, je ne suis pas différent de la plupart des gens. Il n'existe sans doute, à l'heure actuelle, que peu d'individus qui peuvent se vanter d'avoir baisé un cadavre, mais je suis sûr que beaucoup y pensent.

Et Bella ? Elle a déjà commencé à s'effacer de ma mémoire. Je reconnais qu'elle a beaucoup fait pour moi avant de devenir méchante, et je sais que je devrais me rappeler le bon vieux temps. Mais c'est impossible. Les seuls souvenirs que je garde d'elle sont la vision de la merde qui s'écoule de son anus et la manière dont elle s'est immobilisée, autour de ma queue.

DU MÊME AUTEUR

Aux Éditions Gallimard

Dans la Série Noire

EMPTY MILE, 2014
LA BELLE VIE, 2012, Folio Policier n° 714

COLLECTION FOLIO POLICIER

Dernières parutions

Composition IGS-CP
Impression Novoprint
le 15 décembre 2013
Dépôt légal: décembre 2013

ISBN 978-2-07-045619-2 / Imprimé en Espagne.

260568